EL SIGLO PASADO

EDUARDO CHAKTOURA
PAOLA ESTOMBA
DAMIÁN NABOT

EL SIGLO PASADO

*Historias de vida de la gente
que hizo el siglo XX*

PLANETA

Diseño de cubierta: Mario Blanco
Diseño de interior: Orestes Pantelides

© 1999, Eduardo Chaktoura, Paola Estomba y Damián Nabot

Derechos exclusivos de edición en castellano
reservados para todo el mundo:
© 1999, Editorial Planeta Argentina S.A.I.C
Independencia 1668, 1100 Buenos Aires
Grupo Editorial Planeta

ISBN 950-49-0211-1

Hecho el depósito que prevé la ley 11.723
Impreso en la Argentina

Agradecimientos

A nuestros entrevistados: Gregorio Levenson, Perla Jerosolinsky, Marcelino Fernández Villanueva, María del Redentor Cobanera de Álvarez, Américo Miralles, Daniel Pelícori, Salvador Arbitman, Pedro López, Ricardo Pueyrredón, Lidia Molinari, Francisco Pelloni, Anselmo Marini, Alberto Real, Elsa y José Alberto Quiroga, Flora di Benedetto, Cecilia Gurevich, Jorge Dante Merli, Rosa de Angelis, Brígida Walsh, padre Bruno, Marga Rousell, Ernesto Verzero, Rosa Kotlayrzsky, Wolf Frieser, *y a todos sus familiares y amigos por habernos abierto las puertas de su casa.*

A la paciencia infinita de Carolina Danuncio.

A la ayuda incondicional de: Pablo Avelutto, Ignacio Iraola, Mirta Tundis, María Laura Santillán y su equipo de producción de *Causa Común,* Leti, José Cutello, Norma Morandini, Ignacio Prafil, Margot y Sonia Seoane, Miriam Lewin, abuelos y personal del Hogar de Ancianos Parque Rosal, Paula Atlante, Zulma Richart, familia Rulli, familia Katic, personal de la Sociedad Rural Argentina, departamento de Prensa de la Embajada de España, Asociación Argentina de Aeronavegantes, personal de la Biblioteca del Jockey Club, Casa del Teatro, Sociedad Damas de Caridad, licenciada Claudia Arin, familia Zucherelli.

Introducción

El siglo pasado es un relato de los últimos cien años a través de la vida de hombres y mujeres poco conocidos. Todos los entrevistados están vivos y en su mayoría nacieron antes de la Primera Guerra Mundial. Algunos, en la Argentina. Los demás llegaron al país empujados por guerras, persecuciones y otras desdichas.

Escuchar sus historias fue como abrir viejos arcones y descubrir vidas que, en ciertos casos, ni siquiera sus hijos conocían. No son héroes ni próceres de bronce. Unos fueron protagonistas y otros testigos circunstanciales. El entramado final de sus vivencias buscó reconstruir tanto las consecuencias de los grandes acontecimientos históricos como recuperar aquellas pequeñas costumbres de la vida cotidiana.

No es un relato exhaustivo ni ejemplar. Los hechos narrados son absolutamente reales. *El siglo pasado* es una investigación periodística más que un libro de historia.

Para la búsqueda de los testimonios recurrimos a diversas instituciones culturales y civiles, a hogares de ancianos, a la buena memoria de amigos y periodistas, y a los archivos de diarios y revistas. Documentos históricos, los recuerdos de nuestros entrevistados, obras de referencia y material bibliográfico sirvieron para evocar costumbres, reflejar modas y hábitos, recuperar voces, comprender ideologías y sensaciones de cada época.

Cinco historias de vida son el eje de la obra y recorren el siglo de principio a fin. Entre ellas surgen otros protagonistas, que con sus vivencias aportan nuevas miradas sobre momentos particulares de la historia. Estos testimonios son sólo una parte de las entrevistas realizadas y fueron seleccionados porque resumían los rasgos esenciales de la historia de este siglo: la inmigración, la pobreza, la discriminación, las grandes guerras, las persecuciones raciales, el protagonismo de nuevos sectores sociales, el progreso tecnológico, la cultura de masas, el totalitarismo, la corrupción y la consolidación de la democracia.

Buscamos reflejar las ideas de los protagonistas antes que las nuestras. Sus convicciones por momentos los acercan y otras veces los empujan a veredas opuestas. No evitamos las contradicciones, porque el contraste enriquece el repaso de la historia.

Por último, sólo ansiamos que el ejercicio de la memoria ayude a evitar repeticiones de nuestras tragedias y a concretar los sueños truncos del siglo pasado.

Los protagonistas

Gregorio Levenson

Gregorio Levenson toma una lupa y se acerca a la mesa de madera en donde lo espera el diario *Página/12*. Una pavita con agua tibia y el mate lo acompañan a un costado. La lente recorre lentamente las letras del periódico, demasiado pequeñas para sus ojos de 88 años. Después de unos minutos, Goyo menea la cabeza, levanta su mirada y suspira. Las injusticias que pensó ver extinguidas siguen impávidas a pesar del paso de los años. Es como si se burlaran de sus sueños. Gira la vista hacia las copas desnudas de los árboles que asoman a su balcón. El cielo lo espía por entre los edificios de Almagro.

Una hoja de papel escrita a máquina descansa sobre la mesa. Gregorio la levanta y murmura para sus adentros los versos copiados sobre los renglones: "Los que mueren por la vida no pueden llamarse muertos y a partir de este momento es prohibido llorarlos. Que se callen los redobles de todos los campanarios".

Cuando el sol abandona la ciudad y el rumor de la noche cubre las calles, Gregorio se recuesta en su cama angosta y escucha tangos hasta entrada la madrugada. La oscuridad empuja a la tristeza. Unas pocas fotos sobre la pared amarillenta y la cómoda antigua arrastran los recuerdos. Su mujer Lola, sus hijos Bernardo y Miguel Alejo, su hermana Raquel, todos muertos. Gregorio está solo en el departamento. Poco a poco la noche lo atrapa y se deja llevar por el sueño.

María del Redentor Cobanera de Álvarez

El domingo se recuesta sobre el atardecer, entre las azoteas de Caballito. María del Redentor Cobanera de Álvarez, del brazo de su hija María Amelia, regresa de misa hacia su hogar de la calle Doblas, mientras su pensamiento intenta entrelazar los rastros encontrados sobre sus antepasados de la época de la Colonia.

Su sonrisa pícara y sus movimientos coquetos impiden descifrar su edad, pero la docente jubilada confiesa sin rodeos sus 98 años porque los sabe bien vividos. Su inquietud sigue intacta en su ayuda para los chicos del hogar "Manuel Belgrano", de Villa Ballester; en las cartas escritas a los presos para mitigar su soledad; en su rastreo privado por su genealogía familiar.

Al llegar a su casa camina rumbo a su cuarto, toma un cuaderno escolar y se sienta en la mesa del living para repasar documentos históricos y releer viejos libros que guardan los nombres de las antiguas familias coloniales.

María del Redentor regresa sobre su pasado, el último adiós a su marido, su peregrinación por las escuelas de la Argentina, su infancia en La Plata de principio de siglo, sus padres José Norberto Cobanera y Silvana Mónica Leyva, sus abuelos criollos, el nacimiento de la Nación, la vida en el Virreinato. El círculo interminable de la vida vuelve sobre sí mismo. Toma anotaciones, medita y luego cierra el cuaderno. Después besa la foto de Juan Augusto que descansa sobre la mesita de luz y se recuesta en la cama. La historia todavía domina su mente y su sangre.

Américo Miralles

Como de costumbre, abre los ojos a las cinco de la mañana. Versailles todavía duerme. Américo Miralles se viste en silencio, mientras espía cómo su esposa duerme a un lado de la cama. Sus alardes de galán porteño siguen irrefrenables, a pesar de sus 86 años. Disfruta recordar con amigos y familiares sus conquistas juveniles y sus amoríos clandestinos. Pero en la intimidad de su cuarto reconoce en secreto que su vida hubiera sido imposible sin Mary.

Dos horas después vuelve de Liniers con las compras. Apoya la pava sobre la hornalla y sacude la yerba dentro del mate para que el polvillo se aleje del fondo. La radio entrega noticias sobre las privatizaciones. La bombilla se hunde entre palillos y hojas trituradas, y el agua caliente humedece la mitad de la yerba.

Cuando Mary despierta, un mate recién cebado la espera en la mano de su marido. Su familia cuenta ahora con dos hijos, seis nietos y cinco bisnietos. Américo vuelve a la cocina, mientras la radio insiste en traerle la actualidad. Entonces el tiempo se detiene. Por un momento escucha nuevamente el bramido de los bombos, la voz arenosa de Perón sobre el balcón de la Casa Rosada, siente cómo sus pies tiemblan sobre el suelo de la Plaza de Mayo y, de repente, el recuerdo se aleja a través de su memoria. Américo inclina la pava y se sirve otro amargo.

Marcelino Fernández Villanueva

La tarde cae sobre el sábado sin apuros y Marcelino Fernández Villanueva gana la calle rumbo al bar La Alameda, en Avenida de Mayo y Salta. En la caminata maldice las baldosas flojas de las veredas porteñas que junto a su visión marchita y su ojo ciego se ensañan en complicarle el camino.

Las heridas de la tortura lo obligaron de joven a usar lentes y lo marcaron para siempre con el mote de *El Gafas*. Ahora, cuando la vida lo ayuda a pasar los ochenta, Marcelino avanza desconocido por la vereda, mientras a su alrededor la gente camina sin prestarle atención. Lo ven pasar como a un anciano sin saber de las páginas de la Enciclopedia Gallega que destacan su "disciplina, formación política y capacidad de organización y mando", sin saber de su lucha en los montes de León y Galicia, sin conocerlo. A *El Gafas* poco le importa pasar inadvertido, sólo quiere llegar al bar donde lo esperan sus amigos, los otros sobrevivientes.

El bullicio de La Alameda lo recibe con su aire familiar, las voces de las mesas, las risas, el ruido de los vasos y los pocillos. Se sienta junto a sus camaradas y se suma a la charla como si estuviera de antes, como si jamás hubiera partido. La conversación va y viene entre Argentina y España, por momentos apasionada, otras veces silenciosa. Cada tanto un comensal gira la cabeza y los observa. Nadie descubre detrás de las caras del grupo a los hombres que, sesenta años atrás, lograron burlar en su tierra a las tropas de Francisco Franco.

Perla Jerosolinsky

El perfume transparente de los eucaliptos marca el ritmo de la siesta. El ruido de la ruta se escucha como un ronquido lejano, como los ecos de una guerra olvidada. Perla Jerosolinsky recién ha cumplido 84 años y aquella vieja canción polaca regresa a su cabeza:

> *Nunca digas es tu último camino,*
> *nunca digas éste es tu último camino.*

Mira a los ancianos del hogar y sigue con una sonrisa serena los pasos de los viejos en su paseo diario hasta el almacén del hogar. Arrastran sus años con melancolía, con la mirada en el piso se pierden detrás de la puerta del comercio y regresan luego con una gaseosa entre los brazos. Siempre igual.

Perla se acomoda en su sillón favorito, en el pórtico del pabellón Levi E, y las imágenes del pasado se iluminan como relámpagos en su cabeza. Después respira profundamente.

Por momentos su vida la recuerda breve y trágica, otras veces milenaria. Piensa en su hijo y la arrastra la nostalgia. Siempre siente que sus llamados son pocos. Suspira. Después mira hacia atrás, pero sin girar la cabeza, sólo con la memoria. Nada ha desaparecido, como si el tiempo se repitiera en cada presente. Vuelve a revivir: tantas muertes, tantos viajes, las despedidas, las prisiones.

Las hojas de los eucaliptos duermen inmóviles. La tarde es silencio. Entonces entiende que va a desobedecer los designios de la canción. Aquel Burzaco argentino, a miles de kilómetros de su Novy Dwor natal, es su último camino.

Perla apoya una mano en su bastón de madera, se levanta, y va en busca de su almuerzo sin siquiera atraer la atención de las palomas que acaban de acercarse a picotear.

1900

Las mujeres sostenían sus gigantescos sombreros desbordantes de flores y moños; los hombres, de levita y pechera, aguardaban impacientes el momento de llevarse a la boca los manjares desplegados sobre las mesas del restaurante Ponisio, en el Parque Lezama. El ambiente estaba cargado de ansiedad. Los caballeros, siempre parcos y refinados, se preparaban para la diversión. Decenas de galeras colgaban desde los percheros, y en lo alto, las arañas iluminaban el salón en la última noche del siglo.

De repente, las miradas confluyeron en una sola figura. El hombre más poderoso de la Argentina clavó su bastón en las maderas del piso y avanzó con el paso de un animal al acecho hasta la cabecera de la mesa principal. Su espalda se había encorvado levemente con los años. La claridad de las canas había cubierto su barba. Pero en la mirada todavía centelleaba invencible el mismo fuego oscuro de los tiempos de la campaña, del galope y la sangre sobre el desierto.

Los comensales saludaron la llegada del presidente y Julio Argentino Roca respondió con pose caballeresca. Saboreaba en silencio el comienzo de un nuevo siglo con las riendas de la Argentina bajo su puño.

En el lugar se reunía lo más selecto de la clase dominante. En la mesa del presidente de la Nación estaban Carlos Lumb y su esposa, Eduardo Wilde y su mujer, Guillermina. Un poco más allá compartían la cena, sentados a la mesa del señor Mariano de Vedia, su señora, Juan Cruz Varela y su esposa, Celia Martínez, y Julián Martínez. Ganaderos, estancieros y altos funcionarios se distribuían a lo largo del salón. El ambiente exudaba poder.

Los mozos comenzaron a llegar cargados de bandejas y dieron inicio al banquete. Enseguida sonaron las carcajadas y los festejos. La situación del país acompañaba las celebraciones. La economía vivía un momento de pujanza. Las exportaciones crecían sin pausa desde la última década del siglo pasado y el recuerdo de la crisis del 90 se perdía en las tinieblas de la memoria. Los barcos partían desde Buenos Aires cargados de toneladas de cereales y carne congelada, y regresaban repletos de sueños de inmigrantes. Como un hormiguero abierto, el puerto desbordaba de extranjeros que partían hacia las ciudades en busca de un pedazo de tierra en el que levantar su nuevo hogar. La moneda argentina era fuerte nuevamente.

En el restaurante Ponisio, Roca y el resto de los comensales podían festejar a gusto. Las copas chocaban en el aire y la noche de verano invitaba a alargar los brindis hasta el amanecer. La escena era una pintura glamorosa y triunfante.

Pero, como en los frescos renacentistas, la imagen había comenzado a agrietarse sin que sus personajes pudieran advertirlo. Los cambios de una sociedad que dejaba atrás los aires provincianos y se dejaba arrastrar por las transformaciones del nuevo siglo se filtraban entre los planes de la oligarquía.

Apenas un tercio de los habitantes tenía derecho a elegir a los gobernantes y desde Europa llegaban ideas de cambio. Los trabajadores, marginados del sistema político, comenzaban a asociarse y con el siglo nacían también las organizaciones obreras, que iniciaban su lucha, sobre todo, contra las interminables jornadas laborales de 16 horas. El anarquismo se abría paso entre la miseria y la explotación de los olvidados.

En el puerto, a lo largo de las vías del ferrocarril y en los campos, el trabajo debía continuar bajo los 37 grados de calor que anunciaban los diarios para el primero de enero de 1900. A pesar de la pobreza, el Año Nuevo también reservaba para los más humildes un espacio para sus festejos en los bailes de los clubes de obreros, en las romerías de la Asociación Española de Socorros Mutuos de Lomas de Zamora, en el teatro Rivadavia del Centro Gallego de Barracas y en los corsos callejeros, libres y desenfadados.

Los privilegiados, los caballeros y las damas de la alta sociedad, partían hacia las residencias veraniegas de San Isidro, Lomas de Zamora, Morón y escapaban del sofocón de los adoquines. "Buenos Aires está inhabitable", murmuraban sombrilla en mano las señoritas. El presidente Roca, su mujer María Esther Llavallol y sus hijas Elisa y Agustina planeaban pasar una temporada en la estancia "La Elisa" de Miguel Juárez Celman.

Otros se aventuraban hasta Necochea o Mar del Plata. Y en el tren comentaban la tragedia del día anterior, cuando se habían ahogado la señorita Catalina Gutiérrez y los señores José Oryazábal, Ignacio Peralo y Guillermo Pitt en la playa La Perla, tal como informaban los periódicos de Buenos Aires.

Las familias acomodadas emprendían su travesía hasta el mar para pasar el Año Nuevo y daban rienda suelta a discusiones y enojos por los ahogados. Les recordaban a los responsables del balneario el dinero que habían gastado para su veraneo, para el aire fresco, los "baños de sol" y el "yodo de las ondas", y se indignaban porque a pesar de su dispendio faltaba seguridad.

Bajo la sombra de las parras, protegidas por sus sombrillas o en el interior de las casonas, las damas de la sociedad comentaban preocupadas el próximo enlace de una distinguidísima viuda joven y sumamente bella con un diplomático, encargado de negocios de la península escandinava. Todos sabían de quiénes se trataba pero ahorraban sus nombres por falso recato. Sin embargo, el rumor corría de boca en boca y se aseguraba que la dama, generadora de suspiros en teatros y salones, iba a dar el sí durante los primeros días del verano.

Aquel 31 de diciembre también eran parte de la comidilla los preparativos para las bodas de la señorita Elvira Oyuela y el señor Novaro, Susana Rosa y Pedro Passo, y Emma Piñeyro con Alberto Tedín Uriburu. El último iba a despedir su soltería entre los álamos y parques de La Limpia de Chascomús. Así, el primer año del siglo se vislumbraba como un buen negocio para las parroquias bonaerenses y los negociantes de ajuares y canastillas de bodas.

La fiebre consumista de los porteños pudientes había colmado también el local de Gath & Chaves, en pleno centro de la ciudad, donde tres mil personas habían dejado a la exclusiva tienda la suma de 250.000 pesos durante el último día de diciembre.

Por la tarde, las señoritas que todavía quedaban en Buenos Aires habían vestido sus galas veraniegas y trepado a los carruajes rumbo a Palermo. En un rincón del parque, la asociación "Los triunfantes" ultimaba los detalles de la fiesta campestre prevista para la noche, con banda de música incluida.

Los últimos aires del siglo eran densos y sofocantes. En los salones de Enfant de Beranger, iluminados con luz eléctrica y con un buen número de ventiladores, se escuchaban los primeros acordes del baile de la sociedad de Renaissance. Las mujeres engalanadas llegaban con sus cuellos y sus hombros provocadoramente desnudos.

Apenas cayó el sol, el árbol de Navidad de Parque Lezama se encendió repleto de luces y regalos, atendido primorosamente por las señoras Carolina Lagos de Pellegrini, Tedolina Alvear de Lezica y Casiana Luro de Rouaix. Mientras, el circo anunciaba una nueva función con la aparición del monstruo marino y se vendían por doquier entradas para el 15 de enero, día en que el cuerpo de bomberos exhibiría toda su destreza al apagar el incendio de un castillo especialmente construido para la demostración.

El último día del siglo también fue ajetreado por motivos más cotidianos y menos primorosos. Hubo un intento de homicidio en un inquilinato de Paraguay al 700 y los bomberos Nemecio Morúa y Fabián Márquez marcharon veloces por una alarma de incendio en Alberti 492, que resultó ser el humo vigoroso de un asado.

Hacia la noche llegó el momento del festejo popular amenizado por bandas, fuegos artificiales, repique de campanas y diana general a la medianoche. El último aliento del viejo siglo fue despedido con una salva de 21 cañonazos. Luego devino el silencio y por unas horas sólo se escuchó el ladrido lejano de los perros.

El primero de enero amaneció apaciguado y caluroso. Los empedrados desiertos mostraban los rastros de las celebraciones. A lo lejos, un barco anunciaba su partida con un ronquido melancólico.

Al despertar parecía que el cambio de siglo había sido tan solo un capricho del almanaque. Roca era presidente al igual que veinte años atrás y la vida regresaba a su lugar habitual. El poder se concentraba en un grupo exclusivo y presentaba infranqueables caminos de acceso. Los actos oficiales exhibían las mismas caras que habían dominado a la Argentina durante las últimas décadas.

Sin embargo, por debajo, como el vapor que asciende desde una caldera, la sociedad se revolvía en una violenta transformación. El nuevo siglo iba a cubrir el cielo de máquinas gigantescas, a derribar de un soplido imperios atávicos, a reproducir rostros y voces por ondas y cables, a extremar la miseria y la opulencia, a multiplicar el exterminio provocado por las guerras y a poner a los hombres en el espacio. Ya nada sería igual.

Alentado por los sentimientos revolucionarios que auguraban un mejor futuro para su presente de obrero metalúrgico, Boris Levenson se encolumnó tras el sacerdote radical Georgy Gapon y otros trescientos mil rusos rumbo al Palacio de Invierno de San Petersburgo. La mañana del 9 de enero de 1905 era helada, pero la esperanza de un futuro digno templaba las almas. Boris levantó uno de los tantos carteles con una frase que presagiaba sangre: "¡Soldados! No disparen al pueblo". El régimen imperial ruso se desangraba en la guerra contra Japón y la opresión policial se volvía cada vez más sofocante. Agotados por un sistema que dejaba poco lugar a los sueños, los trabajadores hacían propias las ideas socialistas.

En el interior del palacio, el zar Nicolás II leía una lista de peticiones que convulsionaba sus emociones. Jornada laboral de ocho horas, aumento de salarios, sufragio universal y formación de una asamblea constitucional. El final del documento retumbó en sus oídos: "Si no ordenas ni respondes a nuestras peticiones moriremos en esta plaza ante tu palacio".

El zar desplegó a su ejército. Ambos bandos permanecieron en sus puestos. Los soldados abrieron fuego. Las balas alcanzaron en el pecho a cientos de manifestantes. Cuando las corridas, el humo y los gritos se disiparon sólo quedaron los cadáveres. La masacre fue conocida como el domingo sangriento y grabó a fuego la falta de popularidad del régimen.

Perseguido y sin nada que lo atara a Rusia, Boris huyó hacia Polonia. En las embajadas extranjeras buscó un nuevo destino para su vida. Sus ojos perdidos y anhelantes se encontraron con un gran retrato de Alfredo Palacios en el hall de entrada del consulado argentino en Varsovia. Debajo de la imagen, una leyenda aseguraba que se trataba del primer diputado socialista que defendía a los trabajadores. A Boris el cuadro lo convenció. Una nación donde los perseguidos de su patria podían llegar al Parlamento era sin dudas un lugar de esperanzas.

Atravesó el océano durante meses. A poco de desembarcar en el puerto de Buenos Aires, fue rebautizado Bernardo y partió hacia La Boca. Encontró un barrio de pobres, inmigrantes genoveses y pescadores, de casas humildes de lata acanalada y listones de madera, con botes en los patios, junto a los malvones, para sobrellevar las inundaciones. Descubrió un enjambre de trabajadores junto al río y en el comité socialista se sumó a los seguidores de Palacios.

En el local del partido encontró un espacio de lucha, de reivindicación y conoció a Esther, una inmigrante rusa que provenía de la clase media alta pero compartía sus ideas de izquierda.

Las luchas se alternaron con besos y caricias a hurtadillas hasta que resolvieron unir sus vidas más allá de la política.

Con los bolsillos vacíos, dejaron atrás el ajetreo del Riachuelo y buscaron el perfume de los frutos y la madera en una modesta casa del Tigre, donde nacieron sus siete hijos: Saverio, Gregorio, Berta, Moisés, Raquel, Olga y Teodoro.

La agitación encontró eco entre los trabajadores de los talleres navales Mihanovich, al final del canal de San Fernando. Bernardo buscó saldar la cuenta que había dejado pendiente en Moscú bajo las balas del zar y compartió sus sueño con caldereros, mecánicos, electricistas, pintores y carpinteros.

Cada mediodía, temeroso frente a los esqueletos fantasmales de los barcos que se arqueaban como bestias dormidas sobre el dique seco, Gregorio llevaba la vianda a su padre, que trabajaba como remachador.

Entre el calor del hierro fundido y de los ideales socialistas, el hijo del inmigrante ruso creció embriagado por la lucha obrera y supo que su destino estaba marcado por el origen de su clase. Como ayudante de su padre, Gregorio aprendió el oficio a fuerza de coscorrones y, de su mano, emprendió despaciosamente la gesta de los más pobres.

Silvana Leyva de Cobanera despertó a sus hijos bien temprano. Eran las 5 de la mañana. María, una de las más pequeñas, saltó de la cama con la destreza intrépida de una niña. Tenía nueve años. Se lavó la cara y se puso el delantal que aguardaba almidonado sobre una silla. Miró hacia la pechera y sonrió orgullosa al descubrir la escarapela anclada en la solapa.

Apenas terminaron el desayuno, vestidos de punta en blanco, la docena de herederos salió a la calle rumbo a la plaza Primera Junta de La Plata. La ciudad estaba engalanada para la ocasión. Las casas lucían banderas en los balcones y moños celestes y blancos en las puertas. La familia Cobanera avanzaba exultante y a su paso se sumaban otros vecinos. En la plaza esperaban escenarios embanderados y parlantes para celebrar el 25 de mayo de 1910, fecha del centenario de la Revolución de Mayo.

Unos días antes, el 18 de mayo, el paso del cometa Halley había amenazado con arruinar la fiesta con la ola de suicidios dejados a su paso entre quienes veían en su estela la llegada del fin del mundo. Pero la proximidad del Centenario diluyó finalmente la noticia, y el 25 de mayo nadie recordaba la visita del astro.

La clase gobernante de la Argentina buscaba plasmar entre fuegos de artificio y celebraciones el mito de su origen y la identidad de la nación. Las colectividades extranjeras, que reclamaban un lugar en el futuro del país, competían por donar monumentos a la ciudad. Los italianos iban a colocar la piedra fundamental de la estatua dedicada a Cristóbal Colón, los españoles preparaban otro en el parque Tres de Febrero, los suizos discutían el propio en su sede de Rodríguez Peña 254 y los franceses habían entregado dos palmas de oro para la tumba de San Martín.

Los diarios repetían hasta la saturación la palabra "patria". Los próceres eran elevados al sitial de figuras religiosas y patriarcales. Sus ideas se moldeaban convenientemente para equipararlas con la ideología de la clase gobernante. La Argentina conservadora reinventaba su pasado y su tradición, de acuerdo a las contradicciones de su presente inmigratorio y conflictivo.

El mundo había sido convocado para presenciar los logros del desarrollo argentino. En representación de España llegó la infanta Isabel de Borbón. El presidente José Figueroa Alcorta la recibió en el puerto de Buenos Aires junto a miles de españoles residentes en la Argentina.

El primer mandatario también le dio la bienvenida a las comitivas alemanas e italianas, enviadas por los gobiernos del emperador Guillermo II y de Giovanni Giolitti. Tampoco faltaron representaciones de Uruguay, Japón, Rusia, y la visita del presidente chileno Pedro Montt, quien llegó por tren a la estación de Retiro junto a su señora, Sara del Campo, y la compañía de oficiales y ministros.

Las noticias destacaban también el arribo de cuatro cruceros norteamericanos y daban cuenta de las ausencias de autoridades inglesas por el luto que cubría al reino a causa de la muerte de su monarca, Eduardo VII.

Por la Avenida de Mayo habían desfilado toda la semana batallones argentinos con sus uniformes de gala, escuadrones llegados de Chile y cerca de tres mil soldados de fuerzas de desembarco de Francia, Austria, España, Chile, Holanda, Italia, Japón y Portugal.

Las veredas se llenaban de curiosos que arrojaban flores al paso de las tropas. Por las noches, los clubes, las sociedades y los salones sociales desbordaban de asistentes para sus "veladas patrióticas". La cumbre de la suntuosidad se alcanzaba con una invitación para el baile por el centenario del Jockey Club, con la presencia de la infanta Isabel, el presidente, mandatarios extranjeros, diplomáticos y mujeres cubiertas de joyas.

Reyes, príncipes, embajadores, capas, coronas. En su casa de La Plata, María recreaba en su mente cada comentario que llegaba a sus oídos sobre los actos en Buenos Aires y se transportaba a un mundo aristocrático y mágico. El 25 de mayo fue la primera de su familia en llegar a la plaza Primera Junta. La procesión cívica había partido desde la plaza Mariano Moreno y había sido convocada por la comisión organizadora de los festejos del Centenario de La Plata.

Al llegar al lugar depositó una corona de flores al pie del monumento a la Junta junto a otras alumnas, mientras los vecinos sostenían cientos de retratos de los próceres de Mayo que habían sido entregados por la comisión.

A las nueve se cantó el himno, en sincronía con los treinta mil escolares reunidos en la plaza del Congreso Nacional de Buenos Aires.

Durante meses la maestra de María había formado a sus alumnos con sentimientos patrióticos y loas para los próceres. Eran largas horas de lecciones con relatos épicos de la Revolución y sobre el nacimiento de la Nación. María dejaba escapar una mirada hacia los retratos de los próceres que cubrían la pared del aula y se preguntaba si eran familiares lejanos.

En el interior del Buenos Aires Boxing Club, en donde la calle Córdoba comenzaba a despedirse del centro, la mirada de Daniel Pelícori seguía con fascinación los movimientos de Jorge Newbery. Era para sus ojos adolescentes una especie de superhombre, una leyenda con vida capaz de cubrir la ciudad de luz eléctrica, conquistar los cielos en un globo, vencer en un ring a quien se atreviera a retarlo, lanzarse a navegar en un barco de la Armada, ser campeón de remo y esgrima, y al mismo tiempo lucir siempre apuesto y conquistador. Daniel tenía apenas 15 años pero había comenzado a recorrer el camino de Newbery con el deseo de acercarse a su ser idolatrado. Con toallas atadas a las manos intercambiaba golpes con sus amigos del barrio, se había impuesto superar sus marcas de natación y entrenaba con pasión como si se preparara para un título mundial. Había logrado un físico macizo y esbelto, que también favorecía sus intentos de ganarse a una morena de pelo encrespado que había conocido junto a la ribera.

Los arrabales se cubrían de tango y el adoquinado se extendía como tentáculos hacia las afueras del centro. Los ruidos de la ciudad progresaban lentamente del galope de los cascos al temblequeo de las ruedas y las explosiones de los motores. Era marzo de 1912 y Daniel Pelícori paseaba su vista al ritmo de los pasos de Newbery.

El encuentro a realizarse en el Buenos Aires Boxing Club se había anunciado como una muestra deportiva, que incluía boxeo, esgrima y gimnasia, y que tenía como objetivo principal agasajar a lord Landersen, un amigo inglés de Newbery.

Ese día, Daniel observó el ring, el público, los pasos inquietos del anfitrión, sus gestos, y entendió rápidamente que el motivo de la tensión era la falta de deportistas. Había demasiadas ausencias en la exhibición y el espectáculo amenazaba con transformarse en un fracaso. lord Landersen seguía la escena con una sonrisa segura y retadora. Entonces Newbery y el entorno de deportistas que lo acompañaba comenzaron a reclutar voluntarios de la tribuna. Newbery posó su vista sobre Daniel y lo estudió de arriba a abajo. Tras pensarlo por un instante, sonrió con satisfacción y lo invitó a sumarse.

—Dale pibe, es una exhibición nomás.

Daniel se acercó al ring con el corazón al galope. Alguien gritó su nombre para darle ánimo. Del otro lado se encontraba Alberto Lagomarsino, un boxeador amateur que lo superaba en peso. La exhibición se había iniciado con otras disciplinas y el público comenzaba a excitarse al calor de las demostraciones. Entre los espectadores asomaban ilustres caballeros de Buenos Aires, de apellido Bunge, Oliva,

Lacroze, Anchorena, que exhalaban en sus camisas blancas fragancias de dinero y alcurnia.

Lagomarsino subió al ring y comenzó a dar pequeños saltos mientras movía sus brazos para entrar en calor. Daniel se agarró de las cuerdas y subió. Se sentía confiado de su capacidad como boxeador, pero era un principiante. Sus deseos de acercarse a Newbery, su héroe, podían terminar en un fracaso en apenas unos rounds. Sin embargo, su orgullo lo llenaba de agitación y entusiasmo. Se acercó el árbitro, les repitió las normas que el mismo Newbery había redactado y de repente sonó la campana.

Daniel levantó la guardia y sintó el primer golpe. Su cabeza retumbó como sacudida por un tren. Pegó un saltó hacia atrás y limpió de su vista la nube que había dejado la trompada. Un fulgor de malicia brillaba en los ojos de Lagomarsino, que acechaban detrás de sus guantes erguidos y amenazantes. El boxeador volvió a arrojar su derecha y Daniel la esquivó con una inclinación de la cintura. La agresividad de su oponente era excesiva para una simple exhibición.

El descanso se evaporó en un instante y se pusieron nuevamente de pie. Lagomarsino se acercó con dos zancadas dispuesto a terminar la pelea con sus puños. Daniel torció la cintura y sintió cómo el mazazo pasaba de largo junto a su oreja. Pero entonces la zurda lo golpeó de lleno en la frente y enseguida sintió la tibieza de su sangre cayendo por la curva del ojo. El impacto lo aturdió aunque mantuvo la guardia en alto. Mientras intentaba salir del desconcierto debió sostener un nuevo ataque. "Me quiere amasijar", murmuró para sus adentros y retrocedió velozmente con dos pasos cortos. Lanzó un par de zurdas para mantenerlo a distancia y escuchó el sonido salvador de la campana.

Descansó los hombros y se recostó agotado sobre el banquito. Una mano firme lo sujetó del brazo. Giró la mirada y descubrió a su lado la cara de Jorge Newbery. Se lo veía entusiasmado e inquieto.

—Pibe, el tipo pega en serio. Esto ya no es una exhibición, es una pelea.

La frase de su héroe sonó como un aliciente en sus oídos. El joven sintió que mágicamente las fuerzas regresaban a sus venas. Esperó ansioso la campana y se paró de golpe apenas escuchó cómo el martillo golpeaba contra el metal. Había recibido el permiso para pegar y terminar con aquella huida deshonrosa. Lagomarsino volvió al ataque con el mismo deseo de victoria, pero Daniel se mantuvo en su lugar, esquivó los golpes con la cintura y lanzó la zurda. Sus puños apenas molestaron a su contrincante, pero poco importaba porque la intención era sólo medirlo. Extendió el brazo una y otra vez hasta que recibió como respuesta un derechazo directo a su mandíbula. El joven retiró la cabeza y cuando vio que su contrincante se inclinaba por la inercia de su propio cuerpo apuntó directo hacia el mentón. La cara de Lagomarsino había quedado desprotegida. Sin darle tiempo a levantar la guardia, Daniel disparó toda la violencia de su derecha y con el choque sintió cómo el cuerpo de su oponente se estremecía. Enseguida se retiró para evitar un contrataque, pero fue innecesario porque Lagomarsino se desplomó estrepitosamente sobre la lona.

Newbery levantó los brazos de alegría.

—¡Sos fantástico pibe! —gritaba como si el triunfo le perteneciera.

El público aplaudía y hasta el inglés se había sumado a los festejos con un suave batir de palmas. Newbery se acercó y lo miró paternalmente.

—Tenemos que darte un premio porque ganaste una pelea en serio.

Daniel tomaba aire con el resto de sus fuerzas y se dejaba llevar por el sueño que protagonizaba. Su héroe metió una mano en un bolsillo y sacó una pequeña moneda enlazada con una cadena dorada.

—¿Te conformás con esta medalla?

—Si es suya, señor, qué más honor para mí.

Apenas podía dar cuenta de su victoria, sólo entendía que su corazón saltaba descarriado.

El tiempo parecía detenido en los caminos polvorientos de los arrabales en las tardes de enero de 1919. El calor suspendido entre los árboles vibraba con el canto de las cigarras, agazapadas entre los troncos y las sombras de las quintas de Floresta.

Salvador Arbitmann envolvió la comida kasher que acababa de preparar su hermana, abrió la puerta, paseó la mirada por el cielo resplandeciente y partió hacia la casa de sus tíos. Sus piernas delgadas, arropadas con pantalones cortos y zapatos, marcaban un paso calmo pero resuelto. Tenía 11 años. Los días de verano se repetían sin sobresaltos, sólo interrumpidos por la aventura de atravesar la ciudad y lograr con éxito su misión familiar.

Pero al llegar a la calle Nazca descubrió que el servicio del tranvía estaba suspendido. La noticia lo confundió. De pronto su rutina había sido quebrada. Miró alrededor. Por un momento la ciudad resultó extraña, el aire escondía una tensión invisible y el compás habitual de Buenos Aires parecía alterado.

Salvador respiró hondo y empezó a caminar. Debía cumplir con el encargo; sus tíos lo esperaban en la casona de Palermo, al otro lado de la ciudad. Bajó por las calles en dirección al río. El ritmo de los coches y los peatones se sacudía en apuros y nerviosismo. Salvador intentó concentrarse en su caminata. El tiempo pasaba, y a medida que se internaba en el centro, sentía que se acercaba al origen de las anormalidades que habían transformado el ambiente.

Cruzó la calle Bartolomé Mitre y de pronto, a la distancia vio la sombra errática de un grupo de hombres vestidos de uniforme. La visión lo estremeció y apuró el paso. Comenzaba a entender que aventurarse a pie por la ciudad sin conocer la razón que lo había dejado sin transporte había sido arriesgado. Quería llegar a la casona y estar con sus tíos, sentir sus palmadas en la espalda, terminar cuanto antes con la travesía que lo conducía por cuadras desconocidas.

Un grito estalló a lo lejos. Escuchó el retumbar de botas por el empedrado. Salvador transformó su andar en trote. De repente, al llegar a una esquina chocó con un pelotón del ejército armado de fusiles Mauser, con sus miradas oscuras y su marcha maquinal, sus cascos de estilo germánico y sus gruesos cinturones de cuero. Apenas podía quitar su mirada de las armas, que pasaban como un muro de púas frente a sus narices.

A la distancia sonaron disparos. Salvador se sacudió de miedo y apuró su paso por las últimas cuadras que lo separaban de la casa de sus tíos. Jamás se había sentido tan feliz de llegar a destino. La caminata se había vuelto por momentos interminable.

Por la noche llegaron a sus oídos las primeras noticias que daban sentido a las imágenes amenazantes que lo habían colmado de terror. Los obreros en huelga de los talleres Vasena, de Nueva Pompeya, habían detenido las chatas que llevaban a los rompehuelgas. La policía había contestado a balazos y el Ejército había salido a la calle para sumarse a la represión.

Los días siguientes, el pequeño Salvador descubrió con espanto cómo los enfrentamientos se repetían. La policía había disparado contra un cortejo fúnebre de los trabajadores. Los obreros asaltaban una armería. Afuera, la ciudad parecía en guerra. Las divisiones del ejército recorrían las calles noche y día. A cada rato se escuchaban nuevos disparos, gritos, corridas. De pronto, como si la violencia fuera poca, llegó el rumor de que una banda armada salía a la caza de judíos. Liberados por la locura de sangre y matanzas, la Liga Patriótica incendiaba comercios de judíos, asesinaba trabajadores e iba en busca de los cabecillas de la huelga para fusilarlos. Eran incentivados por la Iglesia Católica y las Fuerzas Armadas.

Una mañana, finalmente, Salvador volvió a salir a la calle junto a su padre. La ciudad amanecía entre los rastros de la masacre. Salvador escuchó a lo lejos el voceo de un joven. Se acercó. En su mano sostenía unos diarios anarquistas. Sus gritos y los titulares en grandes letras negras denunciaban miles de heridos y centenares de muertos. Había sido una semana trágica. La huelga había terminado, pero el anarquismo todavía llamaba a la revolución.

Drásticamente, Salvador vislumbró entonces que el fluir de la ciudad, por momentos rutinario y perezoso como las tardes en Floresta, escondía en sus entrañas sordos enfrentamientos que recién con el tiempo terminaría de comprender.

~ফ্ট~

Hacia fines de noviembre, Ramos Mejía solía cambiar su fisonomía. Las suntuosas residencias veraniegas de las familias aristocráticas de la capital cobraban vida.

Los sirvientes abrían las ventanas, preparaban la despensa y descubrían el mobiliario en espera de los patrones. En su carro de La Coronita del almacén de ramos generales de don Folco, Pedro López recorría las quintas de los Escalada, Ezcurra, Unzué, Podestá y Piscione Segurola para levantar pedidos. Cruzaba las cercas de alambre y ligustro prolijamente mantenido, y se estacionaba cerca de los molinos de viento Agar-Cross o Guanaco. En su libreta de compras, anotaba el pedido y las deudas. El joven contemplaba unos instantes el partido de croquet que disputaban los pitucos y las señoritas, y emprendía el regreso al almacén.

Al atardecer, el olor a tierra húmeda inundaba el centro y las calles regadas recibían a los carruajes. Pantalón de hilo blanco y sombrero de paja Panamá para los caballeros. Talle ceñido, pollera de algodón que apenas insinuaba la punta del pie, manos enguantadas al tono y un sombrero delicadamente adornado con una pluma de ave del paraíso, para las damas. El coche rodeaba la plaza central de Ramos Mejía y alguna que otra tarde se detenía para disfrutar de un concierto en la glorieta. Luego, el paseo atardecía con una caminata lenta y señorial bajo la sombrilla por los jardines cuidados con pericia por el vecino don Nicola.

Los árboles frondosos que bordeaban la estación ferroviaria señalaban la próxima escala de la excursión. El carruaje se detenía suavemente a un costado del edificio victoriano, con sus aleros de madera, sus ribetes de hierro forjado y el andén tiznado de carboni-

37

lla. El lugar cobraba vida con el murmullo de los visitantes de la capital. Caminaban unos pasos lenta y acompasadamente hasta alcanzar la confitería de García. Un té con masas, tertulia de por medio, marcaba el fin de la jornada. Entretanto, los señoritos, enfundados en sus mejores galas, jineteaban por las calles del pueblo.

El siglo despedía su segunda década. Los pueblerinos de Ramos Mejía preferían unos tragos en los bares Travi, Mendiguren, José Garciarena o en La Corona. Suicet, ajenjo, grapa, caña o el clásico vermouth corrían, entre charla y charla, por los mostradores de los almacenes de ramos generales. Los niños llegaban con cinco centavos en la mano para saborear el refresco "la bolita". En puntas de pie, se colgaban del mostrador de cinc para alcanzar la botellita de cuarto litro. Empujaban con el dedo la bolita de la tapa y se sentaban a beberla en el palenque de la puerta o en la plaza si había kermese. La feria era un lugar de encuentro y entretenimiento para unos y otros. Los pueblerinos la disfrutaban con desenfado; los aristócratas, con distinción.

Entre su trabajo como repartidor del almacén y sus escapadas a la feria, Pedro López llegó a los veinte años y comenzó a interesarse por la lectura. Devoraba todo escrito que pasara por sus manos, los libros de aventura lo envolvían con historias exóticas y el diario socialista *La Vanguardia* encendía sus ánimos políticos. Se sentía símbolo de una naciente cultura popular, un tanto conformista y reformista antes que contestataria. Influido por la sensualidad del conocimiento, engullía los libros semanales de la biblioteca Blanca de la editorial valenciana Sempere; folletines rústicos; las propuestas de Tor, Maucci, la Cultura Argentina o la Cooperativa de Buenos Aires.

Las lecturas lo empaparon de ideales y mitos. Surgieron intereses, fantasías y teorías. Entrevió en los libros la herramienta para un futuro digno. Esta convicción y los consejos de su maestra de sexto grado lo impulsaron a seguir los estudios interrumpidos por el trabajo. Cada día, Pedro preparaba los pedidos y ordenaba las dependencias del almacén de Bottaro, su nuevo lugar de trabajo. Y por la noche enfilaba hasta Rivadavia 14.125, donde se alzaba el Colegio

Sarmiento, el primer secundario de Ramos Mejía. En diciembre de 1920, con 24 años recién cumplidos, el empleado del almacén se recibió de tenedor de libros.

Poco a poco, la libreta de compras del almacén Bottaro y Cía. se convirtió en un improvisado cuaderno de anotaciones. Junto a registros y cuentas, garabateaba frases, proverbios, sentencias y palabras sueltas. "El principio fundamental de la moral burguesa es el individualismo extremo. Hay gente tan pobre que sólo tiene dinero", deslizaba comprometido con la lucha de los más humildes. Y también, joven al fin, sumaba a su refranero: "Olor a tortas, frutas y al licor de las hermanas. Gigantescas energías creadoras", con sutiles referencias a las muchachas que había conocido en el teatro.

Pedro gustaba llamarse "hijo del pueblo" y autoproclamarse testigo de las grandes diferencias entre ricos y pobres, ambos concubinos en unas pocas hectáreas de Ramos Mejía. Sus ideales reformistas lo condujeron hacia el arte. Junto a un grupo de amigos había fundado el club de aficionados al teatro Juventud y Arte, un refugio en el Salón Victoria desde donde solapadamente denunciaban la desigualdad.

Los domingos eran días de fiesta en el club, un edificio de líneas simples apenas revocadas y lavadas a cal. Hacia las dos de la tarde llegaban los primeros visitantes para la función matinée del cinematógrafo. Imágenes silenciosas en blanco y negro cobraban vida al ritmo de precisas ejecuciones de piano. La tarde discurría entre *Amalia*, *Nobleza gaucha*, *La revolución de mayo*, *El fusilamiento de Dorrego*, *El nacimiento de una nación*, y orquestas o números de varieté.

Hacia las ocho y media, tres bombas de estruendo señalaban que había llegado la hora del teatro. Quienes habían adquirido la entrada completa podían quedarse. Para los demás, la función tocaba a su fin. A medianoche, los aplausos señalaban el fin de las representaciones y el inicio del baile. El salón cambiaba de atuendo. Dos o tres vecinos desocupaban la sala y formaban un círculo con sillas alrededor de la pista. Otro se colocaba en la puerta para dar la bienvenida.

—Su carnet de baile, señorita —ofrecía el anfitrión mientras extendía la tarjeta perfumada.

La joven se preocupaba por hechizar a los pretendientes con sus primeros movimientos en el salón y enseguida un galán acercaba su petición.

—¿Me permite la pieza de charleston? —preguntaba formal el caballero, seducido por el vestido con escote pecho de paloma, el ceñido corsé y los hombros desnudos.

Ella anotaba el compromiso en el carnet. Ese baile ya tenía dueño.

La orquesta se preparaba. Foxtrot, shimy, charleston, vals, paso doble. Cuerpos convulsionados y vigilados. Dos pasos andados, un paso al lado y un cuarto de vuelta.

Llegaba el intervalo. Las damas acomodaban sus ropas. Alisaban la melena, que por mandato de la moda y gracias a los tijeretazos de don Cayetano Lattanzi (el único peluquero que aseguraba especializarse en corte y trato femeninos) apenas acariciaba el cuello. Sentían en su cuerpo el calor del movimiento y en su rostro, las mejillas sonrojadas. El acompañante de la última pieza invitaba el refrigerio de rigor a la dama y su acompañante. Del bracete llegaban a La Jaula, el bar de los hermanos Gilardoni. Sentados al amparo de las mamparas de madera los jóvenes intercambiaban algunas palabras.

La reunión terminaba con el baile del lancero y algún que otro metejón, mantenido en silencio hasta la oficialización. Así, en medio de acordes, bambalinas y paseos, Pedro confesó su amor a Delfina Sica, mientras soñaba con sentarse a la mesa de su héroe Alfredo Palacios.

Américo Miralles había nacido el 11 de noviembre de 1913. Para el Santoral, San Martín de Tours. Para los paganos, el día de los cornudos.

Sus padres andaluces habían llegado a la Argentina unos años antes, atraídos por las cartas de su tío, quien venido a hacer la América se había transformado en jefe de Correos y Telégrafos. Su madre, ama de casa, lo parió en su propia casa de la calle Cucha Cucha, en Caballito. Su padre era hombre del Ferrocarril del Oeste.

Américo tuvo una infancia de barrio, potrero y pelota de trapo, porque las de cuero eran una exquisitez sólo alcanzable para los pudientes. "Melón, melón, tú serás la-drón. Sandía, sandía, tú serás poli-cía." En el juego del "vigilante-ladrón", siempre representaba a quienes estaban fuera de la ley.

Tenía apenas siete años cuando trasladaron a su padre a Realicó, La Pampa. Don Miralles era guarda del convoy que atravesaba la sequedad pampeana y el valle Nerecó hasta Mendoza. Como changa aprovechaba los viajes para llevar dinero de un pueblo a otro y a cambio obtenía a veces gallinas, pollos, leche o miel.

De esa manera, Américo pasó de su infancia en Caballito a la mirada infinita de la llanura y el ferrocarril. Cuando sus intentos por viajar en tren resultaban inútiles se conformaba con los relatos de su padre, con anécdotas sobre pasajeros ilustres, secretos de los coches-cama, de los comedores de lujo y descripciones fantásticas sobre los vagones con terraza. El ferrocarril era una fuente inagotable de aventuras y también el vínculo con lo desconocido.

La empresa entregó a la familia una casita a la vera de las vías. Cuando por las noches pasaba la máquina, los ferroviarios les tiraban un manojo de leña, que por la mañana los pibes juntaban en carretillas. En la soledad pampeana, donde el viento soplaba como un azote, la madera para la calefacción era un tesoro incomparable.

Realicó era un pueblo pequeño. Los chicos escapaban a un pequeño lago de las afueras para pescar. Américo buscaba ganarse unas monedas con changas, ayudaba al farmacéutico a preparar con el mortero una limonada que servía como laxante y repartía pedidos del almacén.

Su mundo se transformaba con la llegada del tren de las ocho de la noche y la magia que parecía envolver sus chimeneas humeantes y la aparición de los forasteros. Américo corría hasta la estación a la espera de los visitantes traídos por el ferrocarril y se ofrecía a cargar el equipaje a cambio de una propina.

Aquella noche el tren llegó puntual. Entre el ajetreo de los recién llegados y los pampeanos que aguardaban en el andén, Américo vio a un hombre que bajaba del vagón con un baúl reluciente como el charol. El pequeño se le tiró a los pies.

—¿Se lo llevo jefe? —se ofreció.

—No vayas a rayarlo —recomendó el forastero con voz grave. Américo se sorprendió por la severa advertencia y se preguntó por el enigmático contenido del baúl.

—Le juro que no, que no —prometió el changarín, sin atreverse a interrogarlo sobre su cargamento.

—Vamos al cinematógrafo.

El chico levantó con todas sus fuerzas el equipaje y lo guió hasta su destino. Cuando llegaron a La Giralda recibió un peso de propina. Américo se maravilló por la fortuna obtenida.

En el cinematógrafo estaba prohibida la entrada a los menores. El forastero se presentó como Juan Maglio Pacho, de profesión músico. Los recepcionistas de la sala lo recibieron con respeto, pero cuando Américo intentó seguirle los pasos hacia el interior le impidieron pasar.

—Si el pibe no entra conmigo, acá no hay show —amenazó el maestro.

Américo volvió a cargar el baúl y atravesó la puerta. La sala comenzaba a llenarse de espectadores. Pacho lo hizo sentar en una mesa, le invitó un café con leche y le pidió que disfrutara del concierto. El músico subió al escenario, abrió la caja y sacó su bandoneón. Los ojos de Américo, abiertos como dos lunas, capturaban cada detalle del lugar. Pacho hizo sonar el fuelle y los lamentos del tango cubrieron el ambiente. El público hizo silencio y el chico se estremeció ante los emotivos sonidos del instrumento.

Cuando el concierto terminó, los mozos corrieron las mesas y acomodaron las sillas en hilera. Se apagaron las luces y un rayo blanco e intermitente atravesó el espacio. Las letras dibujadas sobre una pizarra anunciaron "El caballo de hierro". Un pianista, al costado del salón, acompañaba con sus acordes los cuadros del celuloide.

–Si papá estuviera acá –se lamentó Américo cuando vio avanzar al tren sobre la pantalla.

Los espectadores enmudecieron por la marcha violenta del ferrocarril. De repente, la locomotora cambió de rumbo y se fue encima del público. En la platea gritaron espantados al verse aplastados por la máquina y varios se echaron hacia atrás para salvar su vida. Américo se sujetó de la silla. El pianista golpeaba con furia las teclas. Pero el tren pasó de largo y los espectadores seguían sin un rasguño.

La locomotora atravesaba ahora el desierto seguido por un malón de indios. Los pobres pieles rojas creían que el caballo de hierro los atacaba y respondían con una lluvia de flechas. Américo se retorcía en la silla presa de las emociones.

–¡Tiene que verlo papá! –pensó–. ¿Y si lo atacan los indios?

Pero don José estaba en un punto entre La Pampa y Mendoza, con su uniforme de guarda, a cientos de kilómetros del cinematógrafo.

"Tierra negra, carbón es." La frase se repetía como una letanía entre las paredes despojadas de la casa. Los oídos de niño de Marcelino Fernández Villanueva y sus dos hermanos la llevaban grabada junto a los sonidos cotidianos del pueblo, tan habitual como el murmullo del viento o el ladrido de los perros. Habían aprendido aquellas cuatro palabras antes que sus nombres. "Tierra negra, carbón es", repetía su madre y la presencia fantasmal de la mina se filtraba entre los cuartos, la imagen de aquella herida oscura en la montaña donde su padre y los hombres de Olloniego dejaban poco a poco la vida. Los cuerpos tiznados, los días sin luz ni tiempo, la sangría interminable del carbón y el cadalso siempre acechante de los derrumbes. La muerte, en el pueblo asturiano de Olloniego, llegaba como un quejido pedregoso, luego el estruendo, el polvo y finalmente los cuerpos inertes sepultados bajo las rocas. La montaña era su cementerio.

El pequeño Marcelino había nacido en la primavera de 1914, dos meses antes de que el estudiante bosnio Gavrilo Prinicip asesinara en Sarajevo de tres tiros al archiduque Francisco Fernando y su esposa Sofía, y las potencias de Europa encontraran una excusa para arrastrar a sus ejércitos hacia la guerra. Pero Marcelino había vivido ajeno a la marcha de los diecisiete millones de soldados movilizados en la Gran Guerra. Su infancia se había escurrido rápidamente y la pobreza de su hogar lo obligó tempranamente a buscar un empleo. Marcelino tenía apenas diez años cuando su madre lo llevó hasta la casona de los Alonso, quienes con cuatro vacas, una buena porción de tierras y un bar con bolera figuraban entre las pocas familias acomodadas de Olloniego. Era su primer trabajo. España estaba en manos del régimen autoritario del general Miguel Primo de Rivera, quien se había autoproclamado dictador y había sofocado con rigor las voces de los partidos republicanos. El gobierno de Primo de Rivera había logrado preservar la figura del rey Alfonso XIII, a punto de perder su trono entre intrigas políticas, huelgas y sabotajes, desplegadas en la partida de ajedrez de políticos y militares.

Pero en aquel pequeño pueblo de Asturias, Marcelino todavía vivía ajeno a las luchas políticas que dirigían los destinos de España.

El chasquido de los parlantes de pronto hundió en el silencio a los argentinos. Jamás tantos oídos habían estado pendientes de las voces sin rostro de la radio. Era una nueva forma de comunidad, invisible pero palpable. Entrelazaba a los trabajadores agolpados frente a los megáfonos instalados por los diarios con los hacendados reunidos en sus mansiones en torno a un gigantesco mueble de válvulas y bobinas, laqueado y resplandeciente. La pelea en el estadio Polo Grounds de Nueva York había logrado fundir las emociones de los argentinos y hacerlos vibrar junto a la lluvia metálica de las radios. Compadritos, obreros, aristócratas y liberales se unían en un solo cuerpo.

Era el 14 de septiembre de 1923. Atardecía en Buenos Aires y Daniel Pelícori avanzaba presuroso por Florida. Su ansiedad crecía a medida que descubría cómo los porteños corrían de un lado a otro en busca de un parlante. El deporte era la vida para Pelícori. Boxeaba, corría, nadaba y disfrutaba de la fortuna de su familia con los placeres del dandismo de la época.

A las seis de la tarde la policía había cerrado el tránsito de la calle San Martín, desde la catedral hasta Tucumán, y todo a lo largo de la Avenida de Mayo, para permitir que la masa de espectadores que iban a seguir la pelea desde las veredas del centro pudieran transitar sin peligro.

En Nueva York, el Polo Grounds se cubría de espectadores con sombreros de fieltro, saco y corbata, que llegaban para presenciar el más difícil desafío del norteamericano Jack Dempsey, apodado Manassa Mauler, desde su enfrentamiento con Georges Carpentier. Su contrincante era el argentino Luis Angel Firpo, el *Toro Salvaje de las Pampas,* quien se había ganado el trono del retador a fuerza de sacudir las mandíbulas de sus rivales en los rings de los Estados Unidos.

Dempsey era el mejor boxeador de su época, con un estilo ágil y agresivo. Se había convertido en campeón del mundo de los pesos pesados en 1919, al derrotar a su compatriota Jess Willard. Desde entonces había defendido el título con hidalguía frente a los retadores de todo el mundo que se desvivían por quitarle la corona al rey.

Daniel Pelícori tenía entonces 26 años y había entrenado con Firpo en la mansión de Félix Bunge, en Palermo. Había intentado mejorar su velocidad, porque pegaba como un toro pero era lento. Dempsey sin duda lo aventajaba en técnica, pero la estela de knockouts que había dejado en su camino hacia la pelea por el título permitía soñar con una victoria. Su derecha había dejado tendidos en la lona a rivales temibles como Jirsa Priano, Gumboard Smith, Tom Maxted, Bill Brennan, Jack McAuliffe, Jess Willard y Joe Burke.

Daniel pasó junto a la confitería Richmond y se detuvo frente a la casa de su primo, en Florida 470. Dio dos golpes de aldaba y aguardó inquieto a que la sirvienta abriera la puerta. La sombra de los edificios se alargaba sobre los adoquines. La ciudad se ahogaba en una espera interminable. Felipe Pelícori lo aguardaba en el salón junto a los parlantes. Se saludaron con un abrazo y se sentaron a la espera de las noticias. Los locutores de Radio Cultura leían los cables que las agencias internacionales enviaban desde Nueva York. Daniel escuchó la presentación y, en la comodidad del hogar familiar, logró soltar una afirmación, que había llevado anudada a la garganta durante toda la jornada. "En cuanto lo agarre le saca la cabeza".

Firpo había grabado en sus movimientos la educación de sus años como estibador y albañil, sus pasos eran bruscos y faltos de gracia. El retador había conocido la pobreza y se notaba en el cuidado obsesivo del dinero. A Daniel le divertía verlo cruzar Corrientes para tomar un café, porque en El Real costaba veinticinco centavos y enfrente, en el cafetín de toldo verde, se conseguía por quince.

La penumbra terminó por cubrir Buenos Aires y Radio Cultura anunció que la pelea había comenzado. Nadie más habló. En Nueva York el público se había dividido enloquecido entre los locales que alentaban a su héroe y los latinos que esperaban un milagro.

Un cable de la agencia Associated Press afirmaba que en la historia del boxeo no se registraban antecedentes de "una ocasión como la presente en que fuera tan intenso el interés despertado entre dos aspirantes a la corona de campeón; puede decirse que el inminente encuentro entre Dempsey y Firpo ha logrado centralizar todos los comentarios y todas las expectativas. Entradas que valían 27 dólares se venden a 150".

Una trompada de Firpo podría demostrarle a los norteamericanos que la Argentina también era América, que los "toros salvajes" eran capaces de atraer la atención del mundo con un golpe de puño en pleno Manhattan. El nacionalismo y cierto complejo de inferioridad cubrían la pelea con un aura de exaltación. El ambiente de calma burguesa que caracterizaba a la presidencia de Marcelo T. de Alvear se sacudía en torno a un cuadrilátero.

Daniel acercó la silla y su primo movió suavemente la perilla de la radio para mejorar la sintonía. Dempsey y Firpo ya estaban en el ring. Los diarios iban a lanzar bombas de estruendo para anunciar el final de la pelea. Un reflector instalado en la torre del Palacio Barolo, el edificio más alto de la ciudad, proyectaría luz blanca si ganaba el argentino y roja si triunfaba el norteamericano.

El locutor de Radio Cultura leía los cables apenas llegaban a su mesa, pero la ansiedad era imposible de satisfacer. De pronto, el relator elevó el tono de su voz y desde las primeras palabras se entendió que iba a transmitir un acontecimiento extraordinario.

Un rechazo de Firpo había lanzado a Dempsey por encima de las cuerdas y había caído fuera del cuadrilátero. Enseguida un grupo de periodistas había ayudado al campeón a regresar al ring, aunque de acuerdo al reglamento sólo podía hacerlo por sus propios medios.

—¡Vamos, Firpo! —gritó Pelícori exaltado. El milagro estaba al alcance de la mano.

Buenos Aires explotó de algarabía. Los porteños daban por ganada la pelea. La Argentina era campeón en Nueva York.

La radio regresó a todos al silencio. En Buenos Aires sólo esperaban la confirmación del triunfo, pero el locutor informó que Jack Dempsey había ganado por knock-out. Frente a los parlantes de los diarios y en la intimidad de sus salones, los argentinos se miraron unos a otros sin comprender qué había sucedido. Por un instante esperaron que el locutor explicara la broma de mal gusto. Pero la radio sólo repitió la misma información. Firpo había perdido por knock-out.

Para los argentinos cualquier explicación era en vano. Se había apoderado de sus emociones un feroz sentimiento antinorteamericano.

—¡Nos robaron, nos robaron! —vociferaban enardecidos los partidarios de Firpo por la calle, sin resignarse a volver a sus hogares.

Pelícori pensó en su amigo, en los segundos que habría vivido sobre la lona del Polo Grounds, en su aturdimiento entre los gritos en inglés y la sensación de fracaso, en sus deseos de volver a levantarse y la pesadez estática de su cuerpo. Se despidió de su primo y comenzó a caminar por Florida. Vio las caras de enojo y la frustación, y entendió que, a pesar de la derrota, Firpo se había transformado en un héroe.

Cuando por fin regresó don Miralles reunió a la familia en torno a la mesa para contarles una anécdota de su trabajo. Américo corrió hasta su silla y aguardó con impaciencia el relato.

El tren había sido sacudido por un temblor. Su padre se asomó por una ventana del vagón y vio que el terremoto abría un surco a través de la tierra. La grieta se extendía en el suelo reseco y avanzaba por debajo de las vías. Entonces el guarda Miralles corrió hacia los últimos vagones que viajaban sin pasajeros. Américo seguía el relato anonadado. La rajadura se ensanchaba debajo de los rieles. Su padre desenganchó los vagones traseros y el último comenzó a caer por la quebradura. Como habían sido separados de la formación, el tren consiguió seguir adelante sin ser arrastrado por los vagones que se hundieron en la tierra. La familia lo felicitó con orgullo. Pero había más.

El destino había querido que en el tren viajara mister Roberts, un directivo del Ferrocarril del Oeste. Sorprendido por la reacción del guarda, el inglés había ascendido al padre de Américo y lo había nombrado inspector en Buenos Aires.

De esa forma, la familia Miralles volvió a la ciudad. Se mudaron a una casita en Villa Luro, entre Lope de Vega y el cauce errático del arroyo Maldonado. El nuevo paisaje obligó a Américo a cambiar sus diversiones. Ahora las aventuras eran correr hasta Rivadavia para ver pasar los tranvías y los automóviles, vagar por las calles y husmear en los bares. Enseguida el tiempo libre fue demasiado.

Américo dejaba lentamente de ser un niño pero sus inclinaciones estaban lejos del estudio y por lo tanto se imponía buscar trabajo.

Apenas habían pasado dos meses desde su regreso a Buenos Aires cuando consiguió empleo en un almacén del barrio de Once. Entraba a las cinco de la mañana y recién terminaba por la noche. Su misión era repartir los pedidos con un canasto de mimbre.

Azúcar, fideos, yerba y galletas se vendían sueltos y por kilo. Los productos frescos debían entregarse rápido para que las señoras pudieran resguardarlos en la fiambrera, una caja de alambre tejido que ayudaba a la ventilación e impedía la invasión de las moscas.

La compañía de Américo en la calle era el "yelero", el hombre nariz de escarcha como solían llamarlo. Era un tipo robusto, percherón, que usaba un sombrerito de paja para protegerse del sol. Solía caer con un carro tirado por un caballo, donde transportaba el hielo dentro de un furgón cerrado, de madera por fuera y recubierto de zinc en su interior. Sujetaba la barra con una pinza y con la sierra cortaba la porción solicitada, por lo general un cuarto.

Américo saludaba por la calle al ruso de la vajilla, al frutero, al afilador que gastaba la flautita mientras le daba pedal a la rueda, al turco de la mercería, al judío vendedor de joyas y fantasías a crédito. Buenos Aires se había vuelto cosmopolita.

La jornada de trabajo era ardua, comenzaba con las primeras luces y terminaba por la noche. Américo dormía en el suelo del almacén, sobre unas bolsas de arpillera. A cambio recibía veinte pesos de sueldo.

Una noche se apareció su padre con un colchón. Miró alrededor, vio a su hijo consumido por el cansancio y se prometió conseguirle un empleo mejor. Disimuló la pena frente al joven y se despidió.

A los pocos días don Miralles regresó al almacén para llevarse a su hijo. Lo condujo de vuelta a la casa y lo acostó en la cama. Al día siguiente, tras un suculento desayuno que sirvió para recuperar fuerzas, lo mandó a ver al doctor Jaime Grimberg. Se lo había recomendado un médico que había conocido en el tren, quien le había dicho que podía darle un trabajo al muchacho.

La ocasión permitió a Américo ponerse por primera vez los pantalones largos. El cambio lo llenaba de orgullo y salió a la calle convencido de capturar todas las miradas con su nuevo vestuario. Afuera nadie pareció darse por enterado. Resignado, el joven se fue silbando hacia el consultorio de Grimberg.

———~∿∿~———

Sus aspiraciones la inclinaban hacia la costura, pero su madre le aconsejó superarse. Finalmente, María del Redentor Cobanera se recibió como maestra nacional en la Escuela Normal Mary O'Graham de La Plata. Con el título bajo el brazo consiguió su primer empleo en la Escuela N° 16.

Como cuando era chica, esperaba con ansias el fin de semana. María se encontraba entonces con su amiga Zulema Dodero, de Ramos Mejía, y dejaban volar el tiempo entre presunciones sobre el amor y el futuro.

Zulema tenía un amigo, Juan Augusto Álvarez, maestro de lenguas en el colegio Sarmiento de Ramos Mejía. La familia de la amiga había dado por supuesto que la amistad entre ambos iba a transformarse en romance. Zulema y Juan Augusto estaban juntos, ante todo, por sus afinidades musicales. El joven tocaba la flauta y ella, el piano. Por las noches improvisaban conciertos de música barroca en el living de sus casas, frente a las miradas expectantes de los padres.

Pero su relación estaba lejos de convertirse en una aventura amorosa. Zulema incluso se preocupaba por presentarle amigas a Juan Augusto quien amenazaba con ingresar al seminario y transformarse en cura. La madre del joven creía ciegamente que su hijo había nacido para sacerdote. Hasta su nombre, Juan Augusto de Jesús, exhalaba religiosidad. Correcto, prolijo y educado, el joven era profesor de Castellano y Latín, y además estudiaba en la facultad de Filosofía y Letras.

Sin ayuda a tiempo, Juan Augusto corría el peligro de consagrarse a la soltería. Un día, Zulema resolvió jugar a la celestina. Invitó a María y a su hermana Mercedes a compartir un té y con simulada ingenuidad también convocó a Juan Augusto.

María y Mercedes llegaron puntualmente con un paquete de masitas envuelto en papel de seda. Juan Augusto golpeó la puerta poco después. Zulema los presentó sin perder detalle de las miradas. Se dieron la mano y Juan Augusto se inclinó suavemente para reverenciarlas. Las hermanas sonrieron nerviosas.

Sobre la mesa, la tetera de porcelana dejaba escapar un imperceptible hilo de vapor. Las tazas aguardaban con sus ribetes de líneas curvas y estilizadas, que imitaban grabados chinos.

La mayor parte del encuentro, Juan Augusto se mantuvo en silencio. Cada tanto bajaba la cabeza tímidamente y negaba los elogios que Zulema le dirigía. Pero cuando las jóvenes miraban hacia otro lado, el muchacho paseaba disimuladamente sus ojos por las figuras de Mercedes y María. La tertulia culminó con un concierto de flauta y piano a cargo de la anfitriona y el invitado.

Pocos días después del té, el maestro de grado viajó a La Plata, se presentó ante la señora Cobanera y pidió permiso para visitar a su hija Mercedes. La madre sabía del pretendiente por los comentarios de los padres de Zulema, conocía su fe religiosa y su inclinación por el estudio, y autorizó el encuentro gustosamente.

Las visitas se repitieron. Cada vez que el joven se presentaba, la señora de Cobanera lo hacía pasar a la sala e iba en busca de su hija. Luego, la mujer invitaba a los jóvenes a compartir el sofá principal y enseguida ocupaba un sillón individual a pocos pasos de la pareja. Dejarlos a solas era poco decoroso. De esa forma, mientras Juan Augusto y Mercedes conversaban, la madre bordaba en su sillón.

María solía entrar con una bandeja con té y galletitas. Había aceptado en silencio la elección de Juan Augusto, pero mantenía sus esperanzas. Ningún gesto de rencor escapaba a través de su comportamiento. Lo saludaba afablemente y se mostraba servicial durante los encuentros con su hermana.

Silenciosamente, las visitas del joven comenzaron a espaciarse. El deseo parecía extinguirse con el tiempo. Juan Augusto de Jesús había entrado al seminario y abandonó las tardes en el hogar de la familia Cobanera.

Pero el joven se sentía dubitativo y confundido. Un día, el cura a cargo del seminario se acercó y le advirtió que debía pensar bien sobre su futuro. No veía en su forma de ser una sentida vocación por la carrera religiosa.

Las palabras del sacerdote terminaron por resolver su lucha interior. Juan Augusto volvió a la casa de los Cobanera y golpeó la puerta de entrada con decisión. Mercedes abrió la puerta y lo recibió con entusiasmo. El joven la saludó correctamente y preguntó por su madre. Enseguida la señora llegó al portal y lo saludó con una sonrisa maternal.

—Buenas tardes, señora, vengo a visitar a su hija María —expresó Juan Augusto.

La mujer sorprendida lo invitó a pasar sin lograr alejar la turbación de su cara.

Esta vez, María y Juan Augusto se sentaron en el sillón principal. La madre ocupó su puesto y comenzó a bordar. Mercedes espiaba tras los cortinados sin encontrar una explicación.

Cuando la madre se distrajo, Juan Augusto miró a María a los ojos y le confesó su amor.

—Desde que te conocí jamás pude olvidarte y tus piernas son las más hermosas que vi en mi vida —exclamó, liberado de las ataduras que impedían su confesión.

Con el tiempo, el cambio del joven fue aceptado sin suspicacias y el amor entre María y Juan Augusto terminó por diluir las dudas. Pocos meses después, los novios incluso compartieron la sala con Mercedes y su nuevo pretendiente. El tiempo borró los rencores por el sorpresivo cambio del novio y las parejas se unieron en una fuerte amistad. La señora de Cobanera siguió con sus bordados en el sillón sin conocer los motivos de la elección. La verdad sobre la decisión de Juan Augusto jamás iba a traspasar el secreto de los jóvenes.

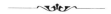

Su día comenzaba a primera hora. Marcelino Fernández Villanueva salía al alba junto a las cuatro vacas para llevarlas a pastar y cuidarlas hasta la caída del sol. Entonces regresaba con los animales, los ataba en el establo y marchaba hacia el bar de los Alonso, donde se dedicaba a acomodar los bolos y juntar los palos que los clientes derribaban sin tregua. De esa manera, Marcelino llevó las primeras monedas a su hogar.

El caballero Alonso había prometido a la madre de Marcelino que el niño iba a tener tiempo para estudiar, pero rápidamente olvidó sus palabras, alejó las promesas de su conciencia y sólo le importó que el chico cumpliera con el trabajo. Aquella injusticia quedó marcada en la mente de Marcelino y lentamente se entrelazó con la sensación de rencor hacia los acomodados de Olloniego que construían su fortuna con el esfuerzo de los demás. En su casa, el padre estaba enfermo y había tenido que abandonar la mina. La vida se sostenía ahora sólo con el trabajo de los tres hijos.

Una tarde de fiesta, un grupo de muchachos cayó de juerga al bar. Marcelino los espiaba mientras acomodaba los palos. Veía cómo reían, cómo dejaban escapar el tiempo sin preocupación. Apenas le llevaban unos pocos años pero su vida era abismalmente distinta. No eran ricos, pero desde su realidad se veían lejanos, favorecidos por una juventud placentera. Marcelino sintió rabia. El odio lo embriagó mientras los veía jugar. De pronto se sintió asfixiado, el aire se había vuelto denso. En su cuerpo pesaba el trabajo de toda la jornada. Hizo un esfuerzo para retomar la calma pero fue inútil. Salió a la calle en busca de una brisa fría que acariciara sus heridas. Las promesas incumplidas de estudio, las carcajadas de los muchachos, la terquedad de las vacas, todo daba vueltas por su cabeza como un remolino. Entonces entró al bar y como movido por un terremoto fue en busca de don Alonso. Cuando lo tuvo enfrente lo miró severamente y desde su interior gritó un adiós definitivo. Abandonó el lugar confundido, con una mezcla de libertad y miedo.

Con el tiempo consiguió empleo en una pequeña cantera, donde se encargaba de separar la piedra caliza y luego cargarla en canastos repletos sobre la almohadilla que había preparado su madre para proteger sus hombros. En la cantera aprendió también a encender la mecha y a manejar la dinamita. El invierno de 1925 se había desatado crudo y lluvioso. El frío hacía más sensibles las heridas y las magulladuras. De pronto, la helada transformó el suelo en un manto resbaladizo. Los canastos colmados de piedras pesaban como elefantes. La almohadilla, que siempre había actuado como una estampita protectora, esta vez resultó inservible. Marcelino patinó, cayó al piso y sobre su cuerpo se desmoronaron las piedras y el canasto. Cuando quiso levantarse, humillado y con bronca, sintió un gélido dolor en la mano y supo que se había desgarrado. Se levantó movido por el enojo y miró a sus compañeros. "Es imposible trabajar en estas condiciones. Hay que dejar todo hasta que termine el invierno", protestó. El resto de los trabajadores lo miraba con desconcierto. Nadie atinaba a responder. Marcelino sintió que el momento de acción se esfumaba en una parálisis inexplicable. Entre los empleados mudos vio cómo el capataz se abría paso enfurecido. Cuando lo tuvo enfrente comenzó a gritarle, a acusarlo de rebelde, de torpe y terminó por dejarlo en la calle.

Regresó cabizbajo por el camino que lo llevaba a su casa. Para Marcelino era imposible enfrentar a su madre, sin trabajo y con las manos vacías. Entonces tomó una decisión, cambió de rumbo y comenzó a bajar por el sendero que llevaba a la mina. Desde la montaña llegaban los ruidos de carros arrastrados y de descargas de escombros, del trabajo de cientos de brazos que deshuesaban la roca en busca del carbón. Marcelino enfrentó al contratista, juró tener más años que los verdaderos y pidió trabajo.

Rápidamente entendió que la mina era una prisión sin regreso donde la oscuridad, las nubes de hollín y el aire envenenado del encierro sólo conducían a la enfermedad y la muerte. Por su mente pasó el recorrido trágico de su padre y presintió su final. Entonces la misma fuerza que se había desatado ante el juego de bolos de los muchachos del bar y frente a la explotación de la cantera lo llevó a tomar una determinación. A sus manos había llegado un folleto del Instituto REUS, un método novedoso que le permitía a la gente estudiar por correspondencia. Cada noche, desde la llegada de la primera lección, Marcelino devoraba los cuadernillos de cultura general en las pocas horas que iban desde la cena al sueño.

La explotación había comenzado a provocar huelgas y las amenazas de despido ya eran incapaces de frenar las protestas. Marcelino se convirtió con el tiempo en el recaudador de las cuotas del sindicato y encontró en los trabajadores el eco para los reclamos que había probado sin suerte en la cantera. Sus ansias de cultura habían pulido sus palabras y poco a poco fue ganando el apoyo de los trabajadores, aunque muchos le doblaban la edad. Una tarde reunió a los jóvenes y los arengó. Se sentía a sus anchas, como si desatara una fuerza por años oculta en su interior: "Las alpargatas duran más de viejas que de nuevas", repetía como lema para advertir a los obreros de sus carencias.

Pero las voces de los trabajadores crecían y la lucha se encendía más allá de la mina. Asturias se preparaba para explotar. Entonces Marcelino fue en busca del peluquero del pueblo, un veterano socialista a quien reveló sus ideas, las acciones de los obreros, los gestos de solidaridad para sus propuestas y sus deseos de terminar con las injusticias. "Es tiempo de renovar la sangre del partido, rejuvenecer las ideas y las fuerzas", se entusiasmó Marcelino. El viejo pidió ser el socio número uno. Marcelino fue el número dos. De esa forma se agruparon en Olloniego los primeros integrantes de la Agrupación de Jóvenes Socialistas.

Entre sus teatros y calles de negocios, Varsovia buscaba quitarse las viejas pieles eslavas y cubrir su tierra con el esplendor y las luces que la modernidad irradiaba desde Occidente y, ante todo, desde París. Los trenes partían humeantes hacia Petrogrado, a punto de convertirse en Leningrado, y hacia las grandes capitales de Europa. El ferrocarril había transformado a la ciudad en una estrella de rieles entre el capitalismo europeo y el comunismo ruso.

Perla Jerosolinsky podía oler los nuevos tiempos en el aire, se arropaba con los mejores vestidos y dejaba que los colores y la elegancia de la ciudad inundaran sus pupilas. El buen pasar de su familia había forjado su carácter con la soberbia de quienes pueden elegir, y deambulaba por las avenidas iluminadas con su andar ennoblecido. Su cabeza adolescente sólo soñaba con palabras en francés y con los colores vibrantes del arte italiano, con las melodías de los salones y el roce primaveral de los vestidos en el teatro.

En su casa la esperaban tres sirvientas y una cocinera de comida kasher. Disfrutaba un cómodo pasar y el futuro estaba lleno de promesas. A Perla, la vida se le aparecía como un fruto maduro, que debía tomar y saborearlo hasta la última gota.

Sólo una sombra opacaba su providencia. Un muro invisible que se representaba en miradas de desagrado, en preguntas jamás contestadas como surgidas de seres con la voz negada. El cuchicheo de bromas hirientes por la espalda. Lugares prohibidos.

Perla sentía que su origen judío la alejaba de los frutos de la nueva vida, los sueños que prometían el refinamiento, la técnica, el arte y los viajes de un mundo donde las fronteras caían a cada paso.

De esa forma, casi sin pensarlo, la joven comenzó a evitar el idish y a dialogar con sus amigas en polaco. Deseaba vestirse como polaca, lucir polaca. Poco a poco se desprendió de los rasgos de la tradición que la identificaban con su pueblo. Buscaba mimetizarse con el resto, lograr que las vibraciones de la vida moderna la atravesaran sin distingo, sin discriminación.

En su interior se agitaba una batalla. Combatían la bronca hacia parte de una nación que la rechazaba, su apetito por romper los límites de su comunidad y los llamados de su origen. Pero su carácter era difícil de doblegar y una brasa escondida le aseguraba que el destino podía conquistarse a fuerza de voluntad e inteligencia, más allá de los rechazos.

Apenas asomaba a la adolescencia cuando Novy Dwor, su pueblo natal, se le tornó demasiado pequeño, provinciano. Era tiempo de echarse a caminar, de gozar de una cierta independencia. Su cuerpo delgado, cándido, todavía de niña, contrastaba con el rigor de su mirada oscura y su entusiasmo urbano.

Como prueba de su propia determinación, Perla rindió libre el último año de la escuela secundaria y comenzó a ilusionarse con la Universidad y su amor por las letras. Pero enseguida llegaron a sus oídos historias de marginación, relatos de judíos rechazados en los claustros, de filas separadas, de castigos y prohibiciones.

Las noticias cambiaron su decisión. Perla también se deleitaba con la idea de mudarse a trabajar en las oficinas del centro comercial, donde miles de damas y caballeros bullían diariamente. El deseo la motivó a anotarse en las Escuela de Contabilidad Jan Kochanowski.

El nuevo siglo había abierto las puertas de las mujeres a los puestos de dactilógrafos, escribientes, tenedores de libros y oficinistas. Y Perla sentía que los negocios de su familia, la venta de carne al Ejército, era un recorrido demasiado obvio para su futuro. Era posible una nueva mujer. Se imaginaba tras los ventanales vidriados del centro de Varsovia, frente a un extenso libro contable, con su larga pollera oscura y, sobre una blusa blanca, un amplio cuello con encaje que caía sobre sus hombros pequeños como la caricia de una mariposa. Un nuevo rol para un nuevo tiempo.

En San Fernando, un suburbio malevo y portuario, refugio de maleantes que buscaban un escondite fronterizo y alejado de la autoridad, Gregorio Levenson conoció a Pando, Beto, Romualdo y Jacinto. La pandilla mostraba su origen de clase en cada bribonada. Las travesuras revelaban resentimiento. Los movía la picardía y una necesidad visceral: aportar unas monedas a los estrechos bolsillos familiares. Vagabundeaban y rondaban durante horas por lugares prohibidos. La zona de acción eran las riberas de los ríos Luján y Las Conchas, orillas de lupanares, con su puerto de frutas y maderas. Mientras otros niños jugaban al balero y gritaban "¡hoyo!, ¡quema!" en una acalorada partida de bolitas a la hora de la siesta, y las niñas pasaban la tarde con el gallito ciego o jugando a la sillita de oro, ellos cargaban y descargaban frutas, trabajo retribuido en especies que llevaban a su casa o revendían en el barrio. Los fines de semana merodeaban por las orillas del Luján o el Sarmiento.

Cada atardecer, una mezcla de instinto, curiosidad y arrebato pueril los conducía hacia la zona de los quilombos de San Fernando, un arrabal de varias manzanas que nacía en las vías del Ferrocarril Central Argentino. En aquellas calles, las únicas donde los prostíbulos estaban legalizados, se respiraban aires de libertades y excesos. Pero también había dos reglas inflexibles: las armas y los menores tenían vedado el ingreso a los prostíbulos. La primera norma no intimidaba a ningún parroquiano y sirvió a la pandilla para forzar la astucia y avizorar un rebusque: ser cuidadores de armas. A escondidas de los padres, levantaron con desechos y chapas una casucha en el baldío del tren, el confín de la zona prohibida, donde custodiaban facones de hojas filosas y revólveres Colt o Smith & Wesson a cambio de unos centavos y el permiso para pispear algún que otro espectáculo. Con el pantalón corto rasgado y abultado, Gregorio aguardaba hasta que el último parroquiano terminaba la parranda. En los ojos del otro buscaba conocer el secreto escondido en el interior de los cuartos, hasta que un día lo dejaron entrar. El zaguán, que para los otros chicos de su edad significaba tierra negada y anhelada a la vez, para la pandilla se convirtió en puerta vaivén. Tal vez añorando un hijo o un poco de cariño sin monedas, las putas le entregaron su sexo a cambio de inocencia y ternura.

La prostitución en San Fernando era puertas adentro y con salida vigilada. La pandilla era el puente de las putas con el mundo exterior. Les hacían compras y, a hurtadillas, se convertían en mensajeros de aventuras que pecaban más de pasajeras que de amorosas. Ellas, la mayoría argentinas y unas pocas polacas, sólo podían salir una vez por semana, y siempre y cuando hubieran cumplido con entregar al cafisho, desocupado y bien perfumado, la cuota recaudada a razón de uno a tres pesos por servicio, que servía para iniciar a los jóvenes y saciar a los padres.

El orden marginal de los prostíbulos se quebró una noche al caer la policía. Se llevó armas y menores. Gregorio y la pandilla vieron el amanecer desde la comisaría. Desde la penumbra del calabozo escuchó el rugido de una voz tan anhelada como temida: "Vengo a buscar a Levenson; soy su padre". Con una vara de mimbre vibrante lo llevó al trote hasta su casa. Su trasero ardía como una brasa. El castigo puso fin al negocio de cuidadores de armas, pero fue efímero frente a su inquietud adolescente.

Cerca de los prostíbulos, pero a una prudente distancia, se desparramaban los boliches. Compadritos, parroquianos de a caballo, punteros de la zona y cafishos en ascenso convivían en las mesas de Las Calientes, un viejo caserón de una sola planta con grandes ventanales, flanqueado por las vías y el comité del Partido Conservador. Durante el día, sus mesas eran testigos de encuentros políticos, transacciones comerciales, juegos y apuestas; por la noche mudaba su fisonomía. Folclores, operetas, payadores, titiriteros; artistas de todas las zonas y calidades se subían al escenario ubicado al final del salón. Pero el plato fuerte era el tango. Carlos Gardel, un muchacho que venía del Abasto, recalaba de vez en cuando en el boliche, y en medio de charlas en voz alta y desmanes de borrachos, entonaba "Mi noche triste" junto a su compañero, el uruguayo José Razzano.

Gregorio había encontrado en Las Calientes otra changa. Sorteaba mesas, sillas y borrachos, y extendía el brazo con el sombrero de paño gris ceniciento enlazado por una cinta ancha y negra. Esperaba lo necesario para que el público soltara una moneda, luego se acercaba al escenario y entregaba la recaudación al dúo. Mientras sonaban los acordes del último tango, en un rincón solitario, oscuro y lleno de humo denso, Gregorio contaba los níqueles que se habían deslizado, con escasa inocencia, de la improvisada alcancía hacia su mano. De las travesuras y rebusques había heredado mala fama. Mayorcito, seguía sin novia ni trabajo fijo. Lentamente comenzó a sentir que la pandilla era cosa del pasado. Espació las travesuras y las visitas a los quilombos. Sus padres lo obligaron a retomar el colegio que había abandonado en quinto grado. Su madre Esther se ocupó de conseguirle ocupación. Un día, a las seis de la mañana, ella le alcanzó sus primeros pantalones largos y un saco con ribete azul: lo esperaban sus empleadores en el lujoso restaurante del puerto de Tigre.

Su primer trabajo y los otros que siguieron lo alejaron lentamente de la pandilla. Su vida se enfrentaba a un cruce de caminos y Gregorio, que ya tenía 18 años, resolvió que su futuro iba a estar lejos de bandidos y forajidos. Su nueva conducta esfumó el recelo y la desconfianza de las familias del barrio. Las puertas de los vecinos se entreabieron sin suspicacias y así se acercó también a una familia de radicales. La recepción de té y bizcochos lo llevaban cada jueves al hogar de doña Rosa, donde un grupo de jóvenes se reunía para doblar y preparar el envío por correo del periódico semanal *La Opinión*, que editaba el padre de la dueña de casa, un puntero radical de la zona. Mientras ellos ensobraban y entibiaban la tarde con discusiones sobre la realidad argentina, el político vendía, casa por casa, ilusiones y promesas a cambio de votos. En 1928, el acercamiento lo arrimó a la campaña de HipólitoYrigoyen por la segunda presidencia, matizada con los encuentros en los comités donde se disfrutaba de asado con cuero, riñas de gallos, el juego de la taba, y alguna partida del pase inglés o el siete y medio.

En Carlos Pellegrini 543 una puerta llevaba al consultorio de enfermedades venéreas del doctor Jaime Grimberg. Con una entrevista corta, sin demasiadas exigencias ni pretensiones, Américo Miralles consiguió empleo como el pibe de la limpieza. Pero a los dos meses colaboraba con lavajes, masajes de próstata e incómodas intervenciones para liberar obstrucciones; un día incluso comenzó a participar como instrumentista.

El consultorio era un desfile incesante de pacientes. Los inmigrantes llegaban con sus cuadros desesperantes de blenorragia y sífilis, que en su mayoría habían contraído en el tiempo de revancha que siguió a la soledad y la muerte de la Gran Guerra; también acudían caballeros que habían sufrido infecciones en los prostíbulos del centro y del bajo, donde una luz amarilla y un cortinado invitaban a adentrarse en busca del calor de las cortesanas. Grimberg sacaba partido de la doble moral de los porteños y con promesas de curaciones de infecciosas e impotencias expuestas en un breve anuncio en el subterráneo, junto a los avisos de Bagley, la Martona, James Smart, lograba llenar su consultorio. Con asombro, Américo veía llegar a personajes notables de la época, que eran atendidos con hermética privacidad para preservar su fama y buen nombre.

Pero en Pellegrini 543 también se atendían mujeres que, a falta de dinero, a veces pagaban con los secretos de sus cuerpos. Por la misma puerta a través de la cual se entraba al consultorio, se abría un pasillo largo que terminaba en una casa de inquilinato. A lo largo de sus habitaciones, Américo había descubierto a mujeres y señoritas que, seducidas por su juventud, inflaban su ego al descubrirle parecidos con el actor John Gilbert. Las pretendientes jugaban a sentirse Greta Garbo, la pareja de la época de Gilbert, y llevaban a Américo hasta la intimidad de sus habitaciones, mientras fantaseaban con su bigote recortado y su pelo engominado. "¿A ver cómo besa John Gilbert?", invitaban entre carcajadas. Américo se dejaba arrastrar por las manos experimentadas de las mujeres, mientras ellas se divertían con el ayudante del doctor. "¡Mirá cómo se le pone el pantalón a Gilbert!", reían frente al muchacho, entre las paredes descascaradas del conventillo. Las aventuras con las pacientes del consultorio y las vecinas llevaron a Américo a pesar cincuenta y nueve kilos, y lo transformaron en un especialista en tramperíos y adulterios. Pero su obsesión era una gallega con dos hijas que siempre respondía a su chamuyo con evasivas. Tantas vueltas dio alrededor de la mujer que finalmente logró el permiso para filtrarse en su dormitorio. Cuando los pantalones y el corpiño comenzaban a perderse por el piso, un portazo paralizó a los amantes. Américo saltó de la cama preso del miedo. El esposo de la gallega era un hombre corpulento y macizo, que trabajaba como encargado en una confitería. El paso del marido sonó inconfundible por el pasillo. Américo juntó su ropa y se metió bajo la cama. Acomodado debajo del colchón y sin respirar descubrió con espanto que un zapato había quedado en medio de la pieza. Pero las zancadas presurosas del dueño de casa sonaban cercanas y era imposible regresar en busca de la evidencia. El joven se acomodó tenso y nervioso entre el polvo del suelo y la presión de la cama. El marido caminaba a prisa como si hubiera sido advertido de su presencia. Entró al cuarto como un torbellino y Américo rezó por un milagro que hiciera desaparecer el zapato. Pero ajeno a la infidelidad, el esposo de la gallega corrió directo al baño apurado por una descomposición. Américo aprovechó la urgencia y salió por el pasillo hasta llegar al hall de entrada. No tenía llave para la puerta principal, así que entró al consultorio y salió al balcón.

La noche de Buenos Aires se abría salvadora. Desde la vereda de enfrente lo saludaba el cartel de La Platense que ofrecía leche fría en vasos. Se trepó a un caño de desagüe, bajó y ganó la calle. Pasó indiferente, con marcha presurosa, por la casa de "La chica Parissienne", una muchacha que vivía en Pellegrini al 300 y por la que Américo había gastado más de un piropo. Aquella noche se despidió temprano de los bares de la avenida Corrientes y resignó cualquier visita a la sede del diario *La Vanguardia,* en Rivadavia al 2000, donde solía escuchar al socialista Nicolás Repetto y era, de cuando en cuando, el punto de partida de las pegatinas nocturnas con los carteles del partido. Todas las noches, en Plaza de Mayo, Américo esperaba el colectivo, la novedosa forma de viajar de los porteños. Al trepar los escalones del estribo, presintió una figura conocida detrás de sí. Con disimulo paseó la mirada sobre su hombro para descubrir la cara del otro pasajero y se enfrentó con el rostro de Agustín Magaldi. La admiración lo llenó de desconcierto y rubor, tartamudeó palabras sin sentido y para quitarse la turbación avanzó en busca de un asiento. La carrocería de madera se balanceó hacia los costados y el motor retomó la marcha. Magaldi se sentó apenas unos pasos más atrás, pero Américo resignó cualquier contacto por vergüenza. Los viajes se repitieron y, cada noche, Magaldi aparecía puntual en la parada de Plaza de Mayo. El muchacho ensayó una presentación y finalmente se animó a soltar prenda. "¿Cómo le va maestro? Disculpe la imprudencia, sólo quiero felicitarlo por la grabación de 'El penado 14' ", se animó Américo mientras entonaba en su mente "…el pobre presidiario murió haciendo señas y nadie lo entendió…". "Me alegra que le haya gustado varón", le respondió el tanguero y lo invitó a sentarse a su lado. Con la intención de agradarle, Américo repitió durante el viaje los títulos más famosos de su acompañante entre alabanzas y celebraciones. "Acuaforte", "Ave María", "Levanta la frente", "Disfrazado", "Polvitos para el amor", "Confesión"; letras que podían descubrirse en la radio o entre las páginas del folletín "El alma que canta", y las revistas *Sintonía, Radiolandia* y *Antena.*

Dramas de la vida cotidiana y de marginación, críticas políticas como "Dios te salve m'hijo", y confesiones de un amor desesperado. Magaldi era el único nacido en la Argentina del trío más admirado de la época, que completaban Corsini y Gardel.

María del Redentor Cobanera se casó con Juan Augusto el 7 de julio de 1928. Ella tenía 28 años y su marido 40. La diferencia de edad era aceptada porque era la mujer quien lucía menos abriles. La boda fue sencilla y el mismo día, sin cambios de vestuario, se unieron ante el Estado y la Iglesia. Ella avanzó hacia el altar con un vestido blanco que ocultaba las rodillas y sombrero al tono. Juan Augusto la recibió con un traje rigurosamente oscuro. Fue una ceremonia íntima. El cura los casó en una capilla humilde de Lanús, que tenía timbre en lugar de campanas. Después de la bendición en nombre de Dios hubo brindis en la casa de su madre. Las hermanas hicieron ronda en torno a una mesa cubierta por un mantel bordado y felicitaron la boda de la última soltera de la familia. Tras el casamiento, Juan Augusto continuó con sus clases de Latín e idiomas en el colegio Sarmiento de Ramos Mejía. A María la trasladaron a una escuelita de Ciudadela. Los primeros meses de matrimonio transcurrieron sin sobresaltos.

Una mañana, María caminaba junto a los baldíos de Ciudadela, rumbo a su trabajo, mientras su vientre en gestación de siete meses se balanceaba rozagante de vida. De pronto escuchó detrás de sus pasos unos golpes pesados sobre el piso. Apenas había dado vuelta una esquina cuando descubrió que dos vacas la seguían. Estaban sueltas y sin dueño a la vista. María apuró el paso para quitarse a los animales de encima. Pero las vacas se empecinaron en imitar su marcha. La persecución había comenzado jocosamente, pero enseguida María sintió cómo su vientre complicaba la huida y la gracia se esfumó ante el temor de un accidente.

De repente se sintió sudorosa, faltaban pocos metros para llegar a la escuela, y una contricción visceral anunció la llegada de su hijo. Sus compañeras la sostuvieron en la puerta del colegio y la llevaron al hospital Pirovano. Los médicos la descubrieron frágil pero evitaron augurios funestos. La noticia preocupó a su familia. Los rezos se repitieron en el hogar como un sollozo tribal. La madre de María propuso adelantar el bautismo de su nieto ante el atisbo de una tragedia. Pero el pequeño Juan José exorcizó la maldición de las vacas y desde un cuarto del hospital hizo sentir su llanto de primogénito.

En el país la crisis económica engendraba huelgas, quiebras y desempleados, y hasta las familias tradicionales debían vender sus palacetes. Los recién casados, ahora con la familia agrandada, no eran ajenos a la situación.

—¿Por qué no se vienen para los territorios? —propuso una tía que vivía en el interior y estaba de visita en Buenos Aires.

Eran pocos los dispuestos a asumir el desafío. Los nombramientos incluían una casa para la directora de escuela y María estaba habilitada para cumplir el cargo. Su marido podría ejercer como maestro de grado. Los trámites avanzaron rápidamente y enseguida conocieron el destino: el valle de los Menucos, en Neuquén. Poco sabían del lugar. A través de los manuales de Geografía descubrieron que se extendía al pie de la cordillera del Viento y que los autores lo calificaban de "paraíso". La apuesta abría el horizonte hacia una nueva vida. El tren los recibió en la estación bajo una nube de humo blanco. María y Juan Augusto llegaron al punto de partida cargados de valijas y con el pequeño Juan José envuelto en mantillas blancas. También los acompañaba Joselín Cejas, un primo del jefe de familia que se había sumado a la travesía.

Como si escondiera un tesoro, María cargaba en una canasta un frasco con dulce de zapallo y una ensalada de verduras frescas que había preparado horas antes de abandonar la casa de su madre, en La Plata. A su vez, Juan Augusto seguía con la mirada cada movimiento del gramófono obsequiado por su abuela para sobrellevar las horas de la aventura. Una manivela hacía girar los discos sobre una caja de madera y la música emergía mágicamente a través de la bocina. Sobre el andén, María se apretujaba entre los brazos de sus hermanas y la congoja apenas permitió un hasta pronto.

El viaje duró dos días. Finalmente llegaron a Zapala y se alojaron en un hotel con la intención de retomar el camino la mañana entrante. Pero un aguacero interminable los arrinconó en el pueblo durante una semana. Cuando las nubes se alejaron, los viajeros cargaron una cama matrimonial y una bañadera de zinc pintada de blanco, que desbordaba de ropa, vajilla y cacerolas, en la parte trasera de una chata del concesionario don Américo Pieri. Se acurrucaron en su interior dispuestos a emprender el último tramo de la travesía. Cada tanto, la madre alimentaba al pequeño Juan José con una mezcla de agua de avena con azúcar que llevaba en un termo. El temporal había estropeado la ruta y el camión se empecinaba en empantanarse en los barrizales que manchaban el camino. A mitad del recorrido, los viajantes se cruzaron con una lugareña, doña Rufina Hernández, que envuelta en un batón remendado y con el rostro cubierto de arrugas como una pasa de uva caminaba parsimoniosamente al costado de la huella. Don Pieri aminoró la marcha y la saludó respetuosamente. La vieja se presentó a los recién llegados como la obstetra del lugar. Nadie pidió títulos ni dudó de sus honores. Rufina acompañó la marcha de la chata, que avanzaba a paso de hombre, y narró partos heroicos y curaciones milagrosas. De pronto hizo silencio y el viento golpeó los vidrios del camión. Doña Rufina estudió con sus ojitos centellantes al matrimonio y agregó: "Si me necesitan estoy para servirles".

La curiosidad por la anciana se disipó frente al recibimiento majestuoso del valle. La cordillera del Viento los observaba desde la altura con su marco de cumbres nevadas, el cerro Cañañán, el Negro y el resto de los picos que se perdían detrás como vigías brumosos. Ante la magnificencia del paisaje, María pensó que los elogios del manual habían sido modestos. "¡Santo Dios!", la exclamación escapó entre sus labios y un impulso interior la llevó a persignarse. La chata avanzó por una huella hasta la casa de barro reservada para la familia. Sus paredes de adobe se veían cuarteadas y en parte conquistadas por malezas. Había sido abandonada hacía varios meses por el colega anterior y su aspecto denunciaba el olvido. La vieja y el dueño del camión se despidieron amablemente, sin lograr conquistar la atención de la pareja que miraba azorada la humildad del nuevo hogar. El primo Joselín fue el primero en reaccionar. Empujó la puerta sujeta con alambres y avanzó hacia el interior. Las paredes estaban carcomidas, el piso era de tierra y el techo de cinc. En el rincón de la entrada había una chimenea. Un poco más allá una trébede para calentar ollas. Por la ventana trasera se veía un horno para pan. A veinte pasos de la casa el arroyo los Menucos, que era poco profundo, pedregoso y muy cristalino, los proveía de agua. Cargaron un poco de agua en un cacharro y lo apoyaron sobre el calentador Primus.

El colegio estaba a un kilómetro de la casa. En un cartel pintado sobre madera podía leerse "Escuela Nacional N° 23". Un salón amplio para veinte bancos, una mesa, un escritorio, un armario, dos grandes telares, dos máquinas de coser y una victrola con discos de canciones escolares, temas patrios y folklóricos. Un mapa, un pizarrón y tizas. Las clases comenzaban la primera semana de septiembre y se extendían hasta fines de mayo para sacar provecho a los meses templados. A traves de la montana, los chicos comenzaron a llegar harapientos y con hambre pocos días después. Eran en su mayoría hijos de chilenos con rasgos aindiados. María abandonó rápido sus recuerdos de infancia almidonada que traía de La Plata. La primera actividad fue una ronda de ñaco, un pasticho de mazamorra de maíz tostada con miel o azúcar, que era la ración diaria asignada por el Consejo Nacional de Educación. Los meses pasaron sin la llegada del sueldo. El dinero que quedaba se repartió en harina, azúcar, aceite y grasa para el pan. De vez en cuando también terminaba en la olla una cabra, un peludo o una liebre. Al principio, María aceptó su apetito desmesurado como una consecuencia del cambio de ambiente, hasta que el embarazo se hizo evidente. Recién entonces entendieron el empeño de la vieja Rufina por ofrecer sus servicios.

Ricardo Pueyrredón había disfrutado de una infancia privilegiada. Sus padres eran ricos y acostumbraban a viajar a Europa a bordo de buques de chimeneas gigantescas, suntuosos e iluminados como palacios. El pequeño participaba de lejos de las fiestas y del glamour de la *belle époque*.

Cuando apenas tenía 12 años su padre Honorio, ministro de Relaciones Exteriores del gobierno de Hipólito Yrigoyen, había sido designado embajador ante los Estados Unidos por el nuevo presidente radical Marcelo T. de Alvear. Los preparativos para el traslado habían sido veloces y apresurados. Ricardo había tenido que abandonar el colegio Champagnat y despedirse de sus amigos. Se sentía eufórico y ansioso. La vida lo favorecía con una nueva experiencia. Un día de 1922, la familia Pueyrredón en pleno partió hacia los Estados Unidos, un país que Ricardo imaginaba avanzado y lleno de aventuras.

Los años veinte ilusionaban al mundo con su dorada prosperidad. Occidente buscaba alejar los tiempos de austeridad de la década anterior y olvidar la recesión de la posguerra. Las bandas de Nueva Orleáns paseaban el ritmo del jazz por los Estados Unidos y un trompetista negro, Louis Armstrong, sorprendía con su virtuosismo y sus improvisaciones. Los clubes de Nueva York y Chicago abrían sus puertas a la nueva música del sur. Las liberadas chicas *flapper*, con polleras por encima de la rodilla, pelo corto y revuelto, un cigarrillo en una mano y una petaca de whisky ilegal en la otra, seducían a los hombres y escandalizaban a los moralistas. La gente bailaba el charleston, las mujeres se animaban a darse palmadas en las rodillas mientras movían las caderas, y los ritmos africanos confudían a los defensores de la tradición.

Nuevos sectores accedían a una cultura popular que buscaba romper con los límites de la era victoriana. Mientras, las antiguas ideas del decoro daban paso a una fiebre de consumo en que la gente creía alcanzar la felicidad por medio de autos, ropa, cosméticos y las novedosas heladeras Frigidaire o el perfume Chanel N° 5.

En el desenfreno de los años veinte, Ricardo había descubierto una pasión, que para los ojos de su padre apenas se equiparaba a un entretenimiento adolescente. El objeto de su fascinación era el mundo de la publicidad, que crecía sin pausa en el capitalismo norteamericano. Ricardo había comenzado a recolectar avisos gráficos que devoraba con la mirada, y hojeaba cuanta revista llegaba a sus manos. Seleccionaba los mejores y, cuidadosamente, los guardaba como un tesoro en una carpeta.

Pero la estadía estadounidense llegó a su fin cuando las diferencias con el gobierno de Alvear y una inesperada jugarreta política que le tendieron a su padre mientras presidía la delegación argentina en la Sexta Conferencia Panamericana de La Habana, llevaron al funcionario a renunciar a su cargo diplomático y regresar a Buenos Aires. La Argentina se preparaba para la sucesión presidencial. Los Pueyrredón volvieron al país en 1928. La familia retomó la rutina y Honorio se alejó temporariamente del Partido Radical.

Ricardo, que ahora prefería ser llamado Richard, volvió con el bachillerato aprobado y algunas materias cursadas en la Georgetown University. Tenía dieciocho años pero los burócratas locales desconocieron su título norteamericano y debió retomar el colegio junto a adolescentes que aventajaba en varios años. Así, sus primeros meses en la Argentina pasaron entre libros y repasos de lecturas conocidas.

La estadía en los Estados Unidos le había templado el ánimo e incentivado su osadía. El tiempo libre elegía pasarlo en los círculos sociales de los jóvenes de la alta sociedad, entre niños pitucos y señoritas decorosas. Se divertía con la despreocupación de quien se sabe respaldado por una familia acomodada.

Frecuentaba clubes y reuniones con la mirada siempre atenta, en busca de la mujer ideal que había imaginado durante un sueño a los 13 años. La imagen de la joven se había aparecido en medio de la noche, con el cabello largo y rubio, ojos celestes y envuelta en un halo celestial.

Una tarde de verano de 1929, Ricardo ahuyentaba el calor en la pileta de un club de Belgrano junto a un amigo. Se había lucido, ante caballeros y señoritas, con algunos saltos ornamentales. El sol entibiaba su cuerpo juvenil a un costado del agua cuando de pronto la vio pasar. Sin quitar la mirada de la muchacha, sólo atinó a decir a su amigo:

—Ahí va la mujer de mis sueños. Es ella —señaló furtivamente.

—¿Qué? —respondió sorprendido el compañero.

La respuesta no llegó. Ricardo la seguía embelesado. Con un paso gracioso y delicado, ella había rodeado la piscina para sentarse junto a un grupo de amigos en el ala opuesta. Lucía un traje de baño que apenas insinuaba su cuerpo blanquecino y agraciado. Era la reencarnación perfecta de la joven de su sueño. Podía olerla y disfrutarla a la distancia.

Sin pensar en los límites de las costumbres, Ricardo se zambulló y nadó hacia ella. Alcanzó el borde, sus brazos elevaron su cuerpo hacia afuera y caminó los dos pasos que lo separaban de la muchacha.

—¿Usted quién es? —preguntó Ricardo sin tener en cuenta la cortesía esperada de los caballeros.

—Elenita Tornquist Campos —contestó asombrada la muchacha, bajo la mirada estupefacta de sus acompañantes.

—¿Sabe por qué la quiero conocer?

—No.

—Porque con usted me voy a casar.

Apenas terminó la frase, Elenita se levantó con las mejillas rojas y se marchó de la piscina. Ricardo la siguió con la mirada y recordó la imagen borrosa de su sueño. Su corazón latía excitado, se sentía como suspendido en el espacio.

Durante tres días esperó ansioso que regresara al club. Pero la vergüenza y el pudor impedían que la joven regresara. Tenía apenas 15 años y la proposición la había dejado sin respuesta.

Al cuarto día, Elenita volvió al club, pero con su madre.

–Ese es el loco que dijo que se iba a casar conmigo –explicó ella a su madre, mientras juntas avanzaban hacia el joven.

Ricardo las vio desde lejos e intuyó que debía presentarse formalmente si quería volver a ver a Elena.

–Encantado, señora. Soy Ricardo Pueyrredón –dijo en tono solemne.

La madre meneó la cabeza como signo de aceptación y los adolescentes cruzaron unas miradas cómplices.

Poco tiempo después, los Pueyrredón pidieron a los padres de Elenita que aceptaran que su hija fuera la novia oficial de Ricardo. Las reglas del chaperon así lo indicaban. Los adultos acordaron, amablemente, los términos del noviazgo. La primera norma era tácita: los adolescentes nunca deberían estar solos. La segunda indicaba que los cuerpos debían guardar distancia.

Pese a las rígidas costumbres, entre los novios todo era amor y sueños. Un día, Ricardo juntó fuerzas y pidió a su futura suegra:

–Señora, ¿puedo tomar del bracete a Elenita?

La mujer asintió. Ricardo curvó su brazo y la mano femenina se escurrió ansiosa hasta rozar por primera vez el cuerpo de su prometido. El joven irguió su espalda y alzó los hombros. En ese instante sintió que el mundo entero los contemplaba.

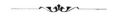

Pablo y Blanca Molinari habían abandonado su Italia natal unos años atrás colmados de sueños de inmigrantes y con dos hijos a cuestas. Trabajaban duro. El marido como orfebre y cuidador de la quinta que cultivaba con sus propias manos y que, más de una vez, entregaba el plato del día. La mujer era costurera, ama de casa y administradora implacable de los pesos que llegaban a su bolsillo. Se habían instalado en Villa Devoto, en un caserío de gente humilde y esperanzada. A poco de estar en la Argentina había nacido Lidia, la tercera de la descendencia.

La niña era esmirriada, algo traviesa y de mirada pícara. Disfrutaba robando frutas de la quinta de su padre y jugando con los varones de la cuadra, trepada a los árboles. Con apenas cuatro años, ya percibía las penurias, los esfuerzos y la lucha cotidiana de su familia. El plato a la mesa nunca faltaba pero era el único alarde de bienestar que podían permitirse.

Lidia sentía admiración por su padre y la preferencia era mutua. En secreto, don Pablo reconocía su adoración por la pequeña. La mañana del 13 de agosto de 1930 quebró la rutina de la casa de los Molinari. El padre amaneció con una tos espasmódica e incontrolable. Su cuerpo estaba ardiente. Lidia observaba los sufrimientos del enfermo desde un rincón y sintió miedo. Blanca empujó la puerta y salió a pedir ayuda. Enseguida encontró a un vecino que la ayudó a llevar a su marido hasta el Hospital Italiano, donde quedó internado con un diagnóstico angustiante: micosis pulmonar. Las limaduras de los metales y las hebras de paja, aspiradas inocentemente durante sus tareas de orfebre, habían dejado en penumbras dos tercios de su pulmón izquierdo.

De pronto, la familia se vio ahogada por la crisis que deprimía a la Argentina y la aflicción del padre. La depresión económica desatada en los Estados Unidos se extendía como una catarata arrolladora que volteaba mercados y llevaba al descreimiento las promesas del capitalismo. El país sufría una política enviciada, acusaciones de desgobierno, manifestaciones estudiantiles y huelgas obreras.

La Gran Depresión encontró a los Molinari con el desasosiego de la enfermedad. El hijo mayor, Nelson, con apenas trece años, entró como mensajero en el correo. Su magro sueldo se convirtió en la única ayuda que su madre recibía. Blanca tenía un carácter fuerte y las circunstancias, lejos de doblegarla, forjaron aún más su corazón ya maltratado por historias familiares. Redobló los esfuerzos. Gracias a su temple, sus manos habilidosas y una máquina de coser Cabiró, comprada poco antes a crédito, pudieron subsistir.

Sus días se alternaban entre la costura de uniformes militares y las visitas al hospital para encontrarse con Pablo. Apenas amanecía, Blanca se ataviaba con su único vestido, largo hasta los pies, abotonado en la delantera y con un lazo que insinuaba la cintura. Tomaba algunas frutas de la quinta, preparaba el atado de su trabajo y caminaba sorteando el barro hasta la esquina de Sanabria y Nogoyá. La pequeña Lidia la veía alejarse con sus manitos tomadas del alambrado que limitaba el jardín y con deseos de acompañarla para ver a su padre. A cambio de diez centavos, un mateo acercaba a Blanca hasta la avenida Rivadavia. Luego tomaba el tranvía que, entre rezongos y bamboleos, la dejaba hasta Primera Junta. Desde allí, el subte "A" hasta Plaza de Mayo. Llegaba presurosa. Tomaba la plancha de nafta Volcán y estiraba los uniformes ajetreados. Una arruga podía significar el fin del trabajo. Y desde San Telmo al hospital, donde los médicos se cuidaban de alimentar su esperanza.

–¿Cómo está don Molinari? –preguntaban los vecinos que encontraba a su paso.

–Ahí va… –respondía Lidia ladeando su cabeza.

Todavía faltaba otro golpe. Apenas supo que Pablo estaba con valeciente, el dueño de la casa, un militar de apellido Scilingo, los echó sin más. Los Cantarella, una familia calabresa que había llegado al país después de la primera Gran Guerra, los cobijó. La solidaridad surgía siempre por encima de las miserias. Sus dos hijos y el matrimonio amontonaron sus pertenencias en uno de los dos cuartos de la casa chorizo. En el otro, los Molinari encontraron un hogar pasajero.

Entre el revuelo de mudanzas y restricciones, Alfonso, un compadre de Blanca que trabajaba como funcionario, le entregó secretamente un tesoro que debía preservar frente a las convulsiones que se avecinaban en el país. Se trataba del mate y el sombrero de Hipólito Yrigoyen, y un retrato del presidente. En el silencio de la noche y a la luz de una vela, Blanca los escondió bajo su nueva cama y siguió cosiendo uniformes militares.

La mañana del 6 de septiembre escucharon por la radio de galena la noticia del golpe militar encabezado por José Uriburu que ponía fin a la presidencia de Hipólito Yrigoyen.

Manifestaciones de apoyo al golpe con insultos hacia los radicales y banderas argentinas copaban las calles de Buenos Aires. Ese día, Blanca debió volver sobre sus pasos, con bronca, mascullando retos para los revoltosos que habían quebrado la democracia y malogrado, por primera vez, la visita a su marido.

A la mañana siguiente, con el pesado atado de uniformes militares recién cosidos, Blanca bajó del subte A en Plaza de Mayo y, como todos los días, comenzó la obligada caminata hacia el Arsenal de Guerra en Brasil y Paseo Colón. Poco antes de la modesta casa de altos donde vivía Yrigoyen, en la calle Brasil, se topó con un grupo de militares que arrojaban a la vereda las pocas propiedades del depuesto. Contempló la cama de hierro y la escupidera, y las otras escasas pertenencias que saqueaban e incendiaban. Unos curiosos miraban desde enfrente, en la vereda de la casa de loterías de Vicente Scarlato. La injusticia le atravesó el alma. En silencio, siguió su marcha, y lloró.

Finalmente y con las pocas fuerzas que la afección le había dejado, el 12 de febrero de 1931 Pablo dejó el hospital. En la puerta lo esperaba el Ford T de su amigo Urbani, un acomodado directivo de la cervecería Quilmes y director del diario *L'Italia del Popolo*. Entre el chofer y Blanca lo condujeron, casi en andas, hasta el interior.

—Tuvimos que dejar la casa —deslizó ella cuando estaban por llegar. Su marido ignoraba el desalojo.

Pablo fingió no entender. El auto se estacionó a una cuadra, la más cercana con pavimento. Caminó lentamente. A lo lejos divisó a sus hijos. Sin querer aceptar la triste noticia, rumbeó a Mercedes 2552. Descubrió las ventanas cerradas y su quinta destruida. Debió girar su cuerpo mejorado. Recordó todas las lágrimas derramadas por no haber podido ver a Lidia, su pequeña de cuatro años. Miró a Blanca tristemente. Una mezcla de angustia e impotencia lo recorrió. Extendió sus brazos.

—Por favor, sentáte antes —atinó a decir Blanca.

Pero antes de que pudiera terminar, Pablo alzó a su hija que ya corría a su encuentro y la estrechó fuertemente. Ambos lloraron.

Todos los vecinos salieron a recibirlo. De a grupos entraron a lo de los Cantarella. Hubo brindis y gritos de júbilo en italiano. La alegría, caótica y franca, devolvía a Blanca su solidaridad con los vecinos, como los pucheros de gallina que preparaba en su olla colorada para cada parturienta del barrio.

En los cuartos a media luz de La Plata, los radicales buscaban reorganizar el partido en medio de la restauración conservadora liderada por José Félix Uriburu. El ejército había llegado al poder impregnado de influencias germanas y odio hacia los políticos radicales. Era necesario exigir el regreso de la democracia, el llamado a elecciones libres y la reapertura del Congreso. En el cuarto se encontraban dirigentes con experiencia, como Raúl Oyhanarte y Valentín Vergara. Pero cuando llegó el momento de estampar las firmas en el documento contra el gobierno militar de José Uriburu, Anselmo Marini pidió ser el primero. El resto aceptó conforme. El joven abogado tenía una posición equidistante frente a los sectores internos de la UCR y su encabezamiento daba al manifiesto un equilibrio unificador.

Marini tenía 24 años, se había graduado un mes antes del golpe, y desde pequeño se había formado con la ideología radical en la casona platense de la diagonal 77, donde presenciaba extasiado las prédicas de los dirigentes reunidos en torno al caudillo Luis Monteverde.

El dueño de casa lo había adoptado como a un discípulo. Le entregaba libros que el pequeño debía aprender y luego recitar en forma de resumen.

Su decisión de convertirse en dirigente político había tenido lugar durante la revuelta de los estudiantes universitarios en La Plata, que había estallado en la capital provincial como un eco demorado de los levantamientos en Córdoba.

Marini se había topado con un grupo de estudiantes detenidos por la policía que marchaban al destacamento mientras entonaban el himno de la reforma: "Juventud, juventud, torbellino, soplo eterno, eterna canción". Se trataba de un sentimiento inédito. Su espíritu se encendía al rugir de cada estrofa, se sentía invisiblemente ligado a los anhelos de aquella generación. Desde entonces había redoblado su militancia en la facultad de Derecho y tomado partido cada vez más apasionadamente en las tertulias radicales.

Pero sus sueños políticos se habían dado de boca contra el poder conservador y el golpe de 1930 lo había sorprendido por las calles de La Plata junto a su amigo Francisco Penna. Una pizarra en el diario *El Día* anunciaba el derrocamiento de Yrigoyen. Los jóvenes radicales habían corrido a la casa de gobierno provincial en busca de información oficial.

—Tranquilos, muchachos, el asunto está dominado, Uriburu y Justo ya están presos —los habían tranquilizado los funcionarios radicales.

Luego, habían regresado envalentonados a *El Día,* se habían entrevistado con sus autoridades y habían conseguido que cambiaran la pizarra. "Fuentes del gobierno aseguran que el levantamiento fue sofocado y los generales Uriburu y Justo fueron apresados", era el nuevo titular.

Pocas horas después descubrieron que la primicia estaba lejos de la realidad. Cuando se confirmaron las noticias, los conservadores salieron a las calles a festejar. Levantaban sus sombreros al paso de las tropas, detenían sus automóviles descapotados para saludar a los nuevos gobernantes y gritaban insultos contra el depuesto Yrigoyen. El grupo más numeroso llevaba una carretilla con un peludo amarrado.

Pocos meses después del golpe, Marini y la dirigencia radical ya tramaban en la clandestinidad de sus hogares la forma de recuperar la democracia. La mayoría de los dirigentes de primera línea estaban presos o exiliados. La Década Infame recién amanecía.

Las penurias económicas obligaron a los Levenson a abandonar el San Fernando malevo y politizado. Dejaron atrás el río y se mudaron a una Córdoba aún pastoril y siempre clerical, signada por los aires reformistas que habían convulsionado a la provincia y al país una década atrás.

Decidido a forjar un destino, Gregorio terminó el secundario en el colegio Monserrat. Luego ingresó a la facultad de Farmacia y Bioquímica. Lejos ya del astillero de San Fernando pero cerca de las ideas de su temprana adolescencia, se mezcló con las luchas universitarias. Y para sellar su mayoría de edad se afilió a la Federación Juvenil Comunista, impulsado por Said, un compañero de trabajo de la farmacia Del Mercado que lo superaba en años y era amigo de la familia.

El partido sació su avidez de lectura: el *Manifiesto Comunista*, ediciones abreviadas de *El Capital*, traducciones del ruso. Poco a poco, el contenido épico y hasta romántico de las obras de los autores de la joven promoción soviética lo embriagaron de ideales. Vivía una metamorfosis perfecta. Se sumaba a las luchas de *Chapaiev* y a la epopeya de los cosacos en *El Don Apacible*. Era un joven obrero de *Y el acero se templó* y a veces asumía el rol del ejército rojo en su lucha contra los guardias blancos. Soñaba con un amor militante junto a

Vanda Wasilewska. Y en medio del fragor también tomó una brocha alguna noche y pintó "Todo el poder a los soviets".

Una vez empapados de ideales, los nuevos miembros recibieron la orden de diseminarlos por los futuros integrantes de la revolución. El partido les asignó como blanco ideológico la Fábrica Militar de Aviones. La consigna era simple: agitar. El objetivo era introducirse en los sectores obreros para incorporarlos al movimiento.

Cada día a las seis de la mañana, un colectivo de la fábrica partía del centro de la capital cordobesa cargado de obreros somnolientos. Pero la luz del día volvía la tarea demasiado riesgosa. Con la complicidad de la noche, Gregorio y los camaradas se acercaban sigilosamente al depósito de los buses y deslizaban las consignas comunistas por entre los vidrios. La táctica funcionó un tiempo, hasta que las autoridades de la fábrica descubrieron la campaña y reforzaron los controles.

La estrategia fue entonces actuar durante el recorrido. En un momento preciso, el colectivo debía afrontar una empinada subida. Era la oportunidad. Cuando el ómnibus bajaba su marcha y ronroneaba en una segunda marcha rugiente, Gregorio y sus tres compañeros de célula (un estudiante, un peluquero y el hijo de un comerciante de Avellaneda) saltaban dentro del bus, tiraban los volantes como si fuera papel picado y huían antes de ser pescados.

Pero la represión, las torturas y la cárcel sentenciadas por la temible Sección Especial de la dictadura del general Uriburu, terminaron por arrinconar al grupo. Perseguido y vigilado, Gregorio abandonó Córdoba sigilosamente.

La vida en el valle de los Menucos transcurría sin prisa, bajo el ritmo pastoril de mañanas y atardeceres. María del Redentor Cobanera añoraba el dulce de zapallo materno y su apetito de embarazada parecía insaciable. Cada noche, sus oraciones pedían por "papá", como llamaba a su marido, por sus hermanas de La Plata, por sus hijos Juan José, y el que estaba en camino, y por la escuela, adonde los chicos llegaban tan hambrientos de comida como de conocimiento.

Cuando llegó la noticia del derrocamiento de Yrigoyen temieron por sus empleos. La respuesta de su confirmación debía llegar por un correo que los había olvidado. Cada tanto, una sombra lejana los esperanzaba con el arribo del cartero, de novedades sobre la familia y de la llegada del primer sueldo que se empecinaba en retrasarse. Clavaban la vista en el tramo del horizonte que ocultaba a Zapala, pero la silueta resultaba ser un animal perdido o una mala pasada del reflejo del sol.

La falta de dinero y las penurias inacabables de los alumnos fueron vaciando su entusiasmo. Sin buscarlo, María y Juan Augusto se dejaron llevar por el entorno agreste y salvaje de la montaña.

Una mañana, María amaneció sintiéndose despojada. Miró a su alrededor, su atuendo, se pasó una mano por sus cabellos revueltos y resolvió que era tiempo de asumir la pobreza. Puso en práctica sus virtudes de costurera y con cuatro pañales se cosió un guardapolvo. Delicados pespuntes disimularon las uniones. Con unas suelas de goma ya perforadas y gruesos fajos de hilo dio vida a un par de sandalias.

—¿Acaso alguna vez se vio una maestra sin guardapolvo? —le dijo María a su familia antes de partir rumbo a la escuela. Tenía nuevos bríos y estaba dispuesta a enfrentar su presente.

Las carencias de los alumnos rápidamente dieron lugar a nuevas prácticas, más allá de la docencia. "Papá" se encargaba de curar las caries con un equipo que su cuñado odontólogo les había enviado de regalo. María curaba dolores a base de fomentos calientes, aplicaba enemas de jabonosos o hacía beber agua de arroz. El primo Joselín también colaboraba con el improvisado hospital de campaña. Su especialidad era bajar la fiebre con paños de agua fría que envolvía en la planta de los pies y en las muñecas. Los maestros doctores ganaron popularidad en la zona y junto a los alumnos se acercaron nuevos pacientes, familiares, amigos, padres. María recibió el título de "señora curiosa", como el pueblo llamaba a los médicos por su insistencia con las preguntas. Las curaciones eran gratis, pero los enfermos llegaban con gallinas para la olla y verduras de regalo.

Los esfuerzos de María y Juan Augusto eran por momentos impotentes. Una madre llegó un día con su beba consumida por una diarrea incontrolable. La criatura murió deshidratada y el pueblo se reunió para acompañar, de acuerdo al rito, el "Velatorio del angelito". Al tiempo, la gangrena mató a otra niña. Junto al cuerpo todavía tierno recostado sobre una tarima, con las mejillas pintadas y los ojos abiertos sostenidos por palillos, la gente encendió velas y ofrendó ramas florecidas de duraznero. El pueblo bailó y comió toda la noche. Las almas de los pequeños iban directo a Dios y por lo tanto merecían festejo.

A pesar del alboroto político de Buenos Aires, el correo llegó finalmente con la confirmación de sus cargos y el sobre del primer sueldo. El dinero los motivó a comprar un auto para acortar las distancias inabarcables del sur y para transportar al pequeño en camino cuando hiciera falta llevarlo a Zapala.

Arturo Krusse, un corredor de rally conocido como el "Indio rubio de las pampas", les vendió un sedán marca Wippe. El estruendo exagerado del motor revolucionó a los chicos de la escuela, que saltaron detrás de los arbustos como si los amenazara una fiera.

Pocas semanas después, un llamado inconfundible anunció a María la llegada de su segundo hijo. Juan Augusto se subió al auto recién comprado y arrancó a toda prisa al frente de una nube de polvo. El Wippe devoró los caminos en busca de Doña Rufina, la obstetra de los Menucos.

Mientras, Rita, una lugareña, trajo una soga larga, la pasó por los tirantes del techo, ató los extremos y enroscó una toalla a modo de protección. Sólo faltaba la llegada de Rufina y el nacimiento del guagüito.

Cuando apareció la vieja partera, le pidió a María que sujetara la toalla de la soga y flexionara las rodillas con cada contracción. La maestra entendió entonces que iba a parir de pie, pero la falta de fuerzas y el miedo alejaron cualquier queja.

—Vamos puja, puja —ordenaba Rufina, mientras doña Rita, con una sábana entre las manos, aguardaba al crío con rezos para San Ramón Nonato.

Las horas pasaron como en una interminable clase de gimnasia. Doña Rufina obligó a la parturienta a ponerse el sombrero de su esposo como señal de respeto para el santo. Lentamente fueron llegando a la casa las madres del pueblo, mientras María colgada de la soga pujaba sin respiro. De pronto, una bocanada de placer atravesó su cuerpo. Por entre las piernas asomó el cuerpo pringoso y rojizo de María Estela. Tenía los cabellos rubios, era regordeta y pesaba unos cuatro kilos y medio. María miró a su hija, sonrió plácidamente y se dejó llevar por el cansancio. Los visitantes aplaudían y lloraban. A todos se los convidó con una copita de licor como ordenaba la costumbre. Los más viejos quisieron invitar a María a beber un vaso de agua mezclado con telas de araña como indicaba el rito, pero la madre sólo admitió yerba mate. La vieja Rufina cortó el cordón umbilical con los dientes y lo ató a una tira de tela. Bañó a la criatura y la cubrió con un manto chileno.

Cuando las mujeres se fueron, María quedó a solas con su beba, su marido y el pequeño Juan José. Se sintió plena. Miró por la ventana, era un atardecer sereno. Buscó la imagen de un protector para agradecer el nacimiento y sus ojos se cruzaron en la pared con un Corazón de Jesús, regalo de su madre.

El primer entusiasmo por la revolución de septiembre de 1930 se diluía ante la falta de mejoras, y el régimen quedaba al desnudo como una nueva restauración conservadora. El gobierno de facto de

José Uriburu se mostraba reaccionario y dictatorial. Miles de obreros eran cesanteados, el Congreso había sido cerrado y decretado el estado de sitio, los presos políticos inundaban las cárceles. El descontento crecía y acechaba a la dictadura. Mientras, la UCR se reorganizaba bajo la jefatura de Marcelo T. de Alvear.

En enero de 1931, el presidente de facto convocó a los radicales Honorio Pueyrredón y Adolfo Güemes para comunicarles su intención de llamar a elecciones en Buenos Aires, Corrientes, Santa Fe y Córdoba. Buscaba medir el ánimo popular. La charla fue breve y contundente. Pueyrredón le advirtió que correría un grave riesgo.

Sin embargo, confiado del poderío de las armas con las que contaba para controlar cualquier resultado adverso y convencido del descrédito del radicalismo, el gobierno provisional convocó a elecciones para el 5 de abril de 1931. Rápidamente, la UCR reorganizó su maquinaria proselitista: delineó planes, llamó a dirigentes y programó actos, en una frenética campaña por seducir al pueblo bonaerense.

Pueyrredón y su compañero de fórmula Mario Guido recorrían incesantemente la provincia con sus discursos y promesas. Su hijo, Ricardo, lo acompañaba a todos los actos y desde abajo del palco palpitaba entusiasmado las palabras y los gestos de su padre.

El 5 de abril, finalmente, los bonaerenses manifestaron su oposición a la dictadura con un apoyo mayoritario y elocuente a la fórmula de la Unión Cívica Radical, que lograba por fin exhalar una bocanada de aire fresco después de su derrocamiento. El pronóstico de Pueyrredón se había cumplido. Pero el gobierno provisional no estaba dispuesto a aceptar la voluntad popular. Como primera instancia suspendió las elecciones en los demás distritos y, con demoras que buscaban ocultar los escasos escrúpulos, resolvió desconocer el triunfo de Pueyrredón.

Apresuradamente, el clima político se volvió turbio y enrarecido. Huelgas y conflictos universitarios, racha de bombas, tumultos por doquier, dirigentes detenidos y desterrados, decretos de intervenciones a las provincias adversas. La popularidad de la revolución setembrina se destrozaba frente a cada nueva medida del gobierno de facto.

Su visión juvenil del fraude alimentó la conciencia política de Ricardo. Los avisos publicitarios y los encuentros con su novia Elenita se entremezclaban con manifestaciones contra la dictadura.

Ricardo Pueyrredón había encarado a su manera la lucha política contra la dictadura de Uriburu. El día pactado rumbeaba hasta una fábrica de Avellaneda a comprar petardos mientras otro grupo de simpatizantes radicales conseguían bolitas. Elegían una esquina del centro de la ciudad. Ricardo arrojaba un racimo de petardos para llamar la atención y los dirigentes comenzaban a convocar a la revuelta. Los ánimos se encendían. Los transeúntes se unían a sus proclamas. Entonaban cánticos contra la dictadura, criticaban la anulación de las elecciones y pedían la adhesión de las fuerzas de la Nación. La manifestación duraba unas pocas cuadras. Los chasquidos de los caballos de la policía montada señalaban el peligro. Entonces bastaba con escarbar en el bolsillo, sacar un puñado de bolitas y lanzarlas hacia atrás mientras emprendían la fuga. Las esferas rodaban veloces sobre los adoquines, los policías daban la voz de alto y segundos después los pobres caballos se despatarraban, perdían el equilibrio y se tumbaban sobre la calle. Los jinetes caían junto a los animales y cuando lograban levantarse los manifestantes habían desaparecido.

Los resultados del comicio de abril habían vitalizado al Partido Radical que buscaba nuevos líderes para su estructura más allá de las proscripciones. La vida de los argentinos también sufría por el devenir político. Los precios subían y los recortes de la crisis se sentían en los sueldos. Pero Uriburu estaba empecinado en retrasar el llamado a elecciones presidenciales hasta tanto se eligiera al candidato del oficialismo.

Mientras, el general Agustín P. Justo y un grupo de militares planeaban un movimiento revolucionario para presionar al dictador. El 20 de julio el teniente coronel Gregorio Pomar encabezó la revuelta en Corrientes. Pero el resto de las guarniciones se negaron a apoyarlo y la dictadura logró sofocar la intentona. Pomar y sus compañeros debieron huir.

El fallido intento se convirtió en la excusa que la dictadura necesitaba para terminar de desbaratar al radicalismo. Inmediatamente, el aparato represivo detuvo a Pueyrredón, Alvear, Güemes, Noel, Tamborini, Ratto, Guido y Torelli, y los obligó a abandonar el país.

Sin medir el peligro que lo acechaba, Ricardo Pueyrredón, con 21 años, decidió permanecer en Buenos Aires mientras su familia se refugiaba en Uruguay. Por un tiempo siguió con sus desafiantes manifestaciones de petardos y huidas. Pero la persecución se recrudeció y el joven estaba en la mira de la policía tanto por su apellido como por su militancia. Finalmente se vio obligado a seguir el camino de su padre.

Algunos conocidos de don Honorio lo ayudaron a escapar de la persecución policial de un oficial de apellido Lugones. Una noche llegó hasta el Tigre donde lo esperaba una chata arenera. Por temor a un imprevisto abordaje, la nave estaba anclada a unos metros de la costa. Ricardo tuvo que nadar entre las sombras para poder subirse a bordo. La barcaza se veía endeble, pero en medio de la oscuridad los cruzó hasta la costa uruguaya.

La llegada a la presidencia de Agustín P. Justo el 20 de febrero de 1932 permitió el regreso de los exiliados, entre ellos la familia Pueyrredón. Ricardo se reencontró con Elenita y ambos comenzaron a planear un futuro en común.

Las angustias políticas desaparecieron con los meses y la calma abrió paso a las preocupaciones cotidianas. Honorio era abogado y deseaba que su hijo siguiera la misma profesión. Pero el joven tenía en mente otros planes. Se sentía atraído por la publicidad. Los años de su adolescencia en Estados Unidos habían dejado una huella profunda. Don Honorio intuía que los proyectos profesionales de su hijo estaban lejos de los suyos.

Ricardo pidió licencia en la compañía de electricidad donde trabajaba y comenzó a deambular por cada división de Walter Thompson, una de las primeras agencias de publicidad internacionales instaladas en la Argentina. Duró unas pocas horas en la administración, otras tantas en contaduría, hasta que finalmente encontró una oportunidad en el departamento de radio. El locutor era el encargado de idear, escribir y recitar los comerciales, y Pueyrredón creyó que iba a mejorar si se distribuían las tareas. Ricardo explicó la situación al gerente y se ofreció como redactor de avisos radiales.

Al fin y al cabo había cumplido su sueño. Ahora era necesario sincerarse con su padre. Juntó fuerzas, miró a don Honorio a los ojos y le explicó que la abogacía estaba fuera de su futuro.

—Ya ha decidido, hijo, que no va a seguir estudiando derecho… —repitió Honorio entre severo y melancólico.

—Ya lo he resuelto papá.

—Yo había pensado otra cosa para usted. Me fallaron mis dos únicos hijos varones —la voz dolida y un tanto acusadora del padre conmovió a Ricardo.

—No papá. Yo no voy a ser un haragán. Ni un pituco. Yo no voy a vivir de usted; yo ya vivo por mis propios medios.

—No digo eso —replicó severo—. Era mi sueño tener un estudio y llamarlo Honorio Pueyrredón e hijos.

—Además, ya conseguí empleo, papá.

—¿En dónde?

—En una agencia de publicidad.

Honorio buscó firmeza pero su anhelo dejó escapar unos lagrimones.

—A mí me gusta la publicidad. La publicidad es todo para mí. Yo la siento en el alma y un día voy a tener mi propia agencia. Y voy a destacarme. Usted va a estar contento y orgulloso —lo consoló Ricardo.

—Ojalá sea así.

Para Marcelino Fernández Villanueva los días se extinguían en la oscuridad de la mina asturiana de Olloniego y las noches junto a libros que el instituto REUS enviaba por correspondencia. El estudio era una forma de conquistar una herramienta más para su lucha.

En España, el régimen pretoriano de Primo de Rivera agonizaba y los nacionalismos, las luchas obreras, la crisis económica y la inviabilidad del sistema político subsistían a pesar de los alardes de rigor del dictador. La oposición se enardecía con los ataques intelectuales de Miguel de Unamuno y Valle-Inclán, se extendía entre los estudiantes, los políticos, los sindicalistas e incluso entre sectores militares como los artilleros. Ante la falta de apoyo, Primo de Rivera presentó al rey Alfonso XIII su renuncia y se alejó del poder.

En medio del desgobierno, Marcelino reforzó su militancia en el sindicato de la mina y al frente de la Agrupación de Jóvenes Socialistas de Olloniego. Una nueva España parecía al alcance de la mano. Tras la dimisión y muerte del general Rivera, el rey se vio forzado a convocar a elecciones.

En junio de 1931, el Partido Socialista Obrero Español ganó las elecciones y el presidente Niceto Alcalá Zamora se transformó en presidente. "España se ha acostado monárquica y se ha levantado republicana", se resignó Alfonso XIII al descubrir la falta de apoyo del ejército y emprendió su retirada.

Europa iba en sentido contrario. En Alemania se extendía el nazismo, en Italia se fortalecía el fascismo y Stalin consolidaba su poder en la Unión Soviética.

En medio de la euforia por el triunfo, el partido eligió a Marcelino como uno de los jóvenes mineros invitados a visitar la Unión Soviética, pero los sueños de su tierra lo arrastraban a quedarse. La República y la derecha se preparaban para una nueva batalla.

———— ∽⊙∽ ————

Los estudios llevaron a Perla Jerosolinsky a abandonar Novy Dwor, a 30 kilómetros de Varsovia, e instalarse en la casa de una íntima amiga de su madre en la capital. La dueña de su nuevo hogar, además de servir como anfitriona, tenía el mandato familiar de cuidar a la joven y guiarla en los laberintos de la ciudad. Desde aquella residencia en Varsovia, el ritmo de la vida urbana enseguida se volvió familiar para la joven. Las muchedumbres, las veredas cargadas, el tiempo siempre escaso, el murmullo eterno. Sus ojos intentaban captar la vida en su totalidad, cada secreto escondido entre los edificios modernos y los viejos palacios de la aristocracia.

Una tarde, mientras tomaban el té, un joven se presentó en la casa. Lucía el impulso de quien ansía vivir. Perla lo observó con disimulo y enseguida fueron presentados. Arturo Szejman era el hermano menor de la dueña de casa, y gratamente descubrió que apenas lo superaba en un par de años. Sonrió brevemente y se sumó a la charla con interés. El joven estudiaba para convertirse en rabino en la Jehva, la escuela religiosa judía, como deseaba su padre. Pero también reveló sus dudas y sus deseos contrapuestos a la voz familiar. A su vez, Perla contó sobre sus estudios, sus planes, sus gustos. Mientras hablaba, la joven descubrió que Arturo la escuchaba con gran atención, tal como ella había seguido sus palabras. Ambos entendieron que estaban unidos por un interés mutuo.

Un día, Arturo buscó la mirada de Perla con intención de atrapar su atención. La joven presintió en su silencio la antesala de una noticia.

—¿Qué sucede? —preguntó.

—Me escapé de la Jehva —respondió Arturo, mientras estudiaba la reacción de su amiga.

—¿Cómo que te escapaste?

—Sí, no quiero ser rabino.

—¿Qué va a decir tu padre?

—Va a enojarse, lo sé. Pero será un secreto —el muchacho relataba su osadía entre el miedo y el entusiasmo.

—Estás loco. ¿Cómo vas a lograr que no se entere?

—Voy a vivir contigo y con mi hermana.

—Va a enterarse de todas formas, Arturo.

—Ya veremos entonces —desafió él.

Perla sintió por primera vez que era parte de una aventura que transgredía el límite rutinario de lo previsible. Se preguntó si aquel golpeteo del corazón era la adultez. Sin embargo, el atrevimiento también la acercaba al miedo, a las dudas sobre el futuro que remordía a ambos. Y recordaba muy bien que cada vez que había deslizado el nombre de Arturo ante su familia sólo había cosechado gestos de desagrado.

Durante los meses siguientes, el lazo nacido en torno a los secretos compartidos creó una esfera de intimidad, que creció junto a los roces de la piel, los besos en las mejillas y el misterio de sus cuerpos cercanos, que ahora dormían bajo un mismo techo. Inexorablemente, el mundo de las tradiciones se alejaba a medida que la pareja se dejaba llevar por la vida de la ciudad.

Arturo encontró trabajo en una peluquería y, diplomáticamente, intentó que sus padres aceptaran su rechazo al rabinato. Pero en su familia reaccionaron con enojo y desconcierto. Ellos exclamaban con la mirada en el cielo cómo era posible que un joven tirara a la basura su futuro como sacerdote, acomodado y sabio, por cortar y recoger cabello en una peluquería.

Perla se escapaba a leer en las bibliotecas de la ciudad, donde pasaba largas horas entre los poetas polacos y los clásicos alemanes. Con la vista hundida entre las páginas, disfrutaba tanto de las historias épicas, donde los destinos de la existencia se debatían con exclamaciones altisonantes, como de los dramas del romanticismo o las tragedias mitológicas de los antiguos.

En su hogar, sus deseos de trabajar en la ciudad habían provocado un nuevo cruce con su padre.

—El negocio de tu familia te necesita.

La afirmación la había sorprendido. Perla juntó fuerzas e intentó una vez más.

—Pero muchas mujeres trabajan en las oficinas. Me gusta, y puedo traer dinero a la casa.

—Si te preocupa el dinero, yo pienso pagarte un salario como en cualquier empleo. Pero trabajarás en tu casa.

La joven asintió y se retiró hacia otra habitación. Sabía que su destino estaba secretamente atado a Arturo y si iba a enfrentar a su padre era mejor hacerlo por su amor y su matrimonio.

Poco tiempo antes de sabbat, Perla buscó un momento en que su madre y su padre estuvieran juntos y comentó:

—Arturo quiere visitarnos. ¿Puedo invitarlo para el sábado?

Los padres apenas se miraron y respondieron:

—Por supuesto. Será bienvenido.

Las preferencias para su hija estaban lejos de transformarlos en descorteses. Arturo era ante todo el hijo menor de la familia Szejman y siempre sería un gusto agasajarlo en su hogar. De hecho, aquel sábado el joven y los padres de Perla se saludaron afectuosamente y la tarde transcurrió amenamente entre preguntas sobre la salud de los familiares, mensajes de afecto y halagos mutuos. A la reunión también había llegado el rabino más cercano a la familia Jerosolinsky, que se encargaba de acompañar las oraciones del sabbato y guiar espiritualmente a la comunidad judía de Novy Dwor.

Perla seguía cada gesto, cada palabra, como quien se juega la vida o la muerte en los giros de una moneda. Cada tanto miraba a Arturo en espera de complicidad y aliento. El joven le sonreía discretamente para demostrar calma, pero de pronto un gesto, una mueca tensa dejaban escapar su propio nerviosismo.

El paso de las horas hizo llegar el momento de las oraciones. El rabino carraspeó su garganta. Todos bajaron la mirada. Pero de repente Arturo pidió tomar la palabra. Tras unos instantes de sorpresa, los padres asintieron. El joven comenzó entonces a recitar el Thorá como si tuviera delante páginas enteras con las transcripciones del libro sagrado. Sin embargo, frente a sus ojos sólo aparecían las caras desconcertadas de los Jerosolinsky. Arturo citó y recordó párrafos completos del Thorá, mientras Perla con la mirada en el piso sonreía orgullosa. Finalmente sus años en la Jheva habían resultado una carta ganadora debajo de la manga.

Tras aquella ceremonia los caminos hacia el matrimonio fueron más fáciles de transitar, y con el paso de los meses la madre de Perla, que había parido seis hijos, llegó a decir que el séptimo era el mejor. Arturo pasaba los fines de semana en la casa de los Jerosolinsky y se entregaba a largas conversaciones con el padre de su prometida. La boda de los jóvenes fue fijada para diciembre de 1936.

Ni uno ni otro, sin embargo, había resignado los placeres que compartían desde hacía siete años. Puntualmente asistían a estrenos teatrales y conciertos, sin perderse en los diálogos con sus amigos las novedades de la vida social de Varsovia.

Por supuesto, la vida moderna obligaba también a informarse. Perla se escapaba sin excepción a la biblioteca en busca de los libros recién llegados y devoraba las páginas de los diarios con las noticias de Europa. De esa forma se enteró de la ascendente carrera política en Alemania de un cabo llamado Adolf Hitler, y de sus milicias parapoliciales. El enigma de aquel personaje la llevó tras los rastros de un libro. La lectura de *Mein Kampf* trajeron a su mente gritos enloquecidos a favor de leyes raciales, selección y exterminio, justificativos para la expansión alemana, elogios de la guerra, proyectos para la anexión de Austria, la derrota de Francia, la liquidación de Polonia y la ocupación de Rusia. "La receptividad de la gran masa es muy reducida, y su entendimiento escaso; su capacidad de olvido, en cambio, es infinita", había escrito Hitler. Todo figuraba en el libro como una tétrica profecía.

Américo Miralles había dejado el consultorio de Grimberg a punto de cumplir los 18 años y había pasado a ganarse la vida con changas junto a los amigos del bar. Compraban yerba en la Rural a diez centavos el kilo y la vendían por las casas. Pero la clientela abandonó lentamente las compras a domicilio por los almacenes y debió inventar otros rebusques. Llegó incluso a vender Cristos de yeso que un vecino de Villa Luro fabricaba en su casa para pagarse los estudios en Filosofía y Letras. Pero la ayuda del hijo de Dios fue insuficiente para salvar el negocio.

La familia estaba a la mesa en plena cena cuando Américo pidió un minuto de atención y comentó que iba a probar suerte con el examen de ingreso de la Escuela de Mecánica de la Armada. Su padre era todavía inspector del ferrocarril. Su madre cuidaba el hogar. Su hermano, cuatro años menor, aún usaba pantalones cortos.

Los padres estuvieron de acuerdo con la decisión de Américo, pero la madre advirtió que iba a necesitar una maestra particular para prepararse. Se eligió a Mary Castilla, la hija de unos vecinos, conocida en el barrio como "la maestrita".

Mary había cursado el magisterio en el Instituto Normal de Lenguas Vivas, donde las críticas de la sociedad condenaban por su condición de madre soltera a una profesora de Lectura y Declamación llamada Alfonsina Storni.

—¿Este es su nene? —se divirtió Mary cuando vio llegar a la madre con el alumno que prácticamente la igualaba en edad.

Al ver a la joven, Américo sintió vergüenza y pensó para sus adentros:

—No pienso estudiar con esta mocosa, yo trato con hembras de verdad.

Américo se había creído los halagos de las mujeres del conventillo que lo veían igual al actor John Gilbert y aceptó resignado sentarse para empezar la clase. La vanidad duró poco. Al rato estaba lápiz en mano con la cabeza dedicada a entender el significado de los números quebrados.

Las clases avanzaron, pero Américo cada vez atendía menos las explicaciones y más las curvas de su maestra, los pliegues de su vestido, su perfume. Le gustaba hacerla reír y agregarle piropos a las hojas de los ejercicios.

Finalmente, un par de días antes del examen Américo cayó en cama con anginas. Cuarenta grados de fiebre terminaron por decirle adiós a la Escuela de Mécanica de la Armada.

El motivo de las clases había desaparecido, pero Américo regresaba cada tanto a visitar a Mary.

Hacia fines de febrero, la ciudad comenzó a vibrar al ritmo de los carnavales, los corsos y las murgas atravesaron las avenidas envueltas en disfraces y serpentinas. Las calles se adornaron con banderines, guirnaldas y ramilletes de lamparitas de colores. En torno a la Avenida de Mayo esperaban las carrozas y se preparaban las comparsas. La Municipalidad recordó la prohibición de mojar a la gente e invitó a reemplazar el agua por flores, serpentinas y papel picado. Ajenos a las ordenanzas, los pibes llenaban los baldes y empapaban a los transeúntes desprevenidos.

En los barrios, los clubes abrían sus pistas para los bailes de carnaval. En medio del furor de los festejos, una noticia corrió rápidamente entre los grupos de amigos de Villa Luro: "Américo invitó a la Mary al baile".

El escenario elegido era el Club Social Vélez Sársfield. Mary llegó acompañada por su mamá y el padre se resignó a quedarse en su casa mascullando desconfianza.

La invitación se repitió la noche siguiente, pero la cita era ahora en el Club Ferrocarril Oeste. De nuevo se encontraron Américo, Mary y su mamá. Se sucedieron las piezas de tango, y la pareja acompañó cada acorde con sus movimientos.

La orquesta emprendió con "El huracán" y Américo aprovechó para tomarla firmemente de la cintura y acercarle el cuerpo. Se sintieron unidos.

La madre miraba desde una silla al costado de la pista.

—¿Imagino que usted querrá algo serio con la nena?

Américo entendió que debía abandonar las técnicas frontales del conventillo y cuidar las formas con la familia.

—Por supuesto, señora —respondió con una sonrisa.

Los pasos se apresuraban y el encuentro con el padre de Mary se volvía inevitable.

Mientras tanto, los vecinos de Villa Luro llenaban de sospecha al padre de la joven.

—Cuídese don Castilla, el hijo de los Miralles es un mujeriego —habían repetido los soplones del barrio. El padre se había preparado para resistir la llegada de un vividor a su hogar.

Finalmente, Américo pidió un encuentro para presentarse formalmente.

—Venía a decirle, don Castilla, que tengo serias intenciones con Mary —anticipó el joven con la primera campanada.

—Le voy a ser sincero, yo sé que usted sale con otras mujeres. Y con mi hija no se jode.

—Yo con su hija no jodo. Por eso salgo con otras mujeres —contestó Américo con feroz sinceridad. El padre frunció el ceño como gesto de desprecio pero se conformó con saber que su hija iba a llegar virgen al matrimonio.

A los pocos meses, para alegría de don Castilla, Américo se enteró por los listados del diario *Crítica* que iba a ser convocado para el servicio militar. Su destino para los próximos catorce meses era la División General de Comunicaciones, en avenida Bullrich 2770. La experiencia obtenida en el consultorio de Grimberg, y las influencias del capellán Rafael Sánchez Díaz del hospital Español, permitieron que Américo consiguiera un puesto en la enfermería del cuartel.

Tiempo prudente, pensó el padre de Mary, para que su hija descubra otro pretendiente con mejores antecedentes; sin embargo, cuando empezó a entrar en confianza con las autoridades de la división, Américo consiguió permiso para salir por la tarde. De esa forma lograba, al menos dos veces por semana, visitar a Mary. A las once debía estar de regreso para tomar la guardia.

Cuando llegaba a la casa de su novia, don Castilla estaba en la cama. Los novios tomaban mate en la sala y la madre vigilaba a unos metros, mientras escuchaba los radioteatros. Por el parlante desfilaban romances, misterios y aventuras. Chispazos de amor. Tarzán. Peter Fox lo sabía. Sandokán. Los Pérez García.

Los catorce meses de colimba se cumplieron, Américo abandonó el cuartel y volvió al barrio. Con el servicio militar cumplido era más fácil conseguir un trabajo. Nuevas influencias lo ayudaron a conseguir empleo en Los Gobelinos, la tienda de la calle Florida 125.

La vida de Gregorio Levenson había comenzado a sufrir por las exigencias de la clandestinidad. Varado en Tucumán después de sus años como activista en Córdoba, decidió partir hacia Buenos Aires. Con poco dinero y peligrosamente vigilado se mezcló con los trabajadores, peones y chacareros que marchaban desencantados de ciudad en ciudad, en busca de una migaja y un empleo. Así, sin quererlo, se unió a los crotos, seres furtivos que montados en trenes cargueros buscaban escapar del hambre y del desempleo.

La travesía terminó en la Capital. Gregorio se había alejado de la Federación Comunista y de los vaivenes y riesgos de su militancia. Se entremezcló con artistas e intelectuales, y se volvió más porteño y bohemio. Con sus hermanos Berta y Moisés, Gregorio se instaló en una piecita en Bartolomé Mitre y Paraná. Corría el año 1933.

Durante el día trabajaba entre tubos de ensayo, microscopios y pipetas en el laboratorio Lostaló, de Bartolomé Mitre al 1400; había resuelto dedicarse a su profesión de farmacéutico. Por sus manos pasaban inyecciones, supositorios, jarabes y pomadas. Desarrolló sustitutos del Aseptobrón, creó el Total Magnesiano y se abocó especialmente al estudio de la lepra.

Pero cada noche, alrededor de las siete, se quitaba el guardapolvo y cambiaba su atuendo de farmacéutico por un pantalón oscuro y saco cruzado. Junto a su hermano Saverio, bohemio y asiduo visitador de la noche porteña, se largaban a deambular por las veredas angostas de Corrientes, surcada por el subte Lacroze, automóviles de ruedas angostas y unos pocos letreros publicitarios.

Sin desvelo y con cierta excitación elegían la función de la noche. La entrada era gratuita porque ambos pertenecían a la claque: cuando el jefe lo indicaba debían aplaudir a rabiar, aunque su sentido de espectadores indicara lo contrario.

—Saverio, ¿qué proponés para hoy? —preguntaba Gregorio.

—En el Odeón está el estreno de "Amanda y Eduardo", la última obra de Armando Discépolo decía su hermano.

—¿Qué otra cosa hay?

—"El fraile Aldao" en el Nacional. Está basada en un poema de 1840 de Yamandú Rodríguez.

—Me quedo con Discepolín.

Entraban al teatro. Buscaban al jefe. Un breve intercambio de palabras. Las instrucciones acostumbradas y dos entradas a cambio.

De esa forma, las noches se alternaban entre el sainete, el tango, las comedias musicales y el teatro de revista. Gregorio y Saverio, acomodados en sus butacas, aplaudían sin chistar ya fuera Pepe Arias, Tito Lusiardo o Florencio Parravicini en el Nacional. Vitoreaban a la familia Podestá y a los hermanos Ratti en el teatro Apolo y a Francisco Canaro, que estrenaba en el Ateneo. Disfrutaban con "¡Buenos Aires ilustrado!" y "París en lumiere, le voilá!", y en el Odeón vivaban a Orfila Rico. Le siguieron "El rosal de las ruinas", "M'hijo el dotor", "La chacra de don Lorenzo", "Pepino el ochenta y ocho", "La virgencita de madera" y "Adiós, Pampa mía".

El tango los arrastraba con sus acordes melancólicos por el café Nacional o en el Germinal para escuchar a Di Sarli, Pugliese, Gobbi y Troilo. Las orquestas entonaban sin pausa hasta las dos de la mañana. Entonces se apagaban las melodías y se silenciaban los ruidos de las obras de ensanchamiento de Corrientes y de la apertura de Diagonal Norte. Era el momento de los noctámbulos y de los artistas.

Los primeros indicios de la modernidad transformaban el aspecto de Buenos Aires. La piqueta avanzaba por las avenidas. Las fachadas de Corrientes daban lugar a una Buenos Aires más mundana. A su paso quedaban el Luna Park, el Teatro del Pueblo, el Hippoddrome con el fantasma del payaso Frank Brown y la iglesia San Nicolás de Bari. En su sitio aparecían las curvas y las flores del art decó y los carteles de neón, y los porteños discutían por una mole polémica y hueca, el Obelisco.

Había tardes de chocolate en La Giralda y se gastaban atardeceres y trasnoches en las mesas de la vereda del café Tortoni, refugio de intelectuales y poetas, políticos y famosos. Una porción de pizza de cancha de cinco y cinco en Las Cuartetas y un vaso de cerveza o semillón señalaban el fin de la juerga.

Trabajo en el día, teatro por la noche. Los meses de 1933 pasaron sin sobresaltos. Pero el año siguiente les regaló una sorpresa. Gregorio, Saverio y Berta se acercaron a la ventana de la pieza que compartían. Abrieron los postigones y miraron hacia el cielo. A su alrededor miles de miradas coincidían en un punto. Los hermanos se posaron codo a codo sobre el umbral de la ventana. De pronto, un inmenso misil plateado oscureció la ciudad a su paso. Era el 30 de junio de 1934. La figura mansa del Graf Zeppelin paseaba sobre la Capital rumbo a Campo de Mayo.

España se había vuelto irreconciliable. La derecha se unía para enfrentar a los socialistas de la segunda República con el deseo de expulsar del poder a quienes consideraban enemigos de la iglesia, el ejército y la patria, mientras la izquierda se descubría incapaz de reunir consenso nacional para defender a la democracia.

La tierra olía a tormenta y en el pueblo asturiano de Olloniego Marcelino Fernández Villanueva se preocupaba por preparar a la Agrupación de Jóvenes Socialistas para la lucha. El día más importante era el domingo, cuando se encontraba con sus compañeros para practicar tiro y ejercicios de combate.

A principios de octubre de 1934, la llegada de líderes de la derecha al gobierno y el retroceso de la reforma agraria en el Parlamento llevó a la izquierda a convocar como protesta una huelga general. En Asturias la proclama tomó rápidamente un cariz revolucionario.

A la tierra de Marcelino llegó el diputado Indalecio Prieto, hombre grueso y de gran cabeza, que a poco de desembarcar de *El Turquesa,* puso en manos de los socialistas de Olloniego fusiles, ametralladoras y municiones para luchar por la república. El enfrentamiento era impostergable.

El 5 de octubre, Marcelino y sus compañeros de batalla cortaron los cables que permitían las comunicaciones del cuartel con Oviedo, distante a 8 kilómetros del pueblo. Los militares quedaron aislados y por la noche, los rebeldes se esparcieron en torno a la guarnición. Los revolucionarios unían por igual a socialistas, comunistas y anarquistas, quienes exigían la rendición del cuartel y el reconocimiento de un nuevo gobierno en Asturias.

A la hora señalada comenzó el ataque. Marcelino se acomodó entre el barro y las piedras y disparó febrilmente contra las sombras del cuartel. Enseguida los militares contestaron con metralla. Los fogonazos iluminaban la noche. Cada tanto se escuchaban gritos e insultos arrojados al viento desde las trincheras.

De pronto, Marcelino sintió un gemido de dolor a su lado y al darse vuelta descubrió a unos metros a un camarada herido. La sangre corría desde el hueco abierto por la bala.

Marcelino se acercó para ayudarlo, pero al moverse pudo ver cómo un grupo de militares intentaba escapar por detrás del cuartel. Se arrojó contra el suelo y comenzó a disparar. Al ser sorprendidos por el fuego, los militares debieron rendirse.

Marcelino, que dirigía a los jóvenes de Olloniego avanzó hacia los capturados.

—¡Tiren las armas, poned las manos tras el cuello! —gritó.

Enseguida se unieron otros compañeros. Al acercarse a los militares, un revolucionario señaló el cuerpo de un oficial tendido en el suelo. Era el jefe del cuartel que había sido herido de un balazo en la cabeza.

Los revolucionarios encerraron al grueso de los soldados en el cuartel y obligaron a dos militares a llevar a un oficial herido hasta Oviedo para que lo asistieran los médicos.

La brigada había cumplido su misión. Las fuerzas se reagruparon a la mañana siguiente en las afueras de Oviedo. De pronto, Marcelino sintió una mano familiar que lo tomaba del hombro.

—¿Adónde vas ahora? —le preguntó su hermano.

—Pues, a seguir la lucha —respondió Marcelino sin dudarlo.

—Los dos no, uno debe quedar —contestó su hermano—. Yo soy el mayor y por lo tanto quien debe continuar.

—Yo soy el secretario del Partido Socialista y el responsable del sindicato de los mineros. Tengo muchas más responsabilidades que tú —contrapuso Marcelino.

Por un momento se miraron en silencio. Entendieron que ninguno iba a abandonar. Se abrazaron y caminaron hasta donde se preparaban las milicias que iban a marchar rumbo a Oviedo.

Los dos militares que llevaron al herido habían dado la voz de alerta a las fuerzas de la ciudad y el gobernador pidió refuerzos al Ejército. Los revolucionarios eran unos doscientos hombres, en su mayoría mineros como Marcelino, con apenas cincuenta fusiles y cinco mil cartuchos. A pesar de la disparidad de fuerzas, llegaron a Oviedo antes que los refuerzos y lograron dominar la ciudad ayudados por su conocimiento del terreno.

Asturias era la única región donde la huelga de octubre se había transformado en una revolución. La Alianza Obrera, integrada por los partidos de izquierda, asumió el poder. A los pocos días, el gobierno envió al general Eduardo López Ochoa para sofocar a los insurrectos. Un asesor del ministro de Guerra, el general Francisco

Franco, propuso además enviar a la Legión Extranjera para colaborar con la represión.

El 19 de octubre el gobierno revolucionario fue derrocado. A la derrota siguieron las persecuciones de los milicianos, los fusilamientos sin juicio, la tortura y el encarcelamiento masivo de dirigentes de izquierda. Marcelino logró confundirse entre los asturianos y huir de regreso a Olloniego.

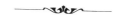

Las tiendas se sucedían a lo largo de Florida con sus vidrieras decoradas, como una galería de arte a cielo abierto. Los escaparates reproducían escenas de la historia argentina o pinturas clásicas, con tonos y motivos acordes a las estaciones del año o a las festividades de la época.

En Gath & Chaves relucían las maderas, los cristales y los bronces, y las vendedoras vestían uniformes negros con cuello blanco. En Florida 877 se encontraba Harrods con sus líneas victorianas. Más allá, Adhemar, Tienda San Juan, San Miguel, La Imperial, La Piedad. Gigantescos cuartos esperaban a los clientes y eran escenarios de desfiles y novedades. Los salones de té aguardaban luego para completar el paseo.

En 1934, Florida iba camino a convertirse en peatonal y Américo Miralles a emplearse como cadete de Los Gobelinos. En sus pisos de Florida 125 se vendían las mejores telas y artículos de decoración.

Américo aprovechaba los ratos libres para pasar por el bar La Puñalada, en Lope de Vega y Rivadavia, donde lo esperaban sus amigos del barrio.

Su amigo, Garufa, era el centro de la mesa de los muchachos. Se ufanaba de ser amigo de Carlos Gardel, aunque sus relatos sólo encontraban la mirada descreída de sus amigos.

—Dejá de versear. No te cree nadie —se burlaban.

Américo se sumó al grupo y buscó mediar en la discusión.

—Mirá, Garufa, mañana te acompaño al teatro y me presentás a tu amigo —propuso para dar fin al debate. Después pidió al mozo una ginebra, un lápiz y un papel.

—¿Viste qué divina la flaca? —empezaron a entusiasmarlo los amigos.

Desde la victrola, la rubia devolvió una mirada provocativa.

El mozo llegó con el pedido, Américo anotó un nombre en el papel y se lo entregó de vuelta.

—Lleváselo a la mina de la victrola —pidió al mozo.

La rubia leyó la nota, detuvo la música y buscó el tema pedido por Américo. El discó comenzó a girar entre ruido de llovizna y de pronto la melodía de "El Huracán" se escurrió por las mesas del bar.

Américo miró los ojos celestes de la muchacha de la victrola y agradeció con una inclinación de cabeza. Los amigos se trenzaron después en nuevas discusiones, la música se apagó con la noche y el último trago de ginebra marcó el fin del encuentro.

—Mañana te espero para que me presentes a tu amigo —se despidió Américo de Garufa.

Saludó a los muchachos, se acarició el bigote mientras paseaba la mirada por la rubia y salió del bar. El deseo volvía a atraparlo.

La noche siguiente se encontró con Garufa a la salida del teatro Fénix.

—¿Y dónde está? —saludó descreído.

—Vos esperá —respondió su amigo.

Los espectadores abandonaron el teatro y se perdieron por las calles del centro. La entrada quedó vacía. Américo interrogó a su acompañante con la mirada, pero Garufa volvió a pedir paciencia.

De repente, la puerta del teatro se abrió y la figura de Carlos Gardel quedó frente a los muchachos.

—¿Qué hacés, Garufa? —saludó el cantante.

Américo quedó con la boca abierta, mientras veía a su amigo abrazar con confianza a Gardel como si fueran viejos conocidos. Su altivez y desconfianza se habían evaporado.

Garufa lo miró orgulloso y lo presentó.

—¿Qué tal, pibe? —respondió Gardel, pero enseguida volvió la vista a su amigo y preguntó—. ¿Seguís jugando a los burros?

—De vez en cuando, cuando hay guita —sonrió Garufa.

Gardel sacó diez pesos del bolsillo se los pasó a su amigo y se arrimó al oído para murmurarle un secreto.

—Te tiro una fija: jugale a Mimí y a Didí —dijo.

El cantante se despidió y se subió a un auto negro donde esperaba un chofer y una dama.

Apenas pudieron, los amigos se fueron para el hipódromo. La fija resultó un tesoro. Se fueron con los bolsillos llenos y enloquecidos por la alegría. Cuando llegaron al bar invitaron una ronda de ginebra y repitieron la anécdota con lujo de detalles. Ahora la barra escuchaba a Garufa con devoción.

En medio de la charla, Américo escuchó una melodía conocida. La letra de "El huracán" lo obligó a girar la vista hacia la victrola. La rubia respondió con una sonrisa.

Las rondas de ginebra se repitieron y la barra abandonó el bar cuando se preparaban para cerrar. La muchacha juntó sus cosas y se despidió del hombre de la caja. Américo amagó a levantarse para seguirla.

—Tené cuidado hermano —advirtieron los muchachos casi a coro—. Mirá que la flaca tiene más de un candidato y ya se armaron varias roscas entre los tipos que le arrastran el ala.

La barra contó que se llamaba Genoveva, vivía en Hidalgo esquina Rivadavia y para volver a su casa tomaba el tranvía número dos.

Américo siguió los pasos de Genoveva desde la ventana. Se le acercó un fulano y después otro. Cuando llegó el tranvía estaba sola.

—Hasta mañana —gritó Américo. Desde el estribo del tranvía, la rubia giró la cabeza y lo despidió con una bajada de ojos.

Al día siguiente volvieron a encontrarse en el bar. De nuevo sonaba "El huracán". Cuando la vio despedirse, Américo la siguió. Los muchachos habían prometido salir a su ayuda cuchillo en mano si se armaba revuelo.

—Perdón, no quiere que la acompañe —propuso Américo en la parada del tranvía.

Genoveva evitó palabras y asintió con la cabeza. Juntos subieron al dos, que se alejó sobre las vías con ruidos de maderas y ruedas rechinantes.

El 24 de junio de 1935 amaneció frío. Mary intentaba alejar una gripe metida en la cama. Américo llegó a La Puñalada y se sentó a la mesa con los muchachos. De improviso un vecino entró al bar con lágrimas en los ojos. Se acercó al mostrador y comentó una noticia mientras negaba con la cabeza desconsolado. Apenas lo escuchó el dueño del boliche encendió la radio. Los muchachos se levantaron y pararon la oreja.

—El avión en el que viajaba Gardel —decía el locutor— se estrelló cuando intentaba despegar del aeropuerto de Medellín, en Colombia, cuando otro avión se cruzó en la pista.

Garufa se agarró la cabeza. Los amigos se miraron uno a otro sin palabras. Al rato el bar quedó vacío. Américo fue a la casa de Mary. Lo recibió la madre. La mujer estaba conmovida, apenas atinó a señalar con el dedo la habitación de la novia. Américo se acomodó al lado de la cama, se acercó a la cara pálida de Mary y la besó por primera vez.

En el valle neuquino de Los Menucos, la maestra María del Redentor Cobanera de Álvarez había vuelto a parir de pie sujeta con una soga para dar a luz a su tercer hijo, que fue bautizado Julio Augusto.

Al valle habían llegado de visita su madre y su hermana. Las mujeres regresaron a La Plata preocupadas por la pobreza que rodeaba el hogar de los maestros, que vivían sujetos a los designios de la naturaleza de la cordillera, tan maravillosa como brutal.

Las clases de Juan Augusto y María se habían convertido en

parte de la vida de los chicos del valle. Junto a las horas de lectura y matemática, la pareja de maestros fabricaba ojotas para los alumnos con pedazos de neumáticos y alambre para salvarlos de caminar descalzos sobre la piedra y el barro. El Consejo Nacional de Educación había enviado unos pares de zapatos, pero la mayoría eran para el mismo pie.

A fines de año, María volvió a quedar embarazada. La maestra estaba cansada de parir de parada. Entonces, subió a sus tres hijos al viejo Wippe y junto a su marido partieron rumbo a Zapala. En la ciudad y recostada dio a luz a María Lucía.

Después de la Navidad regresaron a Los Menucos. En el verano recibieron una comunicación de la Seccional de Zapala que les anunciaba el traspaso a la escuela N° 149 de Remecó, en La Pampa. Los alegró saber que iban a estar más cerca de sus familias de La Plata. Pero enseguida llegaron a su mente las caras de los alumnos, los progresos de la escuela y recordaron cómo habían transformado la casucha que les entregó el gobierno cuando habían llegado.

El último día de clase María preparó buñuelos con harina, pasas, huevos, esencia de vainilla y azúcar. Se pasó la mañana friéndolos con abundante grasa en la ollita negra de tres patas y buscó disimular la tristeza de la despedida con una merienda especial. Sirvió mate cocido y cuando los buñuelos se terminaron los hizo formar frente a la escuela.

El azul del cielo era limpio y profundo. Las montañas parecían cercanas, al alcance de la mano. La despedida fue corta, María pidió que recordaran lo aprendido, después llevó la mano a la campana y la hizo sonar por última vez. Pero los chicos se quedaron inmóviles con sus miradas brillantes dirigidas a la maestra. María sonrió y les pidió que volvieran a sus hogares. Sin convicción, los chicos lentamente dieron la vuelta y emprendieron el regreso. Los vio marcharse por el camino, siguió sus melenas oscuras entre los arbustos y recién entonces se sintió libre para llorar.

El primo Joselín resolvió quedarse en el valle. La montaña había entrado en sus venas y además iba a formar un hogar con Olga, una muchacha de Los Menucos que había conocido cuando ayudaba al matrimonio de maestros.

María Estela, Juan Augusto y sus cuatro hijos se despidieron de la pareja y comenzaron el viaje a Zapala, donde debían tomar el tren que los llevaría a La Pampa. Cuando el automóvil arrancó, la maestra volvió por última vez su mirada hacia la Cordillera del Viento.

El ejército perseguía a los revolucionarios de Asturias con ensañamiento. En medio de la represión, Marcelino Fernández Villanueva había logrado abandonar Oviedo y volver a su casa de Olloniego. Intentó sortear las preguntas de las familias del pueblo que lo consultaban por sus hermanos, hijos y nietos que habían luchado en la revolución. Muchos habían muerto en los fusilamientos.

Su familia lo recibió con miedo y pocos interrogantes. Finalmente, la noche lo atrapó entre sueños hasta que un golpe lo hizo saltar sobre el colchón. Buscó sacarse de encima la somnolencia, sus sentidos estaban atrapados por la pesadez y la torpeza del cansancio. Cuando recuperó la lucidez, un grupo de hombres armados habían copado su habitación y le apuntaban a la cabeza.

—¡Tú mataste a mi hermano, cabrón! —gritó un capitán que parecía a cargo de la captura.

—¡Yo no maté a nadie! —respondió Marcelino y enseguida una trompada en la boca lo hizo callar.

Lo sacaron a la fuerza de la casa y entre los empujones comprendió que el capitán debía de ser hermano del jefe del cuartel que habían atacado cerca de Oviedo.

Tras un interrogatorio apresurado donde las respuestas parecían redactadas antes de ser escuchadas, Marcelino quedó registrado en los expedientes como el asesino del jefe del cuartel de la guardia civil.

En medio de la noche lo subieron a un camión minero y lo trasladaron a la cárcel de Oviedo.

—Si hubiera querido matarlo, lo mataba allí mismo y no lo mandaba al hospital —se lamentó Marcelino con sus compañeros de viaje. Nadie prestaba atención.

En la cárcel se repitieron los interrogatorios, preguntas insistentes sobre sus compañeros de armas, las identidades de los revolucionarios, sus direcciones, los nombres de los jefes. Pero los doce milicianos que compartían la celda de Oviedo habían pactado mantener la boca cerrada como tumba. Enseguida las preguntas llegaron acompañadas de golpes. Los guardias usaban unas porras de goma que se doblaban violentamente sobre el cuerpo de los prisioneros. Nadie sabía cuándo iba a terminar la golpiza. El dolor se extendía por cada hueso, por cada músculo del cuerpo entumecido y violáceo.

Los porrazos caían sobre la cabeza, los hombros, la espalda, cuando de pronto un golpe dio de lleno en su ojo izquierdo y Marcelino sintió que quedaba ciego. Lanzó un grito desesperado. Enseguida la magulladura se inflamó y la vista se perdió en las tinieblas. El castigo de las porras seguía incontenible. No podía abrir el párpado y había perdido el dominio del ojo. Cuando la tortura terminó apenas estaba consciente.

Los carceleros lo entregaron a la enfermería de la prisión para evitar que se muriera y se llevara consigo los nombres de los revolucionarios.

Lentamente recuperó la lucidez, pero la visión seguía oculta detrás de la oscuridad. Entre los movimientos nebulosos de los enfermeros descubrió cómo se acercaba a su cama el médico de la prisión, Alberto Conbarros. Con sorpresa, escuchó que éste le susurraba: "Tengo orden de sacarte de aquí hoy mismo y llevarte al hospital. Hay una familia muy interesada en que recibas debida atención médica".

Lentamente, Conbarros deslizó nombres y detalles que permitieron a Marcelino develar la identidad de sus salvadores. La historia se remontaba al ataque a la Catedral, durante la frustrada revolución. El ejército había escondido su arsenal en el campanario y los revolucionarios buscaron entrar para capturarlo. El asalto a la Catedral desató un tiroteo y un incendio. En medio del fuego, Marcelino y sus compañeros evacuaron a un grupo de mujeres que estaban escondidas en la iglesia y llevaban once días sin agua ni luz. Todavía sonaban disparos. En el tumulto Marcelino cruzó su mirada con una joven que llevaba el brazo envuelto, como si hubiera sufrido una infección. La muchacha se acercó, juntó las manos como en actitud de rezo e imploró.

—¡Señor, por favor, líbrenos de los mineros! Son violadores y asesinos —le pidió a Marcelino.

El miliciano sonrió.

—Señora mía quédese usted tranquila, yo soy minero y también lo son los hombres que me acompañan. Nada malo le sucederá. —contestó Marcelino.

Los revolucionarios sacaron a las mujeres por la retaguardia y las llevaron a un edificio cercano.

Las mujeres pudieron después regresar a sus hogares. Pero por la mente de la joven dio vueltas la imagen del miliciano que las había socorrido y se grabó los nombres que usaban sus camaradas para llamarlo: Marcelino, Marcelo, Olloniego. Cuando en su casa, el doctor Conbarros comentó sobre un prisionero a quien debía atender todos los días por los golpes de porra recibidos en la cárcel, la joven preguntó por su aspecto y su nombre, y entendió que quien la había salvado ahora necesitaba su ayuda.

Marcelino fue llevado al hospital, aunque sin quitarse de la mente la condena a muerte por el homicidio del jefe del cuartel que pesaba sobre su futuro. Con esa sentencia ninguna familia podía auxiliarlo.

La joven que lo ayudaba fue a visitarlo al hospital y prometió volver cada jueves. Los encuentros abrieron paso a la amistad. Los domingos enviaba además a las mucamas de su hogar con recados y paquetes con comida.

Era mediodía, cuando Marcelino fue llevado al oculista del hospital vigilado por dos guardias. Iba rumbo al especialista cuando se escucharon los primeros gritos de la protesta. Un prisionero había pateado entre insultos un plato de sopa insípida que había traído una monja.

—¿Esta es sopa para un enfermo, tía bruja? —gritó el preso, que tenía una pierna devorada por una infección. El plato dio una vuelta y fue a parar a la toca de la religiosa. Enseguida los guardias se echaron encima del enfermo blandiendo las porras.

En medio del revuelo, el resto de los prisioneros buscó aprovechar la confusión para escapar. Marcelino vio que sus acompañantes estaban distraídos y se largó a la carrera. Encontrar la salida significaba salvarse de la pena de muerte. Dio vuelta una esquina y encontró el final del pasillo cerrado por guardias, cuando quiso regresar sobre sus pasos quedó de cara frente a otros carceleros. La esperanza había durado poco.

La revolución de Asturias y su represión habían agudizado las diferencias entre la izquierda y la derecha de España. Las posiciones se radicalizaban. Finalmente el gobierno dio lugar a elecciones libres y en febrero de 1936 las urnas otorgaron el triunfo al Frente Popular, tras el cual se habían unido los partidos de izquierda.

Con el nuevo gobierno llegó el indulto para los presos políticos. Las cárceles se vaciaron de milicianos y revolucionarios, que veían en el triunfo del Frente Popular la posibilidad de cumplir con el sueño de una España socialista.

En el hospital, la tortura había llevado a Marcelino a usar lentes que sirvieron para ganarse el apodo de *El Gafas* entre sus camaradas. Cuando salió de la cárcel decidió esconderse en las afueras de Oviedo a la espera de la Ley de Amnistía que finalmente lo liberara de la pena de muerte.

La salida de los prisioneros fue celebrada como una fiesta por los militantes de los partidos de izquierda, que los esperaron en la puerta de la cárcel con vítores y fusiles en la mano.

Con la amnistía volvió a Olloniego. El nuevo gobierno había nacionalizado la mina. En toda España se imponía la reforma agraria para entregar la tierra a quienes la trabajaban. La derecha comenzaba a conspirar para derrocar al gobierno electo. "No hagas caso de lamentos ni de falsas emociones; las mejores devociones son los grandes pensamientos. Y, puesto que, por momentos, el mal que te hirió se agrava, resurge indómita y brava. Y antes de hundirte cobarde estalla en pedazos y arde, primero muerta que esclava." Los versos de Federico García Lorca expresaban el candor de los revolucionarios.

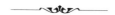

Luego de meses de bohemia, de noches en vela junto a artistas de la calle Corrientes y de tiempos sin sobresaltos, Gregorio Levenson resolvió retomar su militancia en el Partido Comunista. Ahora estaba acompañado. Su hermana Raquel, impregnada por sus ideales, también se había afiliado a la Juventud Comunista.

En Europa brotaban los nacionalismos totalitarios y en Buenos Aires, los discursos autoritarios de inclinación alemana ganaban adeptos entre la jerarquía militar. Era la época de la guerra del Chaco, de los negociados, las escaramuzas militares y el fraude electoral.

El aire malevo del Sur los atrajo, el entorno pobre del Riachuelo y sus carencias. Hacia allí rumbearon los Levenson. Su territorio de acción era Avellaneda, Dock Sud y Sarandí, una zona industrial y marginal. El lugar era un enjambre de razas donde convivían obreros extranjeros y politizados con nativos. A todos los unía la búsqueda de un futuro más próspero y menos tortuoso.

En ese ambiente de lucha y sombras, la vida de Gregorio se cruzó con la de Elsa Ravinovich. Ella era, para todos, simplemente Lola. Su corte a la garçon, que tan bien entonaba con su melena lacia y su figura esmirriada, su vestido humilde y su mirada infantil lo sedujeron. Pero Gregorio también se dejó atrapar por el espíritu político de Lola, por su carácter revolucionario, militante e idealista, que era extraño encontrar entre las mujeres de la época.

Su aspecto adolescente y colegial no le impidieron participar de las luchas. Ella pasaba sus días entre los estudios universitarios, la sección platense del Socorro Rojo Internacional y la ayuda incondicional a los presos políticos.

Los mitines y una tímida confesión de amor sobre el puente Pueyrredón unieron a Lola con los hermanos Levenson. De Raquel se hizo amiga inseparable; de Gregorio, esposa de por vida.

Avellaneda era una zona de agitación. Por allí rumbeaban los tres con un cajón de manzanas. Llegaban a una esquina populosa o a la puerta de alguna fábrica, arrojaban una bomba de estruendo y en pocos minutos, la gente los rodeaba. Raquel se montaba en la tarima improvisada, custodiada por un cerco de ucranianos, rusos, yugoslavos y polacos que oficiaban de escudo viviente. Detrás del cordón se elevaba su figura recortada por la inmensa mole del frigorífico Anglo o por el casco de La Negra. Lanzaba una arenga breve, pero tan vehemente como los sueños que atesoraban. Versos de Rafael Alberti y Raúl González Tuñón brotaban de sus labios coloreados y bien contorneados. Más que nunca asumía el designio de su apodo: "la Roja de Avellaneda". Cada tanto la policía irrumpía en los mitines callejeros. Los corpulentos custodios de los tres militantes se tomaban de los brazos con fiereza mientras los Levenson y Lola escapaban hacia otra esquina.

Así, entre el yunque, la fragua y los mitines callejeros nació Miguel Alejo Levenson, el primer hijo del matrimonio. Su futuro estaba marcado por el líquido amniótico revolucionario que lo había cobijado antes de nacer. La llegada del crío no detuvo la militancia. Con su hijo a cuestas, Lola transitó por locales políticos y agrupaciones de ayuda a la guerra civil que había comenzado en España. Se unió así a los miles de solidarios con la lucha de los republicanos que buscaban frenar en Europa el avance del fascismo.

Hasta que un día Raquel decidió cambiar la arenga sureña por la metralla del norte.

Gregorio y Lola intentaron retenerla en Buenos Aires. Pero un día, en medio de silencios y sigilos, se embarcó sola rumbo a una contienda que se le presentaba urgente y única.

Los rumores de alzamientos militares contra la República llegaron pronto al pequeño pueblo de Olloniego y Marcelino Fernández Villanueva se apresuró a reagrupar a los milicianos que habían sobrevivido a la revolución de Asturias para prepararlos para la lucha que se avecinaba.

El 1° de mayo de 1936 las fuerzas de izquierda de Olloniego se presentaron al pueblo a través de un desfile. Los socialistas eran mayoría y vestían camisas rojas con una estrella de cinco puntas. Los comunistas llevaban casaca azul. Estaban unidos contra la derecha pero los separaban sus diferencias ideológicas, las mismas que comenzaban a insinuar divisiones en el interior del gobierno del Frente Popular.

El alzamiento militar se desencadenó el 17 de julio en Melilla, una ciudad española de la costa africana, donde las fuerzas españolas se rebelaron contra la república. Al día siguiente, el general Francisco Franco partió desde Canarias en una avioneta privada para ponerse al mando de los rebeldes. El 18 de julio España apareció dividida en dos mitades entre las provincias en poder de los militares y las fieles a la República.

Los aires de la guerra civil convocaron a Marcelino, de 22 años, y sus milicias juveniles a sumarse a la contienda. Pero los mineros y los jóvenes socialistas iban a ser engañados por el coronel franquista Antonio Aranda, quien para sacarlos de Asturias les prometió que recibirían armas en León. Pocos grupos en España tenían la experiencia en combate que habían logrado Marcelino y sus compañeros en la revolución trunca de 1934.

Abandonaron Asturias en dos columnas rumbo a Madrid a la

espera de órdenes para la lucha. Dos mil fueron por carretera. Tres mil por tren. Marcelino subió al vagón sin armas pero con la esperanza de recibir un fusil en León. Entre la izquierda reinaba la confusión y la mayoría pensaba que el levantamiento del ejército era una amenaza pasajera. El sector moderado del Frente Popular temía que entregar armas a los trabajadores podía volver la situación incontrolable.

En León descubrieron que la promesa de Aranda era un truco y sólo encontraron excusas. Mientras tanto, el coronel franquista había aprovechado la partida de las fuerzas de izquierda para sublevarse contra el gobierno civil de Asturias. La guerra era evidente. La ayuda enviada desde Madrid por el gobierno del Frente Popular logró convencer al regimiento de León que entregara armas a los mineros. Al gobernador civil los asturianos lo persuadieron con una caja de dinamita. Si se negaba volaban su despacho por el aire. Pero a pesar de las amenazas apenas entregó una docena de fusiles.

Por la mente de Marcelino daban vueltas las traiciones de los militares, que primero se aseguraban republicanos y luego se demostraban partidarios del levantamiento de derecha. A su malestar se sumaban las indecisiones de los bandos de la izquierda, que discutían sobre las estrategias y los mandos mientras el enemigo avanzaba.

Con las pocas armas conseguidas, la columna asturiana salió de León por la tarde hacia Madrid. Avanzaron hacia el sur rumbo a la capital y al llegar a Benavente, al otro lado de la frontera de la provincia, fueron sorprendidos por los disparos de un centenar de guardias civiles que defendían la ciudad.

Las fuerzas se replegaron y respondieron el ataque. En la batalla supieron que el coronel Aranda se había sublevado en Oviedo y que los militares encabezaban un golpe a sus espaldas contra el gobierno civil de León.

La derecha tenía en sus manos parte de Castilla la Vieja, León, Asturias, Galicia, Cáceres, poblaciones de Andalucía, oeste de Aragón, Navarra, Baleares y Canarias. El gobierno conservaba el País

Vasco, Cantabria, Castilla la Nueva, Cataluña, Levante y el resto de Andalucía.

Tras controlar Benavente, los asturianos resolvieron regresar a Oviedo para reconquistarla pero cuando emprendieron la vuelta descubrieron que el levantamiento de León les cerraba el paso. El caos comenzaba a ganar a las fuerzas republicanas. Marcelino recibió el ofrecimiento de transformarse en capitán de la primera compañía del batallón 207, pero rechazó la propuesta porque creía que su corta edad quitaba autoridad para el mando. Sin embargo, a medida que sus presunciones se volvían realidad y acertaba con sus tácticas de combate, Marcelino se ganaba rápidamente el respeto de los milicianos.

La guerra arrastró a Marcelino hacia el frente de Vizcaya, donde los republicanos buscaron cerrar por el norte el avance del enemigo hacia Madrid. Con el agravamiento de la guerra, la edad dejó de ser excusa y Marcelino con 23 años asumió la jefatura de la IV Compañía de Ametralladoras del Batallón 17 que había sido formada con reclutas.

El apoyo de la aviación alemana, que bombardeó salvajemente el pueblo vasco de Guernica, colaboró con el avance por el norte de las columnas franquistas. En agosto entraron en Santander y dos meses después tomaron Gijón, última etapa de la ocupación por los rebeldes en el norte.

A su paso, los vencedores desataban una implacable persecución de los simpatizantes republicanos que terminaban en fusilamientos masivos. España se caía en poder de la derecha. Una vez caídas las principales ciudades, a los milicianos sólo les quedaba escapar de la represión. Marcelino y su grupo intentó abandonar España por mar, a través del puerto de Tazones. Un barco inglés iba recogerlos para huir hacia Francia. La noticia de la huida había sido revelada por espías. Los batallones escaparon en pequeños grupos como pudieron, y en la emboscada murieron un centenar de soldados.

La lucha entre ejércitos se había vuelto cruelmente desigual y los milicianos comenzaron a dividirse para despistar a sus perseguidores. Marcelino tomó su fusil y caminó sin descanso hacia el lugar donde se sentía seguro, hacia su hogar de peñascos y polvo; a paso firme se internó en la montaña.

Llegó a Olloniego acompañado por los sobrevivientes de las milicias que habían partido del pueblo dos años atrás. Nada parecía que hubiera cambiado en las casas empobrecidas de los mineros. La guerra se adivinaba en la falta de hombres y en gestos angustiosos de sus vecinos.

Su familia lo ocultó en la casa sin preguntar pero los soplones hicieron correr la voz y una mañana de 1939 *El Gafas* vio su refugio rodeado de franquistas. Escapó como pudo de la redada y se ocultó en el monte. Estuvo escondido durante días y cuando volvió a encontrarse con sus amigos de Olloniego se enteró del castigo. Como reprimenda, los franquistas habían asesinado a quince pobladores, entre ellos sus dos tíos, su padrino y su hermano Avelino. El invierno se abría paso en la montaña y el viento del norte soplaba áspero y frío.

Las aguas del Atlántico se erizaban como colinas. En un rincón del barco, Raquel Levenson dejaba volar sus recuerdos a modo de despedida. Llegó a su mente su primer trabajo como vendedora de calzado en una gran tienda del centro de Buenos Aires. Sintió bronca hacia sí misma por la sumisión de su cuerpo agachado a los pies de las damas pudientes. Rememoró su ajuar de novia reciente. Y se engrandeció al imaginar el destino que la esperaba en la España en guerra. Tuvo la certeza de que en la lucha por un mundo nuevo estaba la esencia de su vida.

Llegó a Madrid entre sombras y silencios, y se unió a la Juventud Socialista Unificada. La guerra civil desplegaba toda su furia. La capital asediada luchaba por la dignidad y la libertad. Las bombas franquistas engendraban millares de huérfanos, mutilados, inválidos. Se había vuelto cotidiano que por la noche cayeran doscientas granadas de obuses sobre la ciudad. Al otro lado de la línea de fuego asediaban los soldados de Francisco Franco.

A Raquel sus dotes de recitadora, su carácter extrovertido y sus dulces canciones le valieron una tarea sin armas: levantar la moral de la retaguardia. Pasaba una temporada en Madrid y otra de recorrida por los pueblos y ciudades cercanas. Junto a esposas solitarias, familias disgregadas y algunos compatriotas que regresaban del frente compartía reuniones, actos, versos y cantares. La "roja de Avellaneda" se sentía a su anchas.

Estaba en compañía, pero lejos de su esposo Juan José Real, que se había alistado en las Brigadas Internacionales empujado por Vittorio Codovilla. Bajo la línea del general ruso Bielov, Codovilla buscaba poner orden entre los comunistas descontentos que cuestionaban los métodos de Stalin.

Raquel y Juan José habían aceptado su lejanía convencidos de que la militancia estaba por encima de su amor. No compartieron atardeceres ni la intimidad de cama matrimonial. Su vínculo se sellaba en encuentros esporádicos, donde una noche gestaron a su primer hijo.

Raquel había aceptado la orden de levantar la moral y a pesar de la nostalgia estaba dispuesta a respetar su compromiso.

Un día, inmersa en ese ambiente escribió: "A mis queridos padres y hermanos como siempre fea, pero alegre y entusiasta. De quien no los olvida".

Su foto autografiada llegó a Buenos Aires donde algunas muchachas vendían claveles para "aliviar los rigores del invierno a los madrileños heroicos".

Cada nueva gira por los pueblos de los alrededores de Madrid reafirmaba su compromiso, al ver a los camaradas que se batían en las trincheras. Había estado cantando y recitando. Había logrado subir el ánimo de algunos incansables y regresaba ansiosa a la capital. Sintió el frío madrileño en los huesos. Inquieta comenzó a recorrer la ciudad, que estaba vacía, desolada y solitaria. No lograba comprender qué ocurría. Se topó por fin con una cara conocida, el rostro turbado y afligido de un compañero.

—Raquel, ¿qué haces aquí? Está por caer Madrid. Debes escapar.

Un desasosiego feroz la inundó. Recordó las caras de los combatientes que todavía creían en la victoria. Tomando con las manos su panza incipiente emprendió la huida hacia Alicante. Caminó sola por una carretera surcando la meseta de Castilla la Nueva y adivinando en la lejanía el himno de la falange. Esta vez debía darse ánimo a ella misma y ensayó los versos tantas veces recitados. "Estaba toda manchada de sangre / estaba toda matando a los guardias / estaba toda manchada de barro / estaba toda manchada de cielo / estaba toda manchada de España. / Ven catalán jornalero a su entierro / ven campesino andaluz a su entierro / ven a su entierro yuntero extremeño / ven a su entierro pescador gallego / ven leñador vizcaíno a su entierro / ven labrador castellano a su entierro/ no dejéis solo al minero asturiano…".

A poco de andar, unos milicianos que escapaban en un pequeño camión se compadecieron de ella y la invitaron a subir. Se trepó al vehículo y continuó la fuga. Los republicanos peregrinaban hacia la frontera. Las estrofas animaban el desaliento. "No dejéis sola su tumba del campo / donde se mezcla el carbón y la sangre / florezca siempre la flor de su sangre / sobre su cuerpo vestido de rojo / no dejéis sola su tumba del aire."

Los estruendos lejanos de las bombas fascistas que se derrumbaban sobre Alicante entrecortaban su letanía. "Cuando desfilan los guardias de asalto / cuando el obispo revista las tropas / cuando el verdugo tortura al minero / ella, agitando su túnica roja / quiere salir de la tumba del viento / quiere salir y llamaros hermanos / y renovaros valor y esperanza / y recordaros la fecha de Octubre / cuando caían las frutas de acero…"

El aire fresco del Mediterráneo aquietó levemente su respiración agitada. El instinto la empujó hacia el puerto. El embarcadero estaba desierto. Sólo restaba la última salvación, un barco de bandera inglesa, atiborrado de compatriotas. Su capitán elegía, al comienzo del puente, a los afortunados pasajeros que lograrían escapar de la guerra y los castigos. Lo miró a los ojos. El marino bajó la vista hacia su vientre hinchado. Ella imploró en silencio.

"Y estaba toda manchada de España / y estaba toda la novia de Octubre…". Su cuerpo se zarandeó sobre la cubierta, la cara se colmó de la brisa marina. Giró sobre sus pies y, divisó la costa. Abatida, recomenzó los versos de Raúl González Tuñón."…y estaba toda la rosa de Octubre / y estaba toda la novia de España."

Lentamente, la costa española se empequeñeció en el horizonte. El buque atracó en la Argelia francesa. Lanzaron las amarras y descendieron en fila. Su nuevo destino fue un campo de concentración, custodiado por la Legión Extranjera francesa.

Varada en ese inmenso arenal barrido por vientos enérgicos, Raquel sobrellevaba su embarazo sin saber cuál sería su suerte. Hasta que un día un barco ruso atracó con la orden de recuperar a todos los comunistas. Nuevamente en fila, caminó y se embarcó. El fin del viaje era Moscú, la meca ideológica de esa joven nacida en el Tigre. La tierra natal de sus padres exiliados. Se unió a la Internacional Comunista sin saber que la esperaba una nueva contienda.

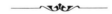

Las ruedas rechinaron, la chimenea exhaló una bocanada de humo y el tren se detuvo en la estación de Remecó, en La Pampa. El pueblo era un caserío rodeado de estancias inabarcables, donde los límites se perdían en el horizonte más allá de la vista.

María del Redentor Cobanera bajó del vagón junto a su marido, Juan Augusto Álvarez, y sus cuatro hijos. Era la nueva maestra de la escuela N° 149.

Apenas pisaron el andén, don Chinícola, el jefe de la estación, les dio la bienvenida en nombre de Remecó y les presentó a sus nuevos vecinos: los Schenkel, las familias Furd, Risueño, Mendoza y los Galarza. Su llegada era la atracción del pueblo. Remecó era una colonia formada por rusos, en su mayoría luteranos, y un grupo de españoles de ferviente catolicismo. La vida giraba en torno a los trabajos del campo.

La comitiva que los recibió en la estación siguió después rumbo a la estancia "La Carlota", donde los homenajearon con asado y vino tinto. Las mujeres buscaban acercarse a la maestra para conocer su forma de pensar, y los hombres se arrimaban a Juan Augusto con ánimo de escuchar sus anécdotas sobre el Valle de los Menucos. El vino desanudó la timidez y los maestros se sintieron rápidamente integrados a las familias del pueblo. La gente había temido que los maestros jamás llegaran y la escuela terminara por cerrarse.

Unos días después, la alegría se ensombreció al conocerse los resultados de la inscripción de los alumnos. La cantidad de chicos estaba por debajo del mínimo necesario para emplear a dos maestros.

Por orden de la Inspección de Escuelas, Juan Augusto pasó a trabajar en la Escuela N° 60 de Guatraché, a unos 10 kilómetros. Para viajar, el esposo de María consiguió un Chevrolet 34 que a duras penas lo dejaba en el colegio al comenzar la clase. Entre las idas y venidas, Juan Augusto perfeccionó un método de cacería. El maestro regresaba a Remecó al atardecer, cuando el sol se ocultaba y las liebres pichonas abandonaban las madrigueras. Los animales se cruzaban en el camino. Los focos del Chevrolet las encandilaban y el maestro les apuntaba con el paragolpes para matarlas. Tenía que evitar pisarlas porque después ni para la olla servían.

María las adobaba, las cocía y las servía en la mesa como un manjar. Los cuatro pequeños las devoraban hasta chuparse los dedos.

Al año siguiente se sumaron nuevos alumnos a la escuelita de Remecó y Juan Augusto pudo trabajar con su mujer.

Se había vuelto una suerte de costumbre que María recibiera

un nuevo hijo en cada lugar donde trabajaba; así fue como nacieron ya en La Pampa María Raquel, en 1936, y la más pequeña, María Amelia, un año después. En la lista de descendientes había ya un platense, tres neuquinos y una beba pampeana. Sin embargo, a poco de nacer María Raquel, los hijos más grandes de la maestra llegaron un día con la sorpresiva petición de un nuevo hermanito varón.

Para atender a su familia, María había conseguido la ayuda de Teresa Herold, una adolescente hija de alemanes que colaboraba con la limpieza de la casa y la atención de los críos. Por lo tanto, a pesar del tamaño de su familia María prometió a sus hijos traerles otro hermanito. El chico iba a ser llamado Miguel Angel.

A principios de 1938, el cuerpo de María comenzó a mostrar que la promesa iba a ser cumplida. Los hijos, acostumbrados a los nacimientos, sólo esperaban el momento de conocer a su nuevo hermano. Una mañana de noviembre, María avisó a su marido que estaba a punto de parir. Juan Augusto tomó la noticia con la calma de los experimentados, dejó a sus hijos al cuidado de Teresa y partió con su mujer en el Chevrolet 34 rumbo al hospital de Puán, en la provincia de Buenos Aires, donde tenían reservada una cama.

Apenas salieron de Remecó el cielo empezó a cerrarse entre nubes cenicientas. Al pasar por Guatraché cayeron las primeras gotas y enseguida quedaron rodeados por la tormenta. Alrededor del Chevrolet sólo podía verse la trama impenetrable de la lluvia. El agua volvió el camino resbaladizo y Juan Augusto debió bajar la velocidad. Sabía que la lentitud era una trampa sin salida porque la tierra iba a volverse barro rápidamente.

La lluvia recrudeció y el auto comenzó a zigzaguear. María se sujetó a la puerta y temió por la vida del hijo que llevaba en el vientre.

El barro terminó por hundir las ruedas del Chevrolet y el automóvil se empantanó. Los envolvía la oscuridad y el campo. Las gotas sonaban como martillazos desacompasados en el techo del vehículo. Se oían truenos a lo lejos, retumbando en la negritud del cielo.

—¡Juan, se viene, se viene el bebé! —se alarmó María.

El esposo trató de mover el Chevrolet pero fue imposible. De pronto, una luz brilló detrás de los hilos de lluvia. Juan salió del automóvil y comenzó a hacer señas. La luz se convirtió en la silueta de un camión y cuando el conductor descubrió al maestro frenó para ayudarlos. María aguantó el parto hasta llegar al hospital, pero apenas la recostaron en una camilla sintió que las fuerzas la abandonaban.

El bebé nació el 24 de noviembre de 1938, pero resultó ser una nena. Miguel Angel era, en realidad, María Amelia. La madre buscó entonces una explicación para sus hijos.

Cuando regresaron a la casa de Remecó con la criatura envuelta en mantas blancas, María miró a los chicos que la esperaban ansiosos y buscó una respuesta.

—Trajimos una nena, porque los varones se habían acabado.

En las vacaciones, la familia viajó a La Plata para presentar a "la última rosa del rosal" como decía María. La maestra encontró a su madre envejecida y con la mirada cruzada por la tristeza. Pero no faltaron ensaladas ni tarros con dulce de zapallo. María regresó a La Pampa preocupada. Al poco tiempo un telegrama confirmó sus presentimientos: "Mamá murió". La lloró a la distancia sin permitirse abandonar a sus alumnos.

Un nuevo censo escolar trajo nuevas malas noticias. Un grupo de pobladores que buscaba levantar una nueva escuela había convencido a las familias de Remecó a cambiar a sus hijos de colegio y en su afán por ampliar la matrícula habían incluso falsificado inscripciones.

De nuevo la escuela de María tenía pocos alumnos para dos maestros. Pero ahora el puesto que había tenido su marido en Gautraché estaba ocupado.

La familia no podía sobrevivir con un solo sueldo. Pidieron

el traslado a una escuela con cupo doble y fueron asignados a un colegio de Trenel, al norte de La Pampa. Comenzaban a acostumbrarse a las despedidas.

Américo Miralles y Mary Castilla se casaron en 1938, sin que pesaran sobre el compromiso las aventuras conocidas del novio.

Los argentinos estaban sorprendidos por el suicidio de Alfonsina Storni entre las olas de Mar del Plata. Mary la había conocido como profesora del Lenguas Vivas y apenas supo de su muerte recordó los comentarios maliciosos acerca de ella que corrían por la escuela, en especial por ser madre soltera. Américo se había transformado en vendedor de Los Gobelinos y don Castilla, el padre de la novia, había aceptado con resignación las aventuras del pasado del pretendiente.

En los preparativos de la boda aportaron amigos y familiares. Américo simpatizaba poco con la Iglesia y, por lo tanto, propuso armar un altar en casa de sus suegros donde iba a casarlos un tío que era capellán del hospital Rivadavia.

Aiello, un artista amigo de la familia, se ofreció para decorar el cuarto donde se iba a celebrar la ceremonia. Los novios aceptaron agradecidos e imaginaron las paredes adornadas con guardas y filetes.

El día anterior a la boda, Aiello invitó a los novios a ver la decoración. Había mantenido su obra en el misterio para sorprenderlos.

La pareja entró entusiasmada y descubrió palmeras, cocoteros y monos que se repetían en las paredes. La habitación se había transformado en un paisaje amazónico.

–¿No les gusta? –preguntó Aiello entre sospechas.

La mirada pasmada de los novios evitó cualquier contestación. Faltaban horas para el casamiento. Américo sacó a Mary del lugar al borde del desmayo y regresó con rollos de papel para sepultar el exceso tropical.

El día de la boda todavía llegaban a la sala cortinados blancos y jarrones para terminar de tapar las colas rebeldes de los monos que se negaban a ocultarse detrás del empapelado. Los mozos atravesaban de un lado a otro el patio de la casa chorizo para los últimos aprestos del servicio de lunch aportado por un amigo que trabajaba en la confitería Ideal.

Una orquesta integrada por una media docena de músicos se acomodó en una esquina. Estela, prima de la novia, y Bonifacio, amigo del novio, se ofrecieron a interpretar la marcha nupcial con piano y violín.

La casa se abarrotó enseguida con más de 300 invitados entre familiares, vecinos, amigos, alumnos particulares de la novia y los compañeros de trabajo de la tienda Los Gobelinos. La fiesta ya había ganado la calle cuando llegó el sacerdote.

El novio entró con su madre y se ubicó en el centro de la sala. La decoración había dejado a Américo tan obsesionado que cada tanto husmeaba las paredes para asegurarse que los animales de la selva seguían ocultos.

Cuando la novia comenzó a caminar por la alfombra roja, Estela y Bonifacio dieron rienda suelta a la marcha nupcial. Los acordes jamás coincidieron, la melodía de pronto se aceleraba y por momentos las notas se alargaban más de la cuenta. La novia intentó acompañar la marcha intercalando pasos rápidos y pausados y sintió alivio cuando finalmente llegó al altar.

Al ver a su mujer, Américo se despidió para siempre de sus besos a la manera de John Gilbert, de las mujeres del consultorio de Grimberg, de las esposas del conventillo. La fiesta en la casa chorizo de Virgilio al 300 duró hasta el amanecer.

Al principio fue una brisa helada, gritos lejanos, chicos alejados de las escuelas, hombres y mujeres expulsados de sus trabajos, de las universidades, del Estado. Las radios anunciaban la entrada en vigencia de las leyes de Nuremberg. Pero luego el viento enfureció. Las piedras volaron desquiciadas contra los cristales, las calles se cubrieron con los despojos de la Kristallnacht. Se sucedieron vidrieras destrozadas, familias linchadas, llantos, carcajadas y aplausos. Un fuego violento devoró montañas de libros.

De repente, el viento se volvió huracán. Las tropas alemanas alistadas en las fronteras esperaban una señal. Corría agosto de 1939. La orden del Führer era la aniquilación total. De pronto, los tanques arrasaron los campos. Polonia, sorprendida y lenta, cayó bajo sus orugas. La peor de las guerras había comenzado.

Pocos días después de la invasión, los nazis estaban allí, al otro lado del río Vístula. Ya no eran unos pocos fanáticos detrás de una esvástica ni un solitario cabo demente. Ahora eran el ejército dominador, los nuevos amos de Polonia. Las tropas alemanas permanecían formadas frente a la ciudad en ruinas. Era septiembre de 1939 y Varsovia capitulaba. Nadie podía creerlo.

Perla Jerosolinsky avanzó presurosa por las calles despedazadas. Su esposo Arturo y su cuñado habían partido junto al ejército polaco. El gobierno había huido del país hacia Rumania. La ciudad era un despojo, yacía vencida y sitiada, sin gas, sin agua, sin electricidad. La pesadilla apenas daba tiempo para pensar. La nación había desaparecido. Media Polonia había sido anexada a Alemania. Bajo el eufemismo de "Gobernación General", el resto del país se dividía entre colonia alemana y tierra cedida a los soviéticos. Desde el oeste, miles de polacos eran expropiados y expulsados de sus casas. Sólo podían llevarse una muda de ropa y marchar hacia el este. Cualquier negativa era reprimida a disparos.

A la vez, los judíos eran separados del resto de los polacos. Las mentes nazis ya preparaban los ghettos.

Afuera de la casa de los Jerosolinsky, el cuero de las botas alemanas golpeaba contra el empedrado. El padre estaba aferrado a una silla, con la mirada desdibujada. La madre a un lado. Perla cerró la puerta y los miró fijamente. Hubo un profundo silencio.

Luego se escuchó el ruido de un automóvil. La marcha rigurosa de las tropas en la tarde, entre los pedazos de muros y tejados arrojados a la calle. De nuevo la mudez. Perla se acercó a sus padres y los miró conmovida. Podrían largarse juntos a llorar, pero sólo hubo silencio. Al fin, la firmeza regresó a su cuerpo y a sus ojos.

—Padre, tenemos que tomar todo y escapar hacia Rusia. Ya mismo.

Nadie contestó. Los dientes apretados y las miradas perdidas en busca de una respuesta inexistente.

—Los alemanes buscan a los judíos. Hay que ir hacia Rusia, aunque hayan firmado un tratado con los nazis. Tarde o temprano van a enfrentarse. Y Hitler sólo quiere eliminarnos.

—Basta.

La impotencia de Perla se entremezclaba con la desesperación por saber que su hermana y sus hermanos sólo escucharían los consejos de su padre.

—Podemos escondernos en los vagones que parten hacia el este —insistió.

—No, Pola.

La ternura de la respuesta descubrió la duda detrás de su terquedad. El padre había tomado una determinación y era prisionero de sus esperanzas.

—En la Gran Guerra vi a los soldados alemanes, vi sus uniformes y sus cinturones con hebillas que llevaban grabado "Got ist mit uns" sobre el metal. ¿Cómo van a matarnos si están con Dios, Pola? ¿Por qué van a matarnos?

Podía palparse el temor detrás de su mirada, como una mezcla de fe y obstinación.

—A mí no me importan sus hebillas, padre. Yo sé quién es Hitler. Tú jamás leíste *Mein Kampf*. Yo lo leí y sólo hay odio para los judíos.

—¡Basta! Nadie se va a ir de Polonia. Mis hijos se quedan aquí con su padre, que es donde nacimos.

—Menos yo, padre. Yo quiero vivir.

—Tú te quedas con tus hermanos, y ya no quiero hablar más.

—Yo me marcho, padre. Lo siento.

Perla se dio vuelta ofuscada. Las palabras de *Mein Kampf* regresaban a su cabeza como una profecía. El tiempo corría.

Los franquistas habían diezmado a su familia de Olloniego como castigo por su huida. La derecha había ganado la guerra. Cada ciudad, cada pueblo se oscurecía bajo la represión ordenada por el general Francisco Franco para extirpar de España a los defensores de la República. Marcelino Fernández Villanueva sólo se sentía seguro en el monte.

Los últimos días de 1939, *El Gafas* y siete sobrevivientes de Olloniego partieron hacia Portugal para alcanzar el océano y escapar de manos de Franco. El primer trayecto del viaje lo hicieron en tren en grupos de a dos. Ocultaban sus armas bajo ropas de campesinos y con gestos distraídos husmeaban alrededor en busca de guardias.

Viajaron a pie e incluso en taxi. Al poco tiempo, con sus casas blancas y sus techos rojos, Oporto se dibujó en el horizonte. El aire marino les acercaba la esperanza. La ansiedad hormigueó por los cuerpos de los guerrilleros. Pero era imposible distenderse. El gobierno derechista de Portugal, encabezado por el economista Antonio de Oliveira Salazar, había apoyado el ascenso de Franco y la información sobre la llegada de milicianos asturianos había sido transmitida a todas las fuerzas portuguesas.

El mar estaba sólo a un paso. Pero de pronto las ilusiones se esfumaron. En las puertas de Oporto, los asturianos descubrieron un grupo de guardias que controlaban cada ingreso. Las noticias habían volado rápido. Marcelino y sus compañeros detuvieron los automóviles e intentaron retroceder. Sin aviso, los guardias comenzaron a disparar. Los guerrilleros contestaron el fuego y lograron frenarlos antes de que los alcanzaran. El tiroteo desarmó sus planes. Con los portugueses alertados de su presencia sólo les quedaba regresar a España y a la clandestinidad del monte.

En Casayo se encontraron con otro grupo de guerrilleros comandados por Manuel Álvarez Arias, *Bailarín*, para quien el lugar era una suerte de feudo personal.

Entre los republicanos convivían también marginados y pistoleros que aprovechaban la protección de la guerrilla para salvar sus vidas. *Bailarín* recibió con frialdad a Marcelino y sus mineros. Conocía bien los méritos de *El Gafas* y temía que su presencia pusiera en peligro su liderazgo. El recelo de *Bailarín* apuró a Marcelino a recortar su estadía en Casayo y a empujarlo a seguir camino.

Los grupos de guerrilleros que al cerrarse las fronteras habían tenido que esconderse en España poblaban las montañas de Castilla y León. Habían organizado redes de comunicación humana y se alertaban mutuamente sobre los movimientos del Ejército. A la semana, Marcelino retomó camino rumbo a Asturias. Un domingo, el grupo llegó a Villavieja, una comarca de la frontera entre León y Galicia cuando los pobladores estaban en misa. Marcelino irrumpió en la iglesia, se trepó al púlpito y lanzó a los asistentes sus críticas contra el franquismo.

El sermón pagano fue interrumpido por los gritos de los feligreses y de los guerrilleros que montaban guardia.

—¡El pueblo esta cercado por soldados!

Marcelino abandonó el púlpito y huyó hacia el monte como el resto del grupo.

Estaba de vuelta en Asturias y la solidaridad de los pobladores lo ayudó a rearmar a sus hombres. Organizó militarmente a los grupos de fugados que vagaban desorientados por el monte y cuando se sintió nuevamente con fuerzas volvió a intentar una huida por Portugal.

Contaban con la experiencia ganada en el primer intento y nuevas provisiones. Avanzaron sin inconvenientes de paso por Casayo y llegaron a las pocas semanas a la frontera. A cada paso se reunían con los grupos diseminados entre las colinas, intercambiaban información sobre los caminos y repetían las noticias descubiertas en la marcha. En una pausa, uno de sus hombres se acercó a Marcelino con la cara cruzada por la preocupación.

—*Bailarín* nos ha delatado —dijo.

La mirada de Marcelino se cubrió de furia.

—¿Qué dices? —preguntó sin dar crédito a la noticia.

—Como escuchas, *Gafas*, el cabrón de *Bailarín* nos ha soplado.

Bailarín se había presentado ante las autoridades militares para pactar su libertad a cambio del escondite y los planes de *El Gafas*. Ahora el ejército estaba tras sus pasos. El grupo cambió el recorrido y se refugió entre las cumbres de Casayo.

Los militares rastrillaron cada palmo del lugar donde debían estar los asturianos y sólo encontraron frío y aridez. *Bailarín* fue detenido y luego ejecutado en la prisión de Orense por los franquistas. Pero su confesión había puesto nuevamente en alerta tanto a españoles como portugueses. Una vez más, Marcelino debió regresar sobre sus pasos.

El ejército, la Falange y la iglesia habían reunido sus fuerzas bajo el liderazgo paternalista de Franco y el régimen reforzaba su poder a pesar de la pobreza dejada por la guerra. La represión se extendía por España para acallar cualquier intento de oposición.

Los sobrevivientes de las milicias asturianas habían vuelto a refugiarse en Casayo, pero Marcelino sabía que sin una salida rápida sólo iban a convertir los montes en un cementerio de guerrilleros.

La oscuridad de la noche llegaba cada vez más aprisa sobre las ruinas y el frío del norte comenzaba a empujar hacia las montañas la tibieza del verano.

Sobre las calles adoquinadas de Varsovia, Perla Jerosolinsky y un grupo de jóvenes arrastraban sigilosamente sus valijas. Las calles estaban desiertas. Las seis marcaban el toque de queda.

El grupo caminaba junto a las paredes, buscando sombras que ocultaran su presencia. Tras cada esquina, los ronquidos metálicos del ferrocarril sonaban con mayor claridad. Apenas respiraban. Sus puños sujetaban desesperadamente el equipaje, mientras a cada paso recorrían con la mirada las siluetas de la oscuridad a la espera del grito que los delatara.

De pronto, la estación se presentó frente a ellos cubierta por un panal de soldados alemanes. Sus uniformes oscuros aparecían espectrales entre el humo de los andenes y por encima de los fusiles, los gritos de los oficiales explotaban con la aspereza de sus órdenes y helaban la sangre. Como si sujetaran la muerte, algunos soldados diseminados en la estación sostenían con correas a un grupo de perros adiestrados. Detrás, inalcanzables, aparecían los vagones de carga.

Sólo el oro logró abrir un camino entre los jóvenes y el tren, aunque a cada paso podía sorprenderlos la traición.

La puerta del vagón se deslizó quejumbrosa y saltaron al interior como si escaparan del fuego. Enseguida se ocultaron detrás de unas cajas polvorientas y Perla cubrió a sus compañeros con unas mantas viejas.

La puerta se cerró y el interior desapareció en la oscuridad total. Lentamente los ojos se acostumbraron a la penumbra y las maderas del vagón se separaron en hilos de luz. De cuando en cuando una sombra dibujaba una figura humana que atravesaba el andén a paso de marcha.

El tiempo parecía suspendido. Los segundos se volvían minutos, los minutos horas, la espera una eternidad. ¿Acaso el tren jamás arrancaría? ¿Los habrían delatado ya?

Los polizontes se mantuvieron inmóviles y en silencio. Se escucharon ruidos de cajas bajadas del tren, el arrastrar de las puertas corredizas y la señal de partida.

Varsovia se alejaba. Las vías separaron a Perla del éxodo de los deportados, de las filas interminables de familias. El Reich necesitaba espacio para su grandeza.

El invierno de 1940 trajo los ghettos. La mejor Varsovia sería para los alemanes. El resto para los polacos y un espacio cercado para los judíos.

En un rincón del barrio amurallado, la familia de Perla se preguntaba por la suerte de su hija, mientras ella marchaba hacia un campo de concentración en Siberia, junto a su marido y sus cuñados.

La guerra mundial se acercaba a Moscú. Raquel Levenson y Alberto, el hijo que había concebido al calor de la guerra civil española, se alojaron en el hotel Lux. Habían llegado a la capital de la Unión Soviética gracias a un barco ruso que los había recogido en los campos argelinos de la Legión Extranjera francesa.

El Lux era un hotel palaciego de la época de los zares. Sus escaleras de mármol y sus balaustres de hierro; los zócalos, los ceniceros y las escupideras de cobre transportaban a sus huéspedes a los tiempos del imperio, de la aristocracia y las riquezas nobiliarias. Por el edificio bullían comunistas de todo el mundo, quienes al igual que los hijos de Noé creían que aquella torre los acercaría a la salvación. El Lux era su Babel. Cada rincón era ideal para debates acalorados sobre la guerra y el futuro del comunismo.

Raquel atravesó el empedrado de la Plaza Roja y se dejó embriagar por las cúpulas bulbosas de las catedrales, las torres y los muros gigantescos en torno al Kremlin. El comunismo que había pregonado en Avellaneda y por el que había luchado en España era una realidad en la URSS. Pasaba sus días estudiando el marxismo, aprendiendo sobre análisis económico mundial, filosofía y releyendo *El Capital* como quien busca la clave del Universo entre las letras de un libro.

1920. Américo Miralles
junto a su madre
y a su hermano menor
en Caballito. Poco
después el tren los llevó
a La Pampa.

1928. Américo Miralles avanza
por la calle Esmeralda rumbo
al consultorio del doctor Grimberg.

1938. Américo
Miralles se casa
con Mary Castilla,
la maestrita de Villa
Luro.

1940. Américo, Mary
y su primer hijo,
en una escenografía
montada en el
Zoológico porteño.

1945. Américo Miralles y sus compañeros de Los Gobelinos en las habituales
cenas que seguían al cobro del sueldo.

1949. Américo Miralles predica la doctrina
de Perón en un cine de Córdoba.

1944. Sobre las ruinas del terremoto, José Alberto Quiroga posa orgulloso frente a la tienda que funcionaba como su hogar y sede del correo de la capital sanjuanina.

1944. Elsa Quiroga de Quiroga estrena su apellido de casada en la pequeña casa construida luego del terremoto de San Juan.

1944. En pocos
segundos
la naturaleza
arrasó San Juan.
Algunos de esos
escombros habían
sido las paredes
de la casa
de la abuela
de Elsa Quiroga.

1944. José Alberto y Elsa
Quiroga un par de meses
después del terremoto
de San Juan. La vida
de casados ya les sonreía
y lo haría por siempre.

1920. Pablo y Blanca Molinari llegan a la Argentina
dispuestos a hacer la América.

1930. Lidia Molinari con pose
de angelito: rizos rubios,
vestidito de algodón, zoquetes
y la manitos cruzadas. Apenas
un instante de calma
de su traviesa infancia.

1928. El modenés Pablo Molinari alimenta a sus gallinas en su quinta de Devoto.

1948. Conversación secreta entre un angelito y la seductora Lidia Molinari en la Costanera Sur.

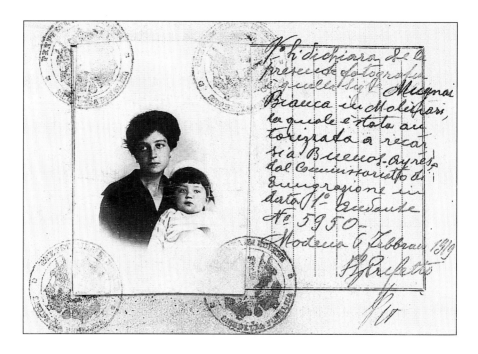

1919. Bianca Mugnai
in Molinari posa junto
a su hija Clara para
el pasaporte del Regno
d'Italia que necesita
para emigrar a la
Argentina.

1935. Blanca y Pablo
Molinari en el patio
de la casa de Devoto.
La enfermedad y las
penurias eran historia.

1945. Distracción en
Venecia en medio
de la Segunda Guerra.

1941. A pesar de su cara adolescente,
Francesco Pelloni se prepara
para ir a la guerra.

1941. Compañeros de miedos y bribonadas
de Francesco Pelloni en plena guerra.

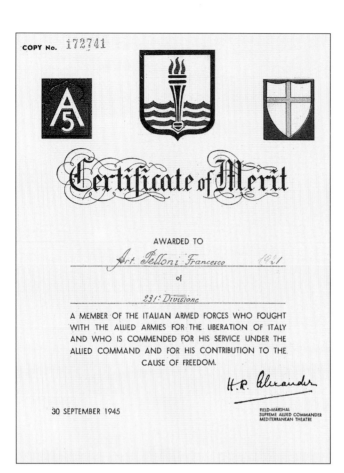

1945. El diploma firmado por el comandante de los aliados Harold Alexander testimonia casi cinco años de entrega de Francesco Pelloni.

1948. Francesco Pelloni es rebautizado Francisco en el Río de la Plata. Era un lunes de carnaval.

1947. Las miradas de Elsa
Ravinovich, "Lola",
y de su pequeño Bernardo
traslucían momentos
de lucha y temor.

1936. Gregorio
Levenson y Elsa
Ravinovich unieron
amores e ideales.

1943. Gregorio Levenson
y su hijo Miguel Alejo
mojan sus pies en Mar
del Plata, el refugio
de la familia en momentos
difíciles.

1949. Alberto Real
descubre la Argentina
de su madre, Raquel
Levenson.

1920. La libreta de compras
del almacén Bottaro y Cía.
se convirtió en un improvisado
diario personal de Pedro López.

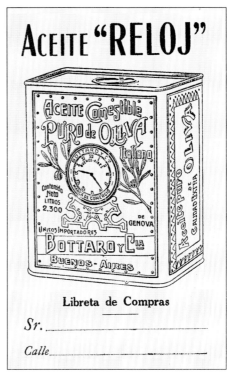

1948. La última foto
de los guerrilleros asturianos
reunidos en Francia. Fue el día
del adiós. La única imagen
que Marcelino Fernández
Villanueva acepta compartir.

1930. El precario rancho del valle neuquino de los Menucos, donde los maestros María del Redentor Cobanera y Juan Augusto Alvarez vivían con su primer hijo y el primo Joselín.

1931. Al pie de la Cordillera del Viento, los alumnos de María del Redentor muestran orgullosos sus cuadernos.

1945. Retrato de los Alvarez. María del Redentor, su esposo Juan Augusto y sus seis hijos.

1910. "¿Quién es esta sapita?", escribió alguien al pie de esta foto, en la que María del Redentor Cobanera sonríe a la espera de los festejos del Centenario.

1928. María del Redentor Cobanera y Juan Augusto Alvarez. Se casaron un 7 de julio en una iglesia de Lanús con timbre en lugar de campanas.

1928. Perla Jerosolinsky
en Varsovia a los dieciocho años.
La única foto que logró salvar
de las manos nazis.

1904. Retrato de los Cobanera en un estudio de fotografía de la ciudad
de La Plata. La pequeña María del Redentor en brazos de su madre.

En Moscú, símbolo de sus sueños adolescentes, Raquel volvió a encontrarse con su marido Juan José Real. Desde su boda apresurada habían compartido apenas unos pocos días entre misiones del partido y huidas. En la intimidad del Lux intercambiaron caricias adeudadas y se revelaron sus tiempos de soledad.

—Raquel, me llamaron desde Buenos Aires. Tengo que volver con Codovilla —interrumpió Juan. Ambos intuían nuevos desencuentros.

—Voy con vos —contestó Raquel.

—Mejor quedate. Va a ser muy difícil llegar al barco. El camino está lleno de fascistas. Además, el Partido te necesita acá.

Raquel sintió dolor y bronca, pero una vez más aceptó las reglas de la lucha política y se quedó en el Lux junto a su hijo que ya daba sus primeros pasos y balbuceos en ruso y español.

Alemania iniciaba la invasión de la URSS con tres millones de soldados. La operación Barbarrosa estaba en marcha. La frágil paz que Stalin había buscado preservar se deshacía en el aire.

El tren cortaba la llanura como una oruga enloquecida. Afuera sólo había cielo, planicie y unos pocos bosques perdidos. Dentro del tren, Perla Jerosolinsky, su marido Arturo y sus cuñados intentaban acomodarse en el espacio saturado del vagón de prisioneros, el vagón-zak como lo conocían los soviéticos. Adentro se amontonaban setenta hombres y mujeres destinados a un campo de concentración de Siberia, con sus únicas ropas, las prendas que habían logrado tomar cuando habían huido de sus hogares para escapar de la masacre nazi. Sus bolsillos y los rincones de su ropa interior todavía escondían los pocos valores que habían podido salvar de las expropiaciones y la rapiña de los guardias.

—Nada necesitan adonde van.

La frase, gritada en ruso, apenas era comprendida por los prisioneros polacos, pero íntimamente sabían que lo guardado sería la única forma de sobrevivir si la vida volvía a entregarles la libertad.

La Segunda Guerra devoraba el mundo y Siberia, lejos del alcance alemán, debía convertirse en un enjambre de fábricas para abastecer a los soldados de las repúblicas soviéticas e impedir la caída de Moscú.

Todos los brazos eran bienvenidos en la vieja tierra de los tártaros, áspera y fría, donde los vientos abrían grietas en la cara y sólo permitía la vida a los fuertes.

El tren avanzaba por aquella repetición infinita de cielo y llanura, con la cabeza de Perla acurrucada en un rincón del vagón-zak. En apenas un año sus sueños de joven acomodada habían estallado en pedazos. Se veía a sí misma delgada, sucia y mal vestida. No alcanzaba a reconocerse; tenía apenas 26 años. Sólo la presencia de Arturo la regresaba a la realidad. Perla pasó una mano por su pollera gastada mientras buscaba reconstruir su pasado que se alejaba como un cuento de hadas, como una fantasía que jamás había tenido lugar. La guerra cubría todo. En Polonia, en Moscú, en Siberia, a cualquier destino adonde sus vidas fueran arrastradas llegaba la desesperación del mundo en combate.

El tren se detuvo cuando el mundo parecía a punto de terminar para hundirse en los confines del Ártico. Los prisioneros fueron llevados en un camión y luego entregados a los guardias del campo de concentración siberiano.

Mientras avanzaba en fila, controlada de reojo por los guardias, Perla paseó la vista por su nuevo hogar: las barracas, los patios de tierra, el alambrado, y más allá, la planicie peinada por el viento, los arbustos que se levantaban desafiantes en medio de la estepa.

A la mañana siguiente, la campana sonó a las cinco de la madrugada. Perla se despertó en su litera y acompañó la marcha de los presos hasta el comedor. En Siberia, apenas hacía falta entender el ruso. Los guardias arrastraban a los prisioneros con gestos y gritos, como animales en un corral. Enseguida aprendió dónde quedaba el bosque y cuáles eran sus obligaciones. Le dejaban en sus manos un pequeño machete y, junto con el resto de las mujeres debía separar y cortar las ramas de los árboles derribados por los hombres. Así cada día, aunque el tiempo fuera cada vez más inhóspito y el sol se marchara cada vez más aprisa.

Pronto la nieve cubrió el camino hacia el bosque. El frío se clavaba en las piernas como la hoja de un hacha. Los prisioneros se arrojaban encima todos los trapos que encontraban, los anudaban, los abrochaban con pequeños alambres. Se esforzaban por armar una barrera contra el frío, que de todas formas pasaba de largo y los hacía sentir como desnudos.

Una mañana, Perla comprobó desesperada que se había quedado sin botas. Su cuerpo mal alimentado le entregó las últimas fuerzas y enfrentó al guardia: "Sin botas no voy al bosque".

Por ese desafío fue llevada ante el comisario del campo y luego enviada al tribunal de la NKVD. Todos los presos de la Unión Soviética conocían el significado de las siglas: Narodni Komisariat Vnútrenij Del, el Comisariado del Pueblo del Interior. Era el órgano represivo del gobierno soviético que extendía su influencia a lo largo de las repúblicas encolumnadas detrás del gobierno de Moscú.

Muchos prisioneros habían sido juzgados por sus actos en los campos de Siberia, pero nadie recordaba que hubieran vuelto. Los castigos podían ser tanto la cárcel como las minas de carbón donde el polvo oscuro ahogaba la piel de los prisioneros, hasta "la corbata de Stolypin", como se conocía popularmente a la horca.

El cielo todavía era noche cuando Perla fue despertada. Tenía por delante 15 kilómetros de tierras pantanosas. Al final, la esperaba su condena por negarse a trabajar.

Partieron en trineo bien temprano, con la noche envuelta en frío, los perros saltaron a la señal y arrastraron a Perla a través de la oscuridad, junto al guardia que debía guiarla y un viejo enfermo de tuberculosis que pedía ser exceptuado de la tala en el bosque por su enfermedad.

Tres noches después, los tres viajantes llegaron a la ciudad donde iban a juzgarlos. Perla y su acompañante tuberculoso fueron llevados al tribunal. El guardia los dejó en manos de dos soldados mongoles armados con la larga carabina que parecía salida de los tiempos del zar Nicolaides. Tenían ojos alargados y oscuros, las líneas de la cara como esculpidas sobre la piedra y los pies envueltos en pieles de animales.

—No hablo ruso, soy polaca —advirtió Perla apenas estuvo frente al fiscal.

El joven se dio vuelta y dialogó brevemente con el juez. Después volvió su vista hacia Perla y con una sonrisa apenas insinuada comenzó a hablar en polaco.

—No te preocupes, yo voy a traducir —dijo el fiscal.

Para Perla, las palabras en su idioma sonaron como campanas celestiales.

—Gracias —atinó a responder.

Liberada de la prisión del lenguaje, Perla contó al juez sobre su enfrentamiento con el guardia y la falta de botas.

Pero cada vez que daba paso a la traducción, la muchacha llegaba a comprender que su alegato se suavizaba en la versión del fiscal. El juez se recostó sobre el respaldo y pidió que se llevaran a la prisionera a la sala de espera. Aguardó sentada hasta que la figura del fiscal se dibujó bajo el dintel.

—Puedes volver al campo con tu marido. No hay cargos.

—¿Cómo?

—Vamos, vete ya antes de que cambien de opinión.

Perla salió a la calle y miró alrededor. No había guardias que la controlaran. Nadie la vigilaba. Caminó extasiada por las calles y las veredas. Tocó las paredes de las casas, miró a través de sus ventanas y detrás de los vidrios descubrió que el mundo seguía girando en su rutina más allá de la guerra y el campo de concentración. Por un rato regresó a la vida.

Paseó hasta cansarse y cambió unas baratijas que había escondido por pan y cigarrillos. Después caminó hasta la oficina de la NKVD.

—Él va a llevarte de nuevo al campo —dijo un oficial, y señaló al sujeto sentado.

Al sentirse aludido, el extraño levantó lentamente la vista.

Perla se estremeció al descubrirle la cara. Era un ucraniano de mirada torva, con surcos en su cara que parecían abiertos a fuerza de golpes, y un cuerpo robusto como un oso. Las peores predicciones sobre el viaje pasaron por su mente.

A la madrugada siguiente partieron los dos solos a través de la estepa, cruzaron el río en un bote, dejaron atrás las casas de la ciudad y enseguida estuvieron rodeados por tierra salvaje. Caminaron sin hablarse. Con el andar, Perla descubrió que la mirada del ucraniano escondía preocupación. Trató de seguir los detalles de sus gestos para adivinar el motivo que intranquilizaba al ucraniano, pero sin mostrarle que lo espiaba. Temía que cualquier muestra de interés pudiera ser entendida como una invitación al acercamiento.

Entonces comprendió el motivo de la intranquilidad del ucraniano y por primera vez en el viaje se atrevió a dirigirle la palabra.

—¿Tú sabes el camino?

—No.

—¿Por qué dijiste a los policías que sabías?

—Debo volver al campo. Allí está mi familia, mis hijos.

De pronto, el aspecto amenazante del ucraniano dejó escapar su angustia y, a pesar de su tamaño y sus movimientos bruscos, se mostró débil como un niño.

El ucraniano bajó la cabeza como si estuviera a punto de llorar y rendirse.

—Creía que tú podías ayudarme muchacho.

Perla fue consciente entonces del aspecto que presentaba a los demás: la cabeza rapada, delgada como un palo y los rasgos endurecidos por el trabajo y el hambre.

Una huella los llevó hasta un pequeño caserío, donde en un establo pudieron echarse sobre la paja. La noche pasó sin sobresaltos ni acercamientos y apenas comenzó a clarear el horizonte volvieron a ponerse en marcha.

Debieron ayudarse con palos y ramas para cruzar las tierras inundadas, donde el barro podía tragarlos enteros, y caminaron sin detenerse a través de la nieve.

Cuando los caminos se dividieron hacia los distintos campos de trabajos, Perla y el ucraniano se separaron amablemente.

—Jamás voy a olvidarte. Me ayudaste a volver con mi familia.

—Cuídate —contestó Perla y siguió su marcha.

La joven se desvivía por ver a Arturo; la guerra había transformado al campo de concentración en su hogar. Al llegar fue recibida como si regresara de la muerte. Nadie había vuelto jamás de los juicios.

Los prisioneros sobrevivieron al invierno de Siberia. Las noticias de la guerra llegaban tarde e incompletas al campo. Se sabía que Leningrado resistía heroicamente, que las fuerzas del Eje habían llegado a las puertas de Moscú, y que al norte, en el frente de batalla más cercano al campo de concentración, los finlandeses peleaban contra los soviéticos y mantenían buen diálogo con los alemanes.

Con Europa bajo fuego y Escandinavia en medio del enfrentamiento entre rusos y alemanes, el único camino desde Siberia que parecía tomar distancia de conflicto bélico conducía hacia el sureste, hacia el Turkestán. Huir de la guerra significaba internarse en el corazón de Asia Central, donde Occidente desaparecía y se abrían las puertas del mundo islámico.

Aunque Hitler comenzaba a sufrir las primeras derrotas en Europa, el terror hacia los nazis persistía en los sentidos de los polacos del campo bajo el matiz de sus recuerdos y las certezas grabadas en cada sufrimiento.

Las muertes, el destierro, las familias desmembradas, el dolor del hambre. Con cada herida del alma la guerra les había enseñado que nunca, jamás, se debía subestimar el poder del autoritarismo y la locura. Pero la suerte de Perla y su familia se resolvía a la distancia, en los escritorios de quienes preparaban la derrota de Alemania.

Polonia había organizado un gobierno en el exilio al mando del general Wladislaw Sikorski, quien con la intención de reorganizar un ejército nacional negociaba con Stalin la liberación de los miles de polacos deportados a Siberia en 1939.

Finalmente, el telegrama del gobierno soviético llegó al lejano campo de concentración siberiano. Los polacos deportados estaban en libertad. Los sueños contenidos durante meses de encierro y frío se volvían realidad. Todos explotaron en festejos y abrazos, bailes y risas desatadas. Siberia de pronto se volvió hermosa: la estepa, la inmensidad, el bosque sobre la colina, el resplandor del sol, la caída de las hojas, hasta las palabras de los guardias resultaban joviales. La fiesta parecía fastuosa aunque debiera celebrarse con los gramos de pan enmohecido que habían escondido debajo de los colchones.

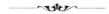

En unas semanas, las tenazas del Reich aprisionaron Bialystok, Minsk y Smoliensk. Las tropas dejaban ciudades en ruinas, columnas de humo, cuerpos mutilados y miles de prisioneros. En el cielo iluminado, los Stukas entraron en acción. Al quinto día de iniciada la invasión alemana sobre la Unión Soviética, el ejército nazi había logrado avanzar 290 kilómetros en marcha hacia Moscú. Ante cada noticia, Raquel Levenson cobijaba a su pequeño hijo Alberto encerrándolo en un abrazo profundo. Estaban solos en Moscú.

Pero el pueblo soviético resistía el acecho con fiereza. Los campesinos quemaban sus cosechas y los obreros desmantelaban sus fábricas para impedir que cayeran en manos del enemigo. La lucha era tenaz. Los ciudadanos se preparaban para defender la capital.

La cercanía de los combates llevó a Raquel a alternar la maternidad con los preparativos para la lucha. Se alistó en cursos de paracaidismo y guerrilla, decidida a pelear por la ciudad. Tenía apenas 28 años. Junto a otros voluntarios se entrenaba en los boulevares de Moscú. Allí escuchaban las noticias sobre el feroz ataque contra Leningrado, donde los cadáveres se amontonaban como leña en las calles. Había racionamiento y hambre, mientras continuaban los incesantes ataques aéreos. Las tropas del Reich asediaban desde los límites, cada vez más comprometidos, mientras los civiles indefensos y aturdidos deambulaban perdidos entre los escombros.

En la capital de la unión, Raquel aprendía a usar ametralladoras, granadas y lucha cuerpo a cuerpo. Hacia fines de septiembre, los alemanes estaban atrincherados a 380 kilómetros al suroeste de Moscú. Pero setenta divisiones de ocho ejércitos soviéticos estaban parapetadas para defender la capital. Desde el otro bando, algunas tropas del Reich destacadas en el sitio de Leningrado se movilizaron para ayudar en la que prometía ser la última gran batalla de la victoria de Hitler.

A la puerta del hotel Lux, Raquel entregó a Alberto a unas madres encargadas de proteger a los pequeños de las mujeres que iban a combatir. Los subieron en un tren hacia Gorki, un poblado rural vecino a la capital. Todos fueron alojados en una dacha, una gran residencia de madera con balcones que se volcaban sobre el bosque. Alberto tenía dos años y miraba los árboles sin entender las ausencias y los miedos, mientras comía unas migajas recocinadas de pan negro. Su madre no estaba.

A principios de octubre, los alemanes rompieron el cerco de Stalin y atacaron por los flancos y la retaguardia. Los soldados rusos intentaron abrir rutas de escape en medio de un huracán de fuego, de los bombardeos de 900 aviones de la Luftwaffe y de una lluvia torrencial. Las blancas tierras rusas se enrojecieron con sangre de ambos bandos. Más de tres millones de prisioneros rusos fueron obligados a enterrar los cadáveres de miles de compatriotas, piadosamente vestidos por un manto níveo. Finalmente, las exhaustas tropas de Hitler avanzaron casi la mitad del camino que los separaba de Moscú. Ya habían caído las primeras nevadas. El 15 de octubre comenzó la evacuación en masa de los habitantes de la capital soviética. La gente asaltaba las estaciones de ferrocarril en busca de un lugar y las despensas con los últimos víveres. Ante la inminente ocupación alemana, algunos se pasaron al bando contrario. "Muerte a los comunistas, abajo los judíos", vociferaban pequeños grupos en la calle Kaluga a la espera de los alemanes. Pero la policía soviética, que aún dominaba el territorio, los hizo callar. Reinaba el desorden y el hartazgo pero también la fuerza de espíritu.

Un invierno prematuro y más atroz que el de las décadas anteriores se convirtió en el principal aliado de Stalin. El termómetro descendió hasta llegar a 20 grados bajo cero y sorprendió a los alemanes con pantalones de dril. La nieve congeló caminos y tierras. Los soldados del Eje no pudieron cavar trincheras, sus aviones no encontraron pistas para aterrizar, los vehículos debieron detener su marcha. Algunos murieron de frío, otros de hambre.

Raquel sentía ansiedad y temor por la lucha. Su pequeño estaba a miles de kilómetros de su familia, que en la Argentina desconocía la suerte de ambos.

—Sos la única argentina. Quedate en la retaguardia, no podemos perderte —dijo el comandante cuando se decidió que era tiempo de pasar al frente.

Su vida podía servir para llevar a América las noticias de la resistencia soviética. Moscú estaba sitiada y Raquel aguardaba ser llamada para sumarse a combatir.

En enero de 1941, Francesco Pelloni recibió en su casa de Módena la convocatoria para presentarse en el Distrito Militar. Vanamente había intentado demorar lo inevitable con pretextos de cursos que rápidamente abandonaba y excusas insostenibles para el ejército. Ya tenía 20 años y la guerra urgía su enrolamiento.

Las historias de la Gran Guerra escuchadas en su infancia volvieron a su mente. Ahora los relatos de combates y muertes dejaban de ser una fábula lejana y Francesco se convertía en el protagonista.

Pasó seis meses de instrucción en Ancona donde los ecos de las batallas todavía sonaban distantes. Italia estaba en guerra y Mussolini, el Duce, sediento de gloria. Finalmente, Francesco se convirtió en soldado de Infantería del Regimiento 93 de Mesina.

Sobre la cubierta de una corbeta, en las aguas del Adriático rumbo a Boca de Kotor, la guerra se anunció a través de los movimientos sordos de los submarinos enemigos y estruendos escuchados a lo lejos. Yugoslavia estaba desmembrada; etnias y religiones despedazaban la nación. Invasores y compatriotas, ahora enemigos, libraban una guerra de guerrillas. Los ustashi de Croacia masacraban a la minoría serbia. Los chetniks habían asumido la resistencia nacionalista serbia y mataban a ciudadanos musulmanes y croatas. Partisanos de varias etnias liderados por Tito combatían contra ustashis, chetniks y ocupantes alemanes.

En medio del caos de las guerrillas, la función de Francesco era montar guardias y patrullar para detectar los movimientos del enemigo. Pero, ¿cómo saber quién era el enemigo en ese país desgajado y hostil? Cuando adolescente había añorado unirse a los cuerpos especiales de Mussolini. Soñaba con luchar como voluntario junto a Francisco Franco en la guerra civil española. Los soldados del Duce aparecían como héroes invencibles ante sus ojos inocentes, demasiado alejados del significado del fascismo, la crueldad y la matanza.

Ahora sus fantasías apasionadas y pueriles se habían convertido en vértigo, y su mano sostenía una tira de metralla. Los primeros dos años trascurrieron en Yugoslavia, Bosnia y Montenegro. Fueron tiempos de rutina. No sufrió heridas ni vio morir a compañeros. Aguardaba con la esperanza de que la paz salvara su vida.

A las ocho de la noche del 8 de septiembre de 1943 todo cambió. Se acababa de firmar, secretamente, el armisticio italiano. Nadie sabía qué significaba, cúal sería su futuro. Surgieron órdenes divididas entre ser amigos y enemigos de alemanes. De pronto eran soldados sin jefe y sin una nación que los protegiera.

Se trataba de atacar a los nuevos enemigos para evitar caer en sus manos. Esa noche, los soldados de Mussolini mataron alemanes. Perdido y azorado, Francesco fue testigo de la matanza. Pero poco después el general Nero ordenó la dispersión de la tropa. Estaban librados a su suerte. Francesco buscó compañía y se unió a un soldado que también había nacido en Módena. Tomaron algunas cosas del abandonado campamento y comenzaron a andar sin rumbo ni destino cierto. Mientras partían, giraron la cabeza y pudieron contemplar cómo, a lo lejos, una larga y todavía diminuta hilera de tanques alemanes enfilaban desde Albania hacia Montenegro. Iban a vengar la muerte de sus compatriotas y castigar la traición de los italianos. Instintivamente aceleraron el paso; sólo deseaban llegar a Trieste, la ciudad más cercana de su patria, pero faltaban aún decenas de kilómetros.

En el camino, al amparo de las sombras y con los tanques de Hitler sobre la espalda, arrancaron de su brazo la estrella con ribetes rojos y amarillos, la insignia de su división. Ahora eran soldados sin ejército y, ante todo, hombres dispuestos a salvar el pellejo.

Anduvieron todo el día y la noche hasta que llegaron a una batería antiaérea italiana que resistía a las tropas de Reich. Sus antiguos aliados eran ahora sus enemigos. Todavía estaban lejos de Trieste pero al menos habían encontrado refugio y comida en una división de su patria. El jefe del grupo les ordenó unirse a su lucha. Cargaron en la espalda de Francesco un trípode pesado y aparatoso, a su compañero le entregaron la ametralladora, y a otros dos desconocidos, las balas. Les dieron unas pocas instrucciones. Su nueva función era sencilla: a la orden del jefe, Francesco debía colocar el trípode en posición, su compañero acomodar el arma y los otros disparar. Todo sincronizado y en cuestión de segundos.

Hacia las 10 de la mañana de ese primer día, la hilera de tanques de Hitler se acercó a su posición en Montenegro. Francesco colocó el portametralla, su compañero sostuvo el arma y comenzó el ataque. Fue intenso y breve.

—¡Fuego! ¡Dispersarse! ¡Hacer frente a quien haga frente! —se escuchó la voz del nuevo comandante que entre los estruendos repetía la orden del mariscal Pietro Badoglio.

Francesco y su compañero se sintieron desolados. La orfandad de unas noches atrás se repetía. Sólo deseaban escapar de los Balcanes, de sus combates y de la guerra toda.

Italia se convulsionaba en medio del caos. Había luchas dentro del ejército entre el bando del rey Víctor Manuel y los partidarios de Mussolini. Las intrigas entre antiguos aliados y nuevos enemigos enturbiaban cada movimiento.

En medio del desorden y otra vez sin comandante, Francesco se rindió frente a los alemanes. Sin emblema que lo identificara, pudo ocultar su pasado reciente. Nadie supo que había presenciado la matanza. Era otro lugar y otro tiempo.

—¡Steht! ¡Geht! —vociferaban los nazis.

Francesco no entendía palabra. Atinó a mirar a otros compañeros y obedeció. Se puso de pie y caminó velozmente. Esa misma noche lo subieron a un barco rumbo a una reserva militar de Boca de Kotor, el sitio del que acababa de escapar. Al llegar supo que había huido, por primera vez, de la muerte. Todavía se olía la sangre de los italianos que habían permanecido allí, mezclada con el aroma salado del Adriático.

Entre la suciedad y las magulladuras, su brazo se había infectado. La inflamación había transformado su codo en un globo de pus. Era su primera herida de guerra. Pese a ser prisionero, los alemanes lo enviaron al hospital de campaña. Necesitaban hombres fuertes y sanos.

Lo sentaron en una silla y un médico miró despreocupadamente el brazo. Luego dio unas indicaciones incomprensibles. Francesco vio que un soldado tomaba un cuchillo y que otros lo agarraban con rudeza. Apenas un segundo después un tajo profundo surcó su carne desprotegida de toda anestesia. Otros soldados estrujaban la hinchazón maloliente para quitar hasta la última gota de pus. Mientras lo curaban, los alemanes le ordenaron repetir: "Mussolini é buono, il re é cattivo; Mussolini é buono...".

El descanso de la convalescencia fue breve. Una mañana, las tropas de Hitler ordenaron a los prisioneros subir a un barco. A Francesco, todavía dolorido, lo mandaron a montar guardia en la cubierta. El barco zarpó cuando se avecinaba una tormenta. El viento y el oleaje comenzaron a zarandear la embarcación apenas navegó mar adentro. Las marejadas golpeaban cada rincón de la nave. Los soldados intentaban aferrarse a los vaivenes pero las olas los empapaban por completo. Francesco sintió ardor y un dolor profundo. Se miró la herida y entendió que el agua salada se escurría por el tajo. A poco de andar llegaron a una isla dominada por Hitler pero acechada de cerca por los partisanos de Tito. Al desembarcar, Francesco descubrió que su brazo estaba aliviado. El agua marina había terminado con la infección.

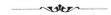

Estaban sin dinero, hambrientos, con trajes y vestidos roídos, sucios. Pero eran al fin libres. Habían sobrevivido un año y ocho meses al campo de concentración de Siberia. Desde Kotlas, al norte de Siberia occidental, Perla Jerosolinsky y su marido Arturo viajaron junto a sus cuñados hasta Gorki, desde donde partían trenes hacia varias ciudades de Asia Central. La embajada polaca se había instalado en Kuibichev, en el corazón de la Unión Soviética, para evitar la cercanía de las tropas nazis. Las miradas del grupo también se dirigieron hacia la zona del mapa que se alejaba de Occidente y sus campos de batalla.

Más allá de Kuibichev, detrás de las últimas cadenas de los Urales, se abría Uzbekistán, una tierra indomable de sangre musulmana, que había sido provincia del imperio persa, luego territorio de Gengis Kan, más tarde dominio del zar y tras la revolución, República Soviética. Había sido aplastada y sojuzgada más que libre, pero siempre había mantenido su identidad uzbeka.

Sobre un mapa extendido buscaban un lugar donde rehacer sus vidas, cuando el dedo de Perla cruzó con el punto que identificaba a Tashkent, la capital de Uzbekistán.

—¡Tashkent! —exclamó Perla en su suave cadencia polaca.

Su marido y sus cuñados la miraron sin entender el significado de la palabra.

—Tashkent —repitió lentamente como si esperara que el resto comprendiera las ideas que en silencio hilvanaba su cerebro.

—¿De qué hablas Pola? —preguntó Arturo.

—En Varsovia leí que Tashkent significa "ciudad del pan".

—¿Estás segura?

—Sí. Debe ser un buen lugar para vivir. Vamos a tener pan para comer —aventuró Perla con ingenuidad.

Durante cuatro días bajaron y subieron a trenes diferentes. Masticaron pan duro y se mojaron los labios con el agua que habían guardado en sus provisiones. Nada importaba: estaban libres.

Tashkent los recibió de noche, con sus misterios cubiertos de penumbra. Nadie quedaba en la calle. Arrastraron sus escasas pertenencias por el andén y en medio de la oscuridad llegaron hasta la plaza que se abría frente a la estación. La ciudad era un manto negro y silencioso. A lo lejos se descubrían paredes blancas y callejuelas que se perdían en la noche. Arrojaron sus bultos sobre la tierra seca de la plaza y se tiraron a dormir a la espera del amanecer. Cada dos horas, hombres y mujeres se turnaban para vigilar y evitar cualquier atraco. El equipaje yacía sobre la plaza y los cuerpos dormían extenuados por la travesía. Habían atravesado media Unión Soviética.

El amanecer largó a las calles una multitud de transeúntes, que apenas prestaban atención a los visitantes de la plaza. Se veían pasar turbantes, casquetes, barbas mal cortadas, telas multicolores, uzbecos, a los campesinos tayiks, iraníes, kazacos, turcos. Tashkent estallaba como un enjambre de razas milenarias, que en la lejanía de Asia Central se mantenían al margen de la guerra.

Perla y su familia seguían el espectáculo abstraídos hasta que una violenta comezón los volvió a la realidad. Enseguida llevaron sus miradas hacia sus cuerpos y los descubrieron cubiertos de piojos. Era como si la plaza misma se hubiera levantado sobre sus brazos y piernas. Se los arrancaron con arañazos pero volvían irremediablemente. Las cabezas ardían por las picaduras. A lo lejos descubrieron un arroyo y corrieron a tirarse en él. Se fregaron las cabezas sin parar hasta que ahogaron al último piojo, sin que importaran las ropas mojadas y las risas de los lugareños.

—La ciudad del pan resultó ser la de los piojos —se quejó Arturo.

Los días pasaron sin encontrar hogar ni trabajo. Cambiaron parte de sus ropas por unas tazas de té verde y una pieza donde podían arrojarse por unas horas sobre unas alfombras viejas.

Los encuentros entre polacos los cruzó un día con un conocido de la familia, que también se había refugiado en Uzbekistán. Les prometió empleo en su panadería de Jungijul, en las afueras de Tashkent. Perla y su marido viajaron esperanzados y escondidos en un vagón de carga con olor a animales. Poco importaba.

Cuando llegaron al pueblo descubrieron que el suelo del vagón estaba cubierto de bosta y bajaron con la ropa embadurnada de excrementos.

Una vez más fueron en busca de un arroyo donde limpiarse. Se sacaron las manchas y siguieron adelante. La miseria había relegado la limpieza a un placer del pasado. Recorrieron Jungijul de un extremo a otro sin siquiera encontrar un rastro de la panadería ni del amigo de la familia. Todo había sido una mentira.

De regreso a Tashkent descubrieron que un grupo de polacos, cansados de vagar, iban a partir hacia Bujará, una vieja ciudad al oeste de Uzbekistán, desde donde llegaban nuevas promesas de trabajo y comida. Allí la comunidad judía se había convertido, con el paso de los siglos, en campesinos tayiks y en artesanos de sedas y alfombras.

La ropa para cambiar por dinero se agotaba y sabían que si la caída en la pobreza se volvía demasiado profunda sería imposible emerger. Perla y Arturo se sumaron al grupo que partía hacia Bujará.

Embarcados en un nuevo viaje, el grupo resolvió seguir hacia la frontera de Afganistán. Creían que alejarse de Occidente sería también dejar atrás el hambre y la escasez.

Viajaban hacia Ashjabad, al pie de las montañas que separaban a la Unión Soviética de Afganistán, cuando el tren hizo una pausa en el pequeño poblado de Kazán.

Al oeste del pueblo, en medio de la estepa de Karakum, el gobierno soviético había levantado un sovjos, una granja estatal donde con cierta independencia los trabajadores criaban corderos para conseguir astracán. A lo largo de los siglos habían aprendido a pasear los rebaños por la noche, en las planicies donde los vientos peinaban y suavizaban sus pieles como en ningún otro lugar del mundo.

Arturo llegó hasta el sovjos en busca de trabajo y se ofreció como peluquero. Ante la insistencia, un jefe le pidió que le cortara el cabello y descubrió encantado que las tijeras se movían suavemente, sin la brusquedad que caracterizaba a los empleados del sovjos. El pelo caía sin sentirlo e incluso, al mirarse al espejo se descubrió apuesto y prolijo. La destreza del peluquero parecía alejarlo de la tosquedad de la tierra uzbeca y regresarlo a Moscú. Felicitó a Arturo con palmadas y enseguida comunicó la novedad al director de la granja.

Con el paso de los días, todos los jefes del sovjos acudieron asiduamente a cortarse el pelo y una nueva orden del director obligó a los trabajadores a afeitarse en el sillón de Arturo.

Con su ruso de acento europeo y sus conocimientos cosmopolitas, el marido de Perla conquistó la simpatía del director y, a medida que la confianza crecía, accedió a las mercaderías que estaban prohibidas para el resto de los trabajadores y que en la lejanía de Uzbekistán resultaban tesoros inimaginables: especies, leche fresca, carnero, mermeladas, tortas de miel.

Arturo y Perla se mudaron a una pieza del sovjos. El vínculo con el director se hizo más estrecho y la cocina del matrimonio se cubrió de platos que parecían salidos de un restaurante europeo.

Lleno de ambición y espíritu de revancha, Arturo parecía dispuesto a exonerar los tiempos de miseria con un camino vertiginoso hacia la jerarquía soviética, que conquistaba paso a paso con consejos y fidelidad.

El director le entregaba productos conseguidos en el mercado negro y Arturo los revendía a sus conocidos. En el mismo juego de seducción, Perla cocinaba para las autoridades que llegaban de Moscú y obtenía por sí misma la simpatía de los jerarcas.

En menos de un año, la pareja había construido un oasis de abundancia en medio de la estepa salvaje y la guerra parecía un eco lejano de occidente. Pero el recelo se extendió rápidamente entre el resto de los empleados, como el fuego en un bosque añoso. Miradas de reojo, gestos de envidia, maldiciones entre dientes, Perla y Arturo descubrían en cada rincón del sovjos cómo su fortuna se volvía tan placentera como peligrosa. La fragilidad de su presente ensombrecía su bienestar.

Pero una amenaza era todavía más tenebrosa que el rencor. Las leyes de la NKVD, la policía soviética, prohibían a los extranjeros trabajar en las granjas comunitarias. Arturo era un trabajador ilegal y, además, comerciaba productos del mercado negro. Su presencia era un blanco predilecto para los uniformados que buscaban castigar a quienes boicoteaban al Estado en plena emergencia nacional.

De esa forma, su buen pasar pendía de un hilo y cualquier denuncia, salida de tantas bocas resentidas, podía terminar en diez años de cárcel. Cualquier condena significaba regresar a Siberia, a los campos de concentración, a la esclavitud y el hambre. Eran tiempos de guerra y para el gobierno de Joseph Stalin la tolerancia era una palabra fuera de uso.

La huida por Portugal había fracasado en dos oportunidades. Francisco Franco consolidaba su poder. Cercado por los costados, Marcelino Fernández Villanueva resolvió que al menos iba a cobrarle cara la vida a los franquistas.

Los grupos dispersos de milicianos de León y Castilla habían comenzado a organizarse en unidades guerrilleras. Cada una designó un jefe y se distribuyeron en algunas zonas del monte.

En la clandestinidad comenzaron a editar su propio periódico. *El Guerrillero* salió por primera vez el 1º de abril de 1943, gracias a una multicopista conseguido por el miliciano Alexander Easton, *El Inglés*. La impresión se realizaba en el altillo del bar de Santalla, cuando el barullo de los comensales y los bailes del domingo disimulaban los ruidos de las máquinas. Eran cinco o seis hojas a doble página. Las editoriales estaban a cargo de Marcelino que firmaba enigmáticamente como *Juan sin nombre*.

La responsabilidad de la editorial estaba en manos de un periodista profesional, Emilio Cabrera, madrileño de origen, que se hacía llamar *El duende del valle*.

Con los meses, los 24 líderes guerrilleros del monte se reunieron en el pueblo de Fernandillo, próximo a Ponferrada, y resolvieron encauzar política y militarmente la organización. Conformaría una única gran estructura, dividida en agrupaciones, que tendría como objetivo primordial reforzar el antifranquismo y luchar por el retorno de la democracia.

Se aprobaron estatutos y se eligió un comité director que estaría en manos de Marcelino Fernández Villanueva. Sus ayudantes serían el sindicalista Marcelino de la Parra, y los socialistas Mario Morán y César Ríos.

Entretanto, los guerrilleros vivían la mayor parte del tiempo en pueblos y aldeas, protegidos en casas de familia de confianza. En los tiempos compartidos por la clandestinidad nacieron amores y noviazgos.

Sus principales operativos buscaban capturar a los recaudadores de impuestos para quedarse con el dinero. El resto del tiempo se gastaba sobre todo en la búsqueda de escondites que permitieran esquivar las redadas de la Guardia Civil. La relación de fuerzas era exageradamente desigual frente al franquismo, pero la guerrilla sobrevivía a la espera del fin de la Segunda Guerra Mundial y con la esperanza de una derrota del fascismo que arrastrara a Franco.

En la apertura del monte encontraban la solidaridad de los pastores que los ocultaban en sus casuchas de madera y piedra, y los acompañaban cuando movían los rebaños de ovejas hacia nuevos pastizales. La organización de la guerrilla llegó incluso a redactar un estatuto con las condiciones que debía reunir todo combatiente.

De huidos sin rumbo se habían transformado en una verdadera organización. Repartidos en forma individual o en parejas, los guerrilleros buscaban protección en casas de familia. Semana a semana rotaban de viviendas por precaución. La vida en las aldeas era más llevadera que en el monte, pero cualquier descuido podía convertir aquella casa en una trampera fatal, tanto para los revolucionarios como para los moradores.

Mientras tanto, Marcelino fue testigo de innumerables historias de amor de milicianos y mujeres de las aldeas. La vida se abría paso incluso entre el secreto y la ilegalidad. *El Gafas* asumía su rol de jefe de la guerrilla y escondía sus sentimientos bajo la severidad de las órdenes militares. Su propio romance también iba a llegar con el tiempo. Pero aún en la clandestinidad, Marcelino ya había gestado un hijo en el monte.

Ocho años habían servido para que Américo Miralles descubriera los secretos de la tienda Los Gobelinos y las mañas de sus jefes. El dueño del comercio se paseaba cada tanto por el salón sin amilanarse frente a los empleados por su baja estatura y revisaba cada rincón en busca de suciedad o de una prenda mal ordenada. Si todo estaba limpio tiraba disimuladamente un papel al suelo y daba la orden de levantarlo de inmediato. Un empleado tenía que ir a buscarlo y guardárselo en el bolsillo. Nadie protestaba.

La guerra en Europa había comenzado a traer escasez a la Argentina. Américo salió a la calle y descubrió que, por la falta de neumáticos, los colectivos andaban con ruedas de hierro sobre las vías del tranvía. Entonces entendió que las especulaciones sobre las consecuencias de la guerra habían dejado de ser una teoría y se habían vuelto realidad.

Progresivamente, el precio de los alimentos trepó hasta transformar un kilo de azúcar en un artículo de lujo. El sueldo de Américo rondaba los 200 pesos y la mitad se iba en el almacén.

Al poco tiempo comenzó a escasear el combustible. El servicio de trenes se fijó con horarios de emergencia. Ante la falta de carbón para mover los ferrocarriles se empezó a usar quebracho. Y los carteles luminosos de la calle sólo podían encenderse después de las diez de la noche.

Las importaciones hacia Europa habían caído y la crisis llegó rápidamente al campo. Sin trabajo, gran parte de la peonada partió rumbo a Buenos Aires, hombres y mujeres humildes, de piel morena, que pronto fueron llamados despectivamente "cabecitas negras".

Los aliados presionaban para que la Argentina declarara la guerra al Eje, pero el grueso del Ejército defendía a ultranza la neutralidad. El golpe militar de 1943, envuelto en sermones moralistas y oscuro patriotismo, terminó por alejar la posibilidad de un acercamiento a los aliados. Cada vez más, Occidente veía la neutralidad argentina como una forma solapada de simpatía por el nazismo y los mismos argentinos comenzaban a dividirse de acuerdo a los bandos enfrentados en la guerra.

Entretanto, los deseos de mejorar su situación laboral habían llevado a Américo a convertirse en delegado gremial de la tienda. De esa forma comenzó a frecuentar el sindicato de los empleados de comercio. Pocos meses después del golpe, las nuevas autoridades del gobierno nacional convocaron a los sindicatos a una reunión en el edificio del Concejo Deliberante para transmitir a los representantes de los trabajadores sus ideas sobre la política laboral.

Américo estaba apretujado en un rincón de los palcos cuando escuchó por primera vez la voz ronca del coronel Juan Domingo Perón, a cargo del Departamento Nacional de Trabajo. Su forma de hablar era clara y atrapante, se lo veía preocupado por capturar el interés del público y su estilo seductor tenía pocas similitudes con la opacidad característica del resto de los militares golpistas. El salón del Concejo rebasaba de dirigentes sindicales de los gremios de la Carne, Luz y Fuerza, Ferrocarriles y Comercio. Perón había logrado reunir a centenares de trabajadores y les transmitía sus ideas en un lenguaje familiar y claro. Américo se sorprendió al descubrir que el ignoto coronel sabía con certeza el precio del metro de tela, la forma de armar una pieza de un vagón de ferrocarril y el costo de la carne en los frigoríficos. Perón deslizaba intencionalmente precisiones a lo largo de su discurso para que los trabajadores sintieran que estaba al tanto de sus problemas y sus necesidades. La sorpresa creció cuando comenzó a lanzar propuestas que hasta entonces eran exclusivas de los socialistas, tales como jubilaciones, asistencia social, atención gratuita en los hospitales, y a denunciar la explotación en las fábricas y en el campo. Perón se encendió en críticas contra Justiniano Patrón Costas, el fustrado candidato a presidente de los conservadores, y gano el aplauso espontáneo de los asistentes.

Al finalizar el cónclave, Américo salió a la Avenida de Mayo con las palabras del coronel en sus oídos. Los jacarandáes se inclinaban suavemente con el viento.

—Si el tipo cumple la mitad de lo que promete, cambia el país —comentó todavía sorprendido a otro empleado.

Lentamente, el coronel ganó popularidad. Perón se transformó en el interlocutor de los trabajadores en el gobierno, aparecía en mangas de camisa, regalaba pan dulce en las fiestas obreras y premiaba con el apoyo oficial a los sindicatos que se sumaban a su proyecto político.

Al asumir la presidencia el general Edelmiro Farrell, Perón acumuló mayor poder y cargos en el gobierno militar. Pronto iba a ser más renombrado que el mismo presidente.

El 10 de junio de 1943 había nacido Bernardo, el segundo de la prole Levenson, apenas seis días después del golpe que había llevado al poder primero al general Arturo Rawson y luego al general Pedro Pablo Ramírez. La guerra mundial teñía cada discusión política. El ultranacionalismo presenciaba admirado la marcha de Hitler y en la Argentina recrudecían facciones, fervores y fanatismos.

El nuevo hijo había encontrado a Gregorio Levenson al frente de un comando agitador del Partido Comunista que, con revueltas, huelgas y proclamas impresas en folletines baratos buscaba conquistar la adhesión de los trabajadores y derrocar al nuevo gobierno militar. Las voces de los líderes del partido inundaban el espíritu de los militantes: "Los comunistas no persiguen ningún fin o propósito diferente de aquellos fines o propósitos que se proponen todas las fuerzas democráticas o progresistas del país. Estamos dispuestos, una vez abatida la dictadura pro nazi, a cooperar en la solución ordenada de los conflictos entre el capital y el trabajo".

El comunismo estaba proscripto y la dictadura, calificada de fascista, perseguía a sus integrantes para acallar sus críticas. En medio de una revuelta, Gregorio, junto a otros compañeros, fue detenido y encerrado por la tenebrosa Sección Especial de la Policía Federal. En los calabozos de los altos de la comisaría 8° de Once conoció la tortura y su cuerpo desnudo se estremeció de dolor con las descargas de la picana eléctrica. Gregorio se sintió morir varias veces entre golpes y electrocutaciones. Después, los carceleros lo regresaban agonizante al agujero oscuro donde dormía. Cerraba los ojos para reencontrar su pensamiento, descubrirse vivo y ejercitar la mente para evitar caer en el desmayo y la muerte. En la soledad, Gregorio revisó sus convicciones y comenzó a preguntarse si el comunismo estaba realmente en el futuro de la Argentina. Lentamente diseccionó las partes del rompecabezas que había hecho y deshecho en sus 15 años de militancia. Descubrió errores recientes y añejos. No comprendió el objetivo central y único de su partido: el apoyo incondicional a Rusia en su protagonismo en la contienda mundial. Tampoco la férrea oposición del comunismo a la política populista de Perón. En la oscuridad del calabozo sus pensamientos se entremezclaban con el recuerdo de las lúgubres sonrisas de sus torturadores González y Lombilla.

Gregorio comenzaba a vislumbrar en torno a las ideas de Perón nuevos movimientos. Añoró las sentidas luchas ideológicas y se preocupó por el imperialismo creciente. Volvió a negar el uso de la fuerza armada. Adivinó una Argentina invisible, una masa proletaria dueña de un profundo contenido nacional que pugnaba por protagonismo y justicia social, una multitud de trabajadores que podía convertirse en el eslabón de la cadena que pondría en marcha el proceso revolucionario. En la prisión, Gregorio comenzaba a dar forma a su nuevo secreto: el comunismo dejaba de ser símbolo de sus ideales.

El sábado 15 de enero de 1944 José Alberto Quiroga estaba de visita en la casa de los padres de María Elsa del Rosario Quiroga, quien pronto sería su esposa. Siguiendo las rigurosas tradiciones de la familia, José había tenido que pedir su mano. Sus futuros suegros lo habían aceptado pese al recelo de la madre que se resistía a reconocer que su hija había dejado de ser su pequeña. Era un buen muchacho, mayorcito ya y jefe del correo de la capital sanjuanina.

José había nacido en 1917 en una finca de Angaco, flanqueada por dos grandes canales. Andaba en sulky y deambulaba por los pasillos amplios e inundados por el perfume de los duraznos y las uvas. El sonido y las charlas de las descarozadoras y peladoras que llegaban cada temporada a la amplia mansión familiar matizaban la hora de la siesta.

Poco a poco, el negocio de los Quiroga había dejado de prosperar y sus padres habían decidido mudarse a la capital de la provincia. La ciudad acercó a José la posibilidad de cumplir su sueño de siempre: ser telegrafista. Para meterse en el mundo del repiqueteo y la clave morse, se había iniciado como mensajero del correo. El jefe de la oficina le había asignado una bicicleta con una sirena que servía para avisar a los vecinos que las cartas y los telegramas estaban por llegar.

Pero José, adolescente y un tanto mujeriego ya había ampliado el uso de la sirena. El silbido se había convertido en la señal para encuentros furtivos. José activaba la sirena y la pequeña Elsa sabía que era el momento para asomarse a la ventana o salir disimuladamente a la vereda. Inventaba miles de excusas para apaciguar la mirada atenta y rigurosa de su madre. Se conformaban simplemente con que sus ojos se cruzaran rápidos, profundos, tan pícaros como inocentes. Y luego José seguía su marcha en bicicleta.

Con algunos sinsabores y otras tantas alegrías, ambos habían respetado los tiempos impuestos por las costumbres. El noviazgo estaba por cumplir ocho años. José ya tenía 27 y Elsa, 24. Planeaban casarse el 15 de marzo. Ella había preparado la mayor parte de su ajuar: camisas, calzones, enaguas y camisones de una tersa batista de hilo, con puntillas y encajes; pañuelos de hilo vainillados y bordados. El tesoro estaba guardado en la casa de José, que era la sede del correo y se convertiría también en el hogar del matrimonio. Restaba un tiempo para convertirse en María Elsa del Rosario Quiroga de Quiroga. Su futuro nombre le daba un poco de gracia por lo extenso y repetitivo.

El atarceder del 15 de enero, la pareja conversaba con la familia de la novia como tantas veces, en un tono cordial, amable y recatado. Los refrescos amenizaban el calor sanjuanino, la quietud seca y árida. Poco antes de las nueve de la noche comenzó un temblor. Las paredes crujieron, las lámparas se bambolearon como péndulos. La corteza de la tierra empujaba hacia la luz. Un ruido ensordecedor apagó las voces. Se escucharon gritos, golpes, estruendos. Y de pronto hubo silencio.

La casa de Elsa había logrado escapar de la furia del terremoto. Pero enseguida pensó en su abuela y en su tía que estaban solas, y José en su madre y en los empleados del correo.

—Hija, cómo te vas a ir… —advirtió su madre mientras lloraba desesperadamente.

Sin temer a los peligros que los esperaban en el infierno que crecía afuera, ambos corrieron tomados de la mano por la calle Tucumán. Los gritos de dolor, los pedidos de auxilio y los quejidos de desesperación llegaban a sus oídos atónitos. Saltaron autos aplastados, surcos abiertos en la tierra, montañas de ladrillos a los que la argamasa ya no podía unir, trozos de maderas, hierros, cables sueltos. Corrieron sin mirar atrás, sin poder ayudar a los aterrados moribundos y a los resucitados que cruzaban a su paso. Una densa humareda cubría todo.

Agitados, avanzaron unas tres cuadras. La rutina y el instinto condujeron sus cuerpos en medio del caos. Todo el entorno conocido y familiar yacía en ruinas. La ausencia de escombros les indicó que habían llegado a la plaza Concepción, emplazada en la parte antigua de la ciudad. Un humo denso formado por miles de partículas de lo que había sido el hogar de cientos de sanjuaninos colmaba los pulmones. Los gritos, casi aullidos, acongojaban el alma.

Los ojos de Elsa buscaron desesperadamente la pequeña casa de la abuela. Estaban parados sobre lo que unos instantes atrás había sido el epicentro del terremoto. José le estrechó la mano más fuertemente. Y otra vez la costumbre les permitió reconocer la humilde morada. Sólo quedaban los despojos de la lucha desigual entre el hombre y la naturaleza. La vivienda se había convertido en humo y montículos de escombros.

Decidieron separarse, cada uno debía salvar a los suyos. Ahora era Elsa la que gemía pidiendo ayuda para sus familiares, como había escuchado antes a sus vecinos.

—¡Abuela, abuela! ¡Tía, tía! —gritaba Elsa, entre las ruinas.

Pero su grito se confundía entre las miles de voces que buscaban ayuda.

José siguió el camino hacia su casa. Llegó a la intersección de Chile y Tucumán. Miró hacia la cuadra donde vivía y se preguntó cómo podía reconocer qué montón de escombros sepultaba a su madre.

Sus manos comenzaron a cavar desesperadamente. Se desgarró la piel, sangró. De pronto sintió un susurro quejumbroso. Era la voz de su madre. La señal de vida le entregó nuevas fuerzas para quitar las últimas ruinas. La mujer apareció entre las piedras mal herida. José buscó un pañuelo en el bolsillo de su pantalón e improvisó un vendaje para resguardar la mano lastimada.

—Hijo, vaya a ayudar a los empleados, vaya a ayudar a los empleados… —gimió ella en un quejido agitado y débil.

Esquivó más despojos y fue en busca de los demás. Unos desconocidos se acercaron y lo ayudaron. Los sobrevivientes llegaban para rescatar a los aprisionados. José se irguió, tomó aire y regresó con su madre. Habían pasado unos pocos minutos pero ya era tarde. Su madre acababa de morir. En su cara todavía podía leerse su preocupación por el resto de las víctimas. José se llevó las manos a la cara y lloró, sentía que el mundo se le terminaba.

Los pedazos de paredes cubrían las calles de San Juan, la ciudad entera se había desmoronado y quedaba a la intemperie.

Entre golpes de llanto, José miró el cuerpo sin vida de su madre. No podía abandonarla en medio de los ladrillos y el polvo. Buscó una tabla y llamó a dos hombres que vagaban entre las ruinas. José arrastró el cuerpo por entre los escombros y con la ayuda de los desconocidos subió a su madre, aún tibia pero ya lejana, a la madera. Cada uno tomó un extremo de la improvisada camilla y caminaron las tres cuadras que los separaban de la casa de su hermana Mechu. A poco de llegar la divisó, junto a su marido, en la puerta de su hogar. Eran unos de los pocos que habían sobrevivido al terremoto. En silencio y sin pedir nada a cambio, los dos desconocidos que habían ayudado a llevar a la mujer se alejaron.

Ya era de madrugada y el ejército había comenzado a poner orden en el infierno. Sorteando ruinas y restos de muebles, algunos camiones recorrían la ciudad para levantar los cientos de cádaveres que se amontonaban en las calles. Debían llevarlos al cementerio y cremarlos. Las autoridades temían la aparición de epidemias.

Pero los Quiroga no estaban dispuestos a entregar a su madre. Entre los tres construyeron un ataúd con pedazos de madera que encontraron a mano y ocultaron el cadáver. Entonces escucharon el rugido de otro camión. Pero esta vez era un vecino que venía a auxiliarlos.

—Vamos a sacar a su madre de aquí —dijo el hombre.

José quería darle cristiana sepultura en el cementerio de Albardón. El camión inició su marcha en medio de la oscuridad. Tomó una calle, luego otra. Las figuras de los sobrevivientes emergían fantasmales entre los despojos. Las luces del vehículo eran el único faro.

Se acercaron al río San Juan. Restaba poco para llegar al cementerio. Por fortuna el temblor había dejado el puente intacto. Comenzaron el cruce. De repente el motor lanzó un ruido extraño y el camión se detuvo. El chofer intentó hacerlo arrancar pero el encendido rugía sin resultado. Entonces, aunque el vehículo seguía inerte, la cabina comenzó a temblar. Era un nuevo temblor. La tierra todavía descargaba su furia. José, su cuñado y el chofer se sostuvieron aterrados. En la parte trasera, el frágil ataúd se bamboleó. Debajo, el lecho pedregoso del río se movía embravecido. La ciudad se oscureció aún más y nuevos gritos de espanto se elevaron al aire.

Habían pasado apenas unos segundos cuando el temblor se detuvo. Se miraron sin decir palabra. El chofer giró la llave y la máquina funcionó. Siguieron la marcha. Ya en el cementerio buscaron un descampado y comenzaron a cavar una fosa. Un frío húmedo acompañaba el entierro. Con las últimas fuerzas, depositaron el cajón en el hueco de tierra virgen. Una tristeza profunda acompañó el camino de regreso a la ciudad en ruinas.

Cientos de sanjuaninos vagaban sin rumbo ni hogar. El paisaje era desolador: autos tapados por escombros, techos desplomados, árboles derribados, agua dispersa que corría por los recovecos, ropas, muebles y juguetes despedazados.

El 16 de enero amaneció gris y lluvioso. Algunas personas continuaban deambulando cubiertas de polvo y desorientadas, sin saber todavía dónde estaban los suyos. Los heridos yacían en camillas; las ambulancias recorrían la ciudad mientras grupos de soldados, bomberos y policías removían los escombros en búsqueda de nuevas víctimas. Las plazas estaban colmadas de familias sin hogar.

José se había refugiado en la casa de su hermana. Hacia la tarde fue a ver a Elsa. Le contó de la muerte de su madre y supo que los familiares de su novia se habían salvado por milagro. Minutos antes que comenzara el temblor, la abuela había dejado la casa y la tía había sobrevivido a una noche penosa y larga aprisionada entre las ruinas. Dos paredes se habían derrumbado simultáneamente y una había sostenido a la otra. En medio del triángulo se había cobijado su tía, sorprendida por el terremoto cuando daba de comer al canario.

Los días que siguieron al desastre distanciaron a José y a Elsa. Cada uno tenía sus penas para llorar. Además, la casa en la que iban a vivir luego del casamiento estaba destruida.

La búsqueda de víctimas continuó por días. Un velo negro cubrió al país. El terremoto había destruido el 80 por ciento de la ciudad y había matado a más de 10.000 personas.

José tuvo que rehabilitar el correo. El ejército le instaló una carpa en la plaza principal que debía servir como oficina y nueva casa. A los pocos días volvió a su antiguo hogar a rescatar pertenencias y entre los despojos encontró el diario del radiotelegrafista. "A las 20:52 me retiro a jefatura a transmitir el parte a Buenos Aires." Había sido su última frase. Un alud de tierra había sepultado al empleado cuando intentaba cruzar el patio que lo separaba de la oficina.

José ocupaba sus horas en el correo para pensar menos en la muerte de su madre. Se sentía solo y perdido. No tenía hogar ni familia y su unión con Elsa se había transformado en un sueño lejano. Pero no todos creían lo mismo.

Un día, un médico y un funcionario del correo llegaron a la casa de Elsa y hablaron con ella, José estaba muy mal, debía ayudarlo.

Se despidieron cordialmente. La ira de la naturaleza no había podido con su amor, que estaba signado a durar toda la vida. Esa misma noche, sin mencionar una palabra de la visita de los desconocidos y los entredichos, Elsa le dijo a José que el casamiento debía ser pronto. Fijaron la fecha para el 15 de febrero.

La joven tomó sus pocas pertenencias y las mudó a la carpa donde viviría con José. Ese sería su primer hogar de casada. Atrás quedaban los sueños del ajuar, de la casa de ladrillos, de la noche de bodas primorosa. Largos años habían esperado ese momento. El terremoto había desdibujado las imágenes de sus sueños. No tenían nada, pero estaban juntos y sentían que era suficiente.

Yo voy a venir a vivir aquí, así que ya no necesito más custodia. Que ya no venga a dormir nadie –advirtió José al policía que vigilaba la tienda por temor a los saqueos.

Estaba buscando, disimuladamente, intimidad para su noche de bodas. La ceremonia fue tan sencilla y austera como obligaban las circunstancias y las ausencias. En un momento, los esposos decidieron que era tiempo de retirarse. Unas linternas guiaron el camino hasta la carpa. La ciudad continuaba a oscuras. Por fin juntos, los cuerpos de José y Elsa se descubrieron sobre una cama prestada pero más suya que nunca. La verde loneta de la carpa los dejaba adivinar el ruido de la plaza y los movimientos de la ciudad. Estuvieron el uno en el otro y luego, despaciosamente, se adormecieron. A la madrugada, José sintió un ronroneo cercano. Miró a Elsa, ella también se estaba despertando. El ronquido se hizo más fuerte. José estiró su brazo y corrió la tela que los separaba del otro ambiente de la carpa. Su mano se topó con la cabeza de un policía, silencioso testigo de la noche de bodas. Él estalló en risas, ella en llanto.

La luna de miel no comenzaba bien para Elsa. Sintió tanta vergüenza por su intimidad violada que, en los días siguientes, decidió no salir de la carpa. Era su madre la encargada de traer la comida, saboreada a luz de la linterna y en un único plato compartido. Un día, Elsa terminó con su inocente cautiverio y salió a comprar algunos alimentos.

—Esta noche se acaba el mundo. Habrá un terremoto peor que el anterior —escuchó decir a uno de los clientes del negocio.

Atemorizada y llorando volvió al hogar y dio la noticia a José. Él buscó tranquilizarla, le restó importancia al vaticinio.

—No tenés que escuchar esas cosas. Lo que pasó no se repetirá jamás —le aseguró con tono vehemente.

Cenaron y se acostaron. De pronto estalló una lluvia torrencial. Un viento feroz comenzó a mover bruscamente la loneta de la carpa.

—Viste, yo te dije. ¡Ese hombre tenía razón! —vociferó ella aterrorizada.

Rápidamente, torrentes de agua embarraron el piso del hogar. Un relámpago tras otro iluminaban lo que creían era un nuevo infierno.

Era tan fuerte la tormenta que el viento comenzó a embolsar la carpa por los extremos que no estaban atados a los árboles. Afuera se escuchaban los gritos de los sanjuaninos que aún vivían en la intemperie de la plaza.

—Elsa, ¡agarrá aquella punta que yo sostengo esta otra! —ordenó José.

Empapados, resistieron con fiereza. Poco a poco las gotas de la lluvia se mezclaron con las lágrimas de Elsa. Los recién casados amanecieron empapados pero la tormenta había pasado. Lentamente volvía la calma a la ciudad. San Juan renacía desde los escombros.

El prestigio y la capacidad operativa de Marcelino Fernández Villanueva lo convirtieron rápidamente en el jefe del Estado Mayor de la Federación de Guerrillas de León y Galicia. A su cargo tenía milicianos de tres provincias divididos en pequeños grupos de combatientes que se ocultaban en la montaña y vivían de cazar jabalíes, conejos y lobos.

Los guerrilleros se veían a sí mismos como la vanguardia española de las tropas que combatían al nazismo en el resto de Europa y su debilidad frente al Ejército de Franco sólo les dejaba esperar una invasión aliada que derrocara al dictador.

Habían aprendido a sobrevivir aislados en el monte, de la caza y de la solidaridad de los pobladores. Tenían una red de refugios e informantes y habían filtrado espías incluso en el ejército. El mando estaba a cargo de los socialistas, que eran ignorados por la conducción de su partido en el exilio. Pero los viejos milicianos se consideraban pluralistas y respetaban más sus méritos de combate que sus inclinaciones ideológicas. Sin embargo, la intención de los comunistas de apropiarse de la jefatura había transformado los conflictos internos en un factor de debilidad más delicado aún que la persecución de los franquistas.

Marcelino había debido aceptar la llegada de nuevos integrantes, traídos por los jefes comunistas, a quienes desconocía y miraba con sospecha. La intención de copar la conducción de la federación de guerrillas era cada vez más evidente.

Entonces el asturiano intentó poner paños fríos en la contienda y se trasladó a Lugo para entrevistarse con los dirigentes comunistas

Víctor García Estanillo, *El Brasileño*, secretario del Partido Comunista Gallego, y Enriqueta Otero, *La Pasionaria*.

El Brasileño y *El Gafas* se habían conocido en la cárcel entre el 34 y el 36, después de la revolución de Asturias y poco antes de la Guerra Civil. Ambos habían integrado las Juventudes Socialistas Unificadas y ahora el futuro de la guerrilla los enfrentaba. Pero en Lugo el pasado común los unió a pesar de las diferencias ideológicas y los comunistas se comprometieron a seguir fieles a los mandos de la federación.

Sin embargo, a los pocos días del encuentro, *El Brasileño* y *La Pasionaria* cayeron en manos de la policía y el acuerdo cayó barranca abajo. *El Gafas* buscó revivir la concordancia entrevistándose con el nuevo jefe comunista Marcelino Rodríguez Fernández, pero terminó en una violenta discusión y entendió que un abismo separaba al recién llegado de sus viejos compañeros de armas. Rodríguez Fernández había reconocido que tenía órdenes de la conducción en el exilio del Partido Comunista de asumir la comandancia de la guerrilla de León y Galicia a cualquier precio. Las prácticas del stalinismo se extendían por el mundo. La reunión terminó con frialdad y *El Gafas* se fue de Lugo con una visión ensombrecida del futuro.

Al tiempo leyó en el periódico *Mundo Obrero* que figuraba como el enemigo número uno del comunismo y sus amigos le advirtieron también que había órdenes de eliminarlo. El comunismo había ideado dos planes: o lo delatarían mediante un anónimo enviado a la Guardia Civil o un comando propio se encargaría de matarlo en una emboscada. Sus aliados habían resultado tan peligrosos como sus enemigos.

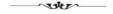

A lo largo de Europa, Hitler comenzaba a sufrir sus primeras derrotas, pero Francesco Pelloni era todavía prisionero del ejército alemán. En el frente de batalla y en los campos de concentración la guerra era escenario de atrocidades, pero para el muchacho italiano la vida transcurría sin mayores pesares. Lo habían asignado a una de las tantas islas que salpicaban el Adriático donde los combates sonaban alejados.

—¿Quién sabe hacer pan? —preguntó un día el general de la división que lo había capturado en Yugoslavia.

Francesco intuyó que levantar la mano era una forma de sobrevivir pero nunca imaginó que el gesto iba a llevarlo, en medio de tanta locura, a un paraíso para su estómago. Las raciones del cuartel eran escasas y desabridas, había hambre para todos. Pero gracias a su incursión en la cocina, Francesco conseguía alimentos secretamente y se quedaba con excedentes de pan para contrabandearlo.

Era prisionero del Führer pero gozaba de una cierta libertad, al punto que se hizo amigo de algunos pobladores. Compartían, a escondidas, ciertos momentos de recreación. Un día, con un saco de harina y algunas hogazas de pan, Francesco y otro prisionero que atendía la panadería partieron rumbo a la casa de una familia del lugar, que a cambio les ofrecía un cordero asado. Un manjar para esos tiempos de porciones escuálidas. Comenzaron a subir la ladera hasta que, a poco de andar, un grupo de diez partisanos los interceptó.

Vestían un pantalón rasgado y una camisa militar. Ninguna insignia que delatara su pertenencia a algún grupo. Hubo algunas preguntas formales hasta que empezó la negociación. La propuesta era sencilla: dos lugares en una barcaza que se dirigía a Italia a cambio de información o, de lo contrario, un tiro en la sien. No eran tiempos de lealtades ni de pactos eternos. El desafío diario de Francesco era llegar con vida hasta el próximo amanecer y, por supuesto, aceptó el acuerdo.

—En el cementerio están los tanques y la nafta. Aquella casa es la panadería y la despensa, aquella otra el depósito de municiones —informó el italiano a los partisanos.

—Vuelvan a la panadería. A las cinco de la tarde seis aviones bombardearán el lugar y ése será el momento del escape. Huyan al monte; ahí nos uniremos —ordenó un hombre que parecía ser el líder del grupo.

Ambos volvieron al campamento disimuladamente. Retomaron sus tareas habituales y se mezclaron entre los alemanes. Poco antes del atardecer Francesco y su amigo escucharon el zumbido de los aviones.

En el medio de los estruendos y la confusión, Francesco logró escabullirse de las tropas del Reich. En la corrida y sin poder evitarlo se separó de su amigo. Ahora estaba más solo que nunca.

Cuando cesó el ataque, comenzó la requisa. La ausencia de los dos prisioneros saltó rápidamente a la vista de los alemanes. Como perros de caza rastrearon las montañas. Escondido en una trinchera improvisada mientras el corazón le confirmaba que aún estaba vivo intuyó por los ruidos el avance de las botas nazis. El olfato de los sabuesos fue inútil para encontrarlo. Mezclado con las sombras del atardecer se unió a los partisanos. Esa noche durmió creyéndose libre.

Al día siguiente, tal como estaba pactado, lo subieron a un barco. Pero en lugar de tierra italiana, el destino era una nueva isla. Francesco atinó a quejarse por el compromiso incumplido, pero pronto lo pusieron frente a un nuevo dilema: firmar como soldado yugoslavo o ser entregado a los nazis y sus campos de concentración. Lentamente, y con una rabia inmensa contra su credulidad pueril, Francesco dibujó su apellido. El pacto se había roto definitivamente. Lejos había quedado la promesa de pisar su tierra natal; ahora era un soldado de Tito.

Sus días pasaban entre la atención a los heridos y el corte de la leña. Italia había depuesto las armas pero sólo y a merced de quien lo conquistara, Francesco seguía involucrado en la contienda. Hasta que una noche llegó la esperanza.

—En la isla hay un comando de ingleses y norteamericanos del servicio secreto. Es nuestra oportunidad —deslizó en voz baja un compañero italiano a Francesco.

Buscaron el momento indicado. Se acercaron al grupo aliado y Francesco habló en representación de los diecisiete soldados que habían corrido su misma suerte:

—Somos italianos y queremos combatir en nuestra tierra —imploró.

El comando prometió estudiar la propuesta. Ellos se unieron a los soldados de Tito como si nada hubiera sucedido. Pero el pedido había llegado a oídos del comandante partisano. Los acusaron de traidores, de desertores y, en secreto, los condenaron a muerte.

Al alba, unos gritos sacaron a Francesco y a sus compatriotas de la cama. Somnoliento y asustado caminó unos pasos. Sin poder resistirse, se colocó frente a los fusiles. Parecía que la guerra estaba por culminar. Hubo más gritos y demoras. Idas y vueltas. Él continuaba tieso. Los minutos se hicieron interminables. El corazón latía más fuerte. El sol de la mañana le enceguecía los ojos. De pronto escuchó corridas, gritos y órdenes. Se trataba de un comando de los aliados. Como una aparición celestial, los soldados los rescataron en el preciso momento en el que unos disparos amenazaban con marcar el fin.

Finalmente, el comando de los aliados recién llegado condujo a Francesco por el despeñadero hasta la costa, donde se subió a una barcaza. Hacia las cuatro de la tarde divisó la otra orilla y supo que era Bari. El olor profundo del DDT, que los norteamericanos usaron para desinfectarlos, inundó los cuerpos y les dio la bienvenida.

Estaba en su tierra italiana, en un país invadido y liberado a la vez. Los aliados lo enviaron a cuarentena. Allí supo que la línea Gustav había sido conquistada. Roma, Monte Cassino y Firenze habían sido arrancadas de las manos nazis. Desde Bari, Francesco escuchaba las noticias con atención. Su mente comenzó a tramar un plan de escape. Había llegado a unos veinte kilómetros de su ciudad natal. No lo dudó y con un fervor más familiar que patriótico pidió ir a liberar la línea Gótica. Emocionado y exhausto, se montó a un tren sumando mentalmente los pocos días que le quedaban en la contienda. Estaba dispuesto a ser un desertor antes que continuar en esa guerra arrolladora.

Pero las lluvias de otoño dificultaron la reconquista del norte. Y el ataque aliado se atascó en los Apeninos tosco-emilianos. Las tropas debieron desviarse hacia Ferrara. Allí llegó, ansioso, Francesco. Los días pasaban y no se vislumbraban señales del esperado ataque hacia el centro-norte de la península. Es que un invierno crudo y hostil había congelado los planes del comandante Clark y también los del joven Pelloni que, fusil en mano, tuvo que permanecer todo el invierno en las montañas. Era soldado del 5° Regimiento, división 223. Pasaba sus días soñando con regresar al hogar.

—Señor, quiero ir a casa —suplicó al comandante.

—En ocho o diez días, soldado —fue la respuesta breve y poco alentadora.

La espera se reveló demasiado prolongada para sus ansias. Francesco decidió que era tiempo de acortar los plazos. Una madrugada se despidió de sus compañeros más cercanos y leales y escapó campo traviesa con sesenta kilómetros por delante. Los primeros dos días encontró un plato de comida en la mesa de los compatriotas y un cobijo en sus establos. Estaba a mitad de camino cuando del otro lado de un riacho que estudiaba cómo cruzar, dos norteamericanos en un jeep lo divisaron. Miró su hombro. Leyó Italy y respiró. Ellos eran de su bando. Francesco balbuceó que estaba perdido y que quería llegar a Módena. Una hora después entraba a la ciudad, el 25 de septiembre, el mismísimo día de su liberación.

Esa noche todos los Pelloni se sentaron a la mesa. Después de tanta soledad recordó el significado de la palabra ternura. Con un vaso de licor de nuez de por medio, y mientras sus hermanos y amigos del vecindario bailaban festejando su regreso, Francesco dijo a su padre:

—No voy más, la guerra ya está terminando.

El padre se puso serio y meditó un instante antes de contestar.

—Hijo, tenés que volver. Como desertor el futuro será peor

que el pasado. No podés arruinarte el porvenir –respondió Bruno, ante la mirada desconsolada de su hijo. La familia tenía la esperanza de una paz inminente que devolviera a su hijo a salvo y sin acusaciones.

Dos días después se subió a un camión y recaló en Ferrara. Era otra vez soldado del 5° Regimiento aliado, división 223. Las idas y vueltas parecían infinitas.

Amparados en las tinieblas de la mañana, las tropas rusas se escondían en los bosques del oriente de Moscú. El frío lastimaba. Los soldados de Stalin estaban equipados con botas de fieltro, chaquetas acolchadas, sombreros de pieles, raquetas y esquíes en los pies, y trineos. Cubiertos por capas blancas se mimetizaban con el paisaje gélido. A fines de noviembre, la temperatura había descendido a 40 grados bajo cero. El 6 de diciembre, cien nuevas divisiones rusas sorprendieron a los exhaustos alemanes que continuaban el asedio en los límites de Moscú. Hitler decidió que era el momento de asumir personalmente el mando de las tropas y se opuso al repliegue, que aconsejaban sus comandantes. Lo obsesionaba someter a los rusos y vencer donde Napoleón había fracasado.

Ordenó a las tropas alemanas agruparse en bosques y aldeas cercanas. Debían resistir hasta la muerte. Con los días el invierno se hizo más cruento y la temperatura llegó a descender más allá de los 40 grados por debajo de cero. Las manos, los pies, el cuerpo se volvían trozos macizos de dolor; las orejas se congelaban y se caían a pedazos; la gangrena devoraba los últimos trozos de carne lastimada y escarchada. La nieve continuaba cayendo y detrás del frío, los rusos atacaban sin tregua ni descanso.

Pero las tropas del Führer lograron resistir al invierno. Los rusos aún conservaban Moscú en su poder pero no conseguían empujar definitivamente a los alemanes de su territorio. Entonces la aviación aliada acudió en su ayuda y los soldados del Eje debieron recular unos kilómetros.

En el interior de la capital soviética, Raquel Levenson dedicaba sus días a colaborar con el entrenamiento de las tropas. La guerra dejaba pocos respiros para extrañar a su hijo Alberto, que había sido alejado junto a otros chicos por el inicio de los combates.

Al fin, a fuerza de resistir, el ejército rojo logró empujar algunos kilómetros a los alemanes. Con la capital definitivamente a salvo, se decidió el regreso de los niños que habían sido evacuados. Las madres colmaron la estación y buscaron en el fin de las vías el tren que traía a sus hijos. Raquel aguardaba al suyo nerviosa, era toda su familia en Moscú. La máquina apareció a lo lejos y las mujeres se movieron inquietas a la espera de los pequeños. Cuando los vagones avanzaron junto al andén, los gritos de las madres cubrieron la estación con los nombres de sus niños. Raquel buscó entre las caras en busca de una mirada familiar. De pronto, entre los nombres arrojados al aire se abrió paso una voz de preocupación.

—Viene un nene enfermo, viene un nene enfermo —escuchó Raquel y pidió que no fuera el suyo.

Pero era Alberto, que había volcado en su cuerpo la angustia de la soledad. Se unieron en un abrazo fuerte e intenso y Raquel lo llevó entre caricias a su rincón de Moscú.

Sin embargo, la guerra impedía una maternidad plena. Se avirozaban nuevas y prolongadas luchas. Stalin buscaba extender la influencia soviética a través de la derrota alemana. Se necesitaban más soldados. La Internacional decidió armar un campamento de adiestramiento para guerrilleros en un sitio secreto de las afueras de Moscú y allí fue enviada Raquel como instructora de los recién llegados.

Cada mañana dejaba la cabaña de troncos, recorría las calles de casas bajas con techos a dos aguas y se acercaba al acantilado escarpado del río que surcaba el pueblo para caminar hasta el campamento. El pequeño Alberto la veía alejarse. Poco después algún chico se acercaba y juntos partían a jugar en trineo. Antes de que el sol se ocultara tras los últimos tejados, Alberto divisaba a lo lejos el regreso de su madre. En la penumbra se recortaba una figura compacta con unas salientes rígidas y una bolsa que parecía colmada de nueces gigantes. Era Raquel que volvía al hogar parapetada con su metralla y varias granadas.

El hielo se fue derritiendo lentamente. El sol entibió la piel. Los soldados rusos comenzaron el contraataque. La tropa enemiga estaba desgastada y desmembrada. La contraofensiva de Moscú no tardó en extenderse a todo el frente. Los alemanes no habían formado líneas defensivas para la retaguardia y no podían cavar trincheras porque el suelo estaba congelado. Algunos de los generales aconsejaron que las tropas se retiraran a Polonia, pero Hitler les ordenó mantenerse firmes en las posiciones y desvió algunas tropas hacia Stalingrado, donde se peleaba por cada edificio, para mantener el sitio. El fuego de ambos bandos era incesante. A su paso sólo quedaban casas y fábricas en ruinas.

El invierno siguiente volvió a obligar a los alemanes a retroceder. La invasión aliada a Sicilia también había forzado a Hitler a desviar tropas hacia Italia. Las líneas del Eje se desvanecían.

En el frente de batalla el frío doblegó una vez más los ánimos, los víveres tardaban en llegar y las raciones eran demasiado escasas. Muchos soldados alemanes parecían espectros adormecidos; habían consumido hasta la última gota de grasa de su cuerpo. El 1° de febrero de 1944 los despojos de las tropas alemanas capitularon en Stalingrado. En Alemania, todos los campanarios redoblaron y las banderas ondearon a media asta por la derrota.

Desde la retaguardia, Raquel y sus compañeros regresaron hasta la capital soviética. Se preparaban nuevos ataques y se necesitaban tropas frescas. Las divisiones húngaras, rumanas e italianas huyeron frente a los rumores de una feroz ofensiva rusa. Durante todo febrero, la telaraña trazada por las tropas del Reich en el frente oriental se fue destejiendo. Pero el Führer envió divisiones en su ayuda. La agobiante contienda se introducía en un nuevo laberinto.

El ejército rojo reanudó el ataque al aproximarse el invierno: recuperó territorios a costa de miles de víctimas propias y ajenas. Todos los triunfos significaban innumerables bajas, pero el objetivo era conquistar la capital del enemigo. Durante todo 1944 el frente alemán siguió siendo desgarrado. Los rumanos y búlgaros traicionaron a Alemania y se unieron a los rusos. Hitler estaba acorralado. En Moscú el ritmo era febril y Raquel continuaba entrenando a las últimas reservas que partirían hacia la gran batalla.

A principios de 1945, las guarniciones alemanas en suelo polaco intentaban detener el avance del ejército rojo. Pero los soviéticos ya habían logrado pisar territorio alemán. La guerra estaba por llegar a su fin.

Cuando la guerra parecía alejarse hacia Occidente, Arturo Szejman recibió un telegrama de Moscú que lo convocaba para alistarse en una brigada polaca. La victoria soviética de Stalingrado había puesto fin a la ofensiva alemana, pero los nazis todavía luchaban con todas sus fuerzas en la Rusia Blanca y cualquier emprendimiento solitario de los polacos refugiados parecía una condena al suicidio colectivo.

Al conocer la noticia, Perla Jerosolinsky se estremeció con un gélido presentimiento. No hubo tiempo para meditar. Pocos días después despedía a su marido en la estación de Kazán, con la cara helada por el temor y mientras intentaba forzar una sonrisa. Su cuñado también había sido convocado. Juntos se subieron al tren y partieron hacia el norte. Perla quedó sola en el andén mientras veía alejarse la estela de humo de la locomotora.

Las noticias de la guerra llegaban al sovjos como rumores lejanos, entrecortados e incompletos. Perla se llenaba de ocupaciones para evitar los pensamientos y la angustia, que la transportaban a los campos de batalla y a las matanzas de las bombas y los morteros.

De nada habían servido los miles de kilómetros que habían abierto entre la guerra y su hogar. La bestia siempre volvía para tragarse a los hombres y dejar en soledad a las mujeres. En cualquier lugar del planeta, en la calidez de Varsovia, bajo la nieve eterna de Siberia, en el desierto uzbeco, al otro lado de Afganistán, adonde fueran la guerra los encontraba.

En Moscú, Arturo y su cuñado fueron incorporados a una brigada al mando de Vanda Wasilewska, una polaca comunista que habría logrado el apoyo del gobierno soviético para armar un grupo de compatriotas y marchar hacia el oeste como parte de la contraofensiva.

Wasilewska, una escritora y activista de izquierda, se había acercado al comunismo antes de la guerra y había elegido la ciudadanía rusa por sus convicciones ideológicas.

El grupo de polacos liderado por Wasilewska había sido autorizado a editar publicaciones a favor del comunismo y a difundirlas más allá del frente de batalla, como parte de un plan de Stalin para asegurar el liderazgo soviético en Polonia tras el fin de la guerra.

Armados con pertrechos y mal vestidos, la brigada partió para enfrentar al ejército alemán que los aguardaba en las llanuras de la Rusia Blanca.

Hubo luchas incansables hasta que Arturo volvió a la capital soviética con una herida en la pierna que lo acompañó el resto de su vida. Su hermano había perdido un brazo en el campo de batalla. Durante meses estuvieron internados en el hospital de Moscú con dolores que parecían envolver sus cuerpos en llamas.

Finalmente regresaron al sovjos. Allí nada había cambiado. Arturo mantenía sus prerrogativas y su simpatía con los jerarcas rusos, pero la situación era cada vez más amenazante. Las inspecciones de la policía se repetían y Moscú exigía las cabezas de quienes se atrevieran a pensar en su propio beneficio en tiempos de guerra.

Cuando supo que estaba embarazada, Perla comprendió que debían dejar Karakum. El peligro permanente volvía imposible la vida. Dormían con un oído alerta a la espera del golpe en la puerta que anunciara el arresto de su marido. Buscaba en los comentarios a sus espaldas la revelación de una traición, de una denuncia que terminara con su estabilidad.

Perla marchó entonces hacia la oficina del subdirector con unas cartas escritas por su tío en polaco, que para el tártaro eran lo mismo que pergaminos con jeroglíficos egipcios.

—Me llegó una autorización del ejército para encontrarme con mi hermano en Varsovia —mintió Perla.

El tártaro ojeó los papeles sin descifrar una palabra. La guerra llegaba a su fin y las tropas rusas avanzaban hacia Berlín. La caída de Hitler era sólo cuestión de tiempo.

—Debemos volver cuanto antes a Polonia. Aquí está la orden del ejército.

Acosado por la mujer, el tártaro cedió y firmó un permiso que autorizaba la salida del sovjos.

La familia Jerosolinsky estaba nuevamente en marcha. El 7 de mayo de 1945, Alemania capituló sin condiciones. Cinco meses después nació su hijo. Sobre los campos arrasados, la vida volvía a florecer.

La división 223 de la tropa aliada fue destinada a Venecia y Francesco Pelloni enviado a los muelles de la ciudad, donde debía cargar y descargar frutas, verduras y todas las provisiones que llegaban para el ejército liberador. Con su nueva tarea pudo satisfacer a su gusto el apetito y conseguir dinero gracias a parte del cargamento que desviaba para su propio provecho.

La guerra comenzaba a diluirse. La suerte de la contienda ya estaba echada. En Occidente el clima se relajaba y la diversión se abría paso con la paz.

Una tarde, Francesco y dos compañeros llegaron hasta una casa en la que había un baile. El mundo buscaba exorcizar la muerte. El soldado husmeó tímidamente el interior y prefirió quedarse junto a la puerta. Su cuerpo nunca había sabido contonearse al ritmo de la música. Adentro los soldados bebían y se movían con desparpajo. Al rato un grupo de ingleses se unió al festejo. Entraron arrogantes abriéndose camino entre los italianos. Francesco miró fijamente a uno de los ingleses. El otro intuyó un desafío y lo empujó buscando pelea. Un derechazo contundente dejó tendido al inglés en la vereda. Un compatriota salió a defenderlo. Unos forcejeros, otra trompada y ambos terminaron en la acequia. Rápidamente, Francesco se puso de pie. Miró a su alrededor y descubrió dos fusiles que le ordenaban detenerse. Intercambiaron unas palabras y lo dejaron ir.

—Comandante, me peleé con dos ingleses —confesó Francesco a su jefe escocés al regresar al cuartel.

—Muy bien, soldado —lo felicitó en voz baja—. Ahora mismo se va de la ciudad por ocho días.

El odio ancestral entre Escocia e Inglaterra lo había salvado. Unas horas después, las policías inglesa e italiana llegaron al cuartel. Recorrieron el lugar buscando a un soldado con la mano hinchada. Pero Francesco ya estaba en Trieste a la espera del tren que iba a llevarlo a su casa.

Pasó una semana con su familia en Módena y regresó a Venecia. Como un sueño imposible a los oídos de Francesco llegó la noticia de que Hitler se había suicidado en Berlín y Alemania se rendía sin condiciones. Europa había vivido seis años en guerra y despertaba a la paz en ruinas. La ciudad se cubrió de festejos y gritos al aire.

Francesco se calzó su uniforme y cruzó el mar hasta Trieste para unirse a los soldados italianos que encolumnados junto a los polacos, los ingleses, los norteamericanos y los franceses recorrían las calles festejando la victoria de los aliados. Era el desfile de los vencedores.

Cuando la algarabía se aplacó, los europeos comenzaron a preguntarse por su futuro; jamás una guerra había extendido la destrucción a tantas almas y a los confines más recónditos del mundo.

En Venecia, el calor del verano resultaba tolerable gracias al aire del mar. Se veían soldados por cada recoveco de la ciudad, sobre sus puentes y a bordo de las pequeñas barcazas que llevaban mercancías de una isla a la otra. Francesco disfrutaba su día libre sentado a la sombra en la plaza de Mestre cuando un compañero lo sorprendió a gritos.

—¡Tiraron una bomba en Hiroshima! ¡Mataron a miles de japoneses!

Primero tardó en entender por qué tanta importancia por una sola bomba, había escuchado a cientos caer durante la guerra. Sólo con el correr de los días supo que la mortal combinación de uranio y plutonio había transformado en instantes a la ciudad japonesa en un desierto. La guerra agonizaba pero la locura todavía tenía miles de vidas por cobrarse. Tres días después un avión de las Fuerzas Aéreas estadounidenses lanzó otra bomba atómica sobre Nagasaki y en minutos murieron más de sesenta mil personas.

Francesco había peleado para uno y otro bando. La paz lo había sorprendido a salvo entre las tropas de los vencedores, pero la guerra le había enseñado que a ambos lados de las trincheras cuando las bombas se silencian sólo quedan víctimas.

Raquel Levenson recibió los ecos de la victoria aliada en Moscú. La conquista la llenó de entusiasmo, sintió que, de algún modo, estaba vengando a esa Madrid desolada por el abandono de los republicanos y la conquista de Francisco Franco. Esta vez, ella estaba del lado vencedor y el fascismo había caído.

Lentamente, la capital soviética retomó su ritmo. Hubo reencuentros y despedidas. Como tantos otros, Raquel y su hijo Alberto regresaron al hotel Lux que hervía de extranjeros. Ella abandonó la metralla y las granadas y comenzó a trabajar en la frecuencia para América latina de radio Moscú. La nostalgia afloraba a cada paso. Extrañaba a su familia, a Buenos Aires, a sus amigos. Hacía ya cinco años que no sabía nada de su marido ni de los suyos. Había luchado en tierra ajena durante los últimos diez años. Tenía 31. Comenzaba a sentirse sola y extraña entre los soviéticos.

Con el final de la contienda llegó a Moscú la primera embajada argentina y con ella el primer paquete de correspondencia. Había una carta de Juan José Real esperando por ella. Ansiosa abrió el sobre rápidamente. Con pocas palabras, su efímero esposo le comunicaba que tenía una nueva mujer. Raquel lloró profundamente y por primera vez se sintió desamparada.

—¿Por qué llorás mamá? —preguntó inocentemente Alberto.

—Porque tu padre me traicionó —respondió ella tajante.

Real había roto también el compromiso político que se habían jurado una vez. En medio del desengaño y necesitada de consuelo, Raquel extrañó a su hermano Gregorio, a su cuñada Lola, a sus sobrinos, a su madre Esther. Quiso recuperar los afectos y reencontrarse con quienes poseían los mismos ideales. En su alma cansada revivieron los mitines callejeros de esa Avellaneda caliente y maleva y el espíritu militante que la había empujado, casi diez años atrás, hacia Madrid. Habló con los dirigentes del Partido y pidió volver a la Argentina. Unos días después se embarcaban rumbo a Buenos Aires sin saber que en el país las cosas ya no eran como las recordaba.

La guerra había resquebrajado a su familia como una vasija rota. Flora di Benedetto había intentado apartarse de los enfrentamientos, de las luchas, de las heridas abiertas, y preocuparse por su futuro como enfermera. Durante los últimos seis años se había empeñado en seguir adelante con sus estudios y alejar a la guerra de su camino. Pero había sido inútil.

Sus hermanos se habían marchado del hogar para alistarse en la guerrilla partisana que combatía contra el fascismo mientras que ella se había afiliado al partido de Benito Mussolini para ingresar a la universidad en Roma. Luego, el fuego de los morteros de los aliados se había cruzado sobre el cielo de la ciudad y la vida se había detenido. De nada había servido afiliarse al fascismo y concentrarse en su carrera, Italia había sido devorada por la guerra.

Pero la lucha había traído también a su futuro marido entre las tropas aliadas que desfilaban victoriosas por Italia. Se llamaba Jan Zapisek y era un oficial del ejército polaco que había sido enviado a Siberia al caer en manos de los soviéticos. Más tarde, en medio de los vaivenes de la guerra, se había incorporado a las filas del ejército inglés al mando de Harold Alexander. También había combatido en Monte Cassino contra los nazis, donde los oficiales polacos vencieron la última resistencia alemana antes de la capital italiana, había perdido un oído en la batalla y luego había marchado triunfante por la Roma liberada. Entre las calles de la ciudad eterna, y después de años de soledad y sufrimiento, Jan descubrió a Flora, que ya tenía 33 años. Se sedujeron entre tanques aliados y uniformes militares. Rápidamente se prometieron matrimonio.

En Italia faltaba trabajo y los rastros de la guerra aparecían a la vuelta de cada esquina. Con la llegada de la paz, Jan fue autorizado a emigrar a Inglaterra, Canadá, Sudáfrica o América latina. Debía elegir un destino para continuar su vida. El frío y el idioma descartaron los dos primeros; los conflictos raciales a la nación africana.

—Vamos a la Argentina… —propuso Flora.

—Pero no hablo una palabra de español. ¿Qué voy a hacer allá? —se alarmó él.

—Algo vas a hacer, no te preocupes —prometió ella.

Flora prefería Buenos Aires porque sabía muy bien que en esa ciudad vivía una gran colonia de compatriotas suyos. En Roma, la mujer dejó a sus padres y a sus hermanos de los que se despidió sin saber cuándo regresarían. Desde la cubierta del barco, los recién casados vieron cómo Europa en ruinas se perdía detrás del Mediterráneo. Su historia se repetía en miles de inmigrantes que atravesaban el océano en busca de un nuevo hogar.

A mediados de 1945, Gregorio Levenson fue liberado por la dictadura del general Edelmiro Julián Farrel. En los calabozos había sufrido torturas y golpes, se había replanteado su posición política y se había acercado secretamente a Perón. Para sosegar el abatimiento y acortar distancias, Gregorio se cobijó en el afecto de su familia y buscó reconstruir los lazos desgarrados por su ausencia. Recuperó el tiempo con sus hijos. Acunó a Bernardo, jugó con Miguel. Entregó su amor a Lola y juntos se propusieron gestar otro hijo. Se reencontraron en la intimidad del matrimonio, debatieron y arribaron a una certeza: ellos y su amor eran tan militantes como al comienzo. Cerca o lejos de cualquier estructura partidaria.

Sin embargo, el acercamiento ideológico al movimiento político que comenzaba a insinuarse en torno a Perón los había dejado con una sensación de vacío. Estaban definitivamente alejados del Partido Comunista, que a causa de sus dudas había acusado a Gregorio de "debilidad ideológica" y lo había apartado de su seno. Muchas fueron las veces que algún compañero cruzó la calle para no mirarlo a los ojos y otras tantas las que lo tildaron de traidor. Gregorio y Lola aceptaron que las distancias ya eran insalvables. Supieron que ellos hubieran hecho lo mismo frente a un disidente.

La ruptura con el partido era definitiva pero faltaba madurez para aceptar la nueva propuesta. Confundidos y expectantes, observaban a Perón y a sus seguidores. Hacían esfuerzos por comprender el alcance de los cambios que sacudían a la Argentina. ¿Sería el pasaje hacia una sociedad socialista? ¿Estaban frente al eslabón de la cadena que pondría en marcha el proceso revolucionario? El 17 de octubre les daría la primera respuesta.

La participación de Américo Miralles en el sindicato de los empleados de comercio lo había acercado cada vez más a la vida política de la Argentina. Las prédicas a favor de los trabajadores del coronel Perón, que en su ascenso en el poder había acumulado los cargos de vicepresidente de la Nación, ministro de Guerra y secretario de Trabajo y Previsión, habían llevado a los colegas del sindicato a valorarlo como su principal referente dentro del gobierno militar. El coronel buscaba soluciones para los problemas de los obreros, a quienes los años de conservadurismo prácticamente habían ignorado. Américo soñaba con ver convertidas en realidad las promesas de Perón que satisfacían los reclamos de los sindicalistas y dejaban en la mente del empleado de la tienda Los Gobelinos la esperanza de alcanzar un mayor bienestar para su familia. Sus hijos, Alberto y Armando, tenían 6 y 3 años.

Pero mientras muchos sindicatos apoyaban al coronel, la oposición al régimen militar lo señalaba como el verdadero titiritero detrás del escenario oficial y lo equiparaba a Mussolini y Hitler. Para septiembre de 1945, el fascismo había sido derrotado en Europa y tanto radicales como socialistas y comunistas creían que la ola debía continuar en la Argentina con el derrocamiento de Farrell y el regreso de la democracia.

La Plaza del Congreso recibió el 19 de septiembre a miles de manifestantes que exigían elecciones libres y la vigencia de la Constitución. Sobre sus cabezas el cielo se abría luminoso y la primavera apresuraba su llegada a través de una brisa templada. Jamás el régimen había soportado semejante expresión de rechazo. El gobierno y Perón parecían heridos de muerte. Los militares se cerraron sobre sí mismos y respondieron con represión en las universidades y una férrea censura periodística.

Para el coronel Perón los problemas se multiplicaban, porque afrontaba además la oposición de las guarniciones de Campo de Mayo que veían con desconfianza su populismo. Las críticas se entreveraban también con el desagrado causado en los sectores más reaccionarios por sus apariciones públicas junto a la actriz de radioteatros, Eva Duarte, a quien Perón había conocido en un festival llevado a cabo en el Luna Park a beneficio de las víctimas del terremoto de San Juan.

El gobierno se veía acorralado. La censura daba lugar a rumores y la expectativa crecía a cada momento. Finalmente, el 9 de octubre la cadena de radiodifusión transmitió la noticia de la renuncia de Perón a sus cargos de vicepresidente, ministro de Guerra y secretario de Trabajo y Previsión.

Los sindicalistas que lo apoyaban sintieron su alejamiento como una afrenta personal que debían remediar.

Américo creyó que con la caída de Perón se hundían también sus sueños de progreso. Los amigos que el coronel conservaba en el gobierno y el apoyo de los sindicalistas le permitieron emitir un discurso de despedida a través de la radio. Américo estuvo pegado al parlante toda la tarde, hasta que a las 19 el micrófono montado en el palco de la calle Perú transmitió los rumores de la multitud que aclamaba a Perón, frente a la sede de la Secretaría de Trabajo y Previsión.

El coronel repasó astutamente sus logros conseguidos en favor de los obreros y anunció que dejaba firmados dos decretos. Uno que reglamentaba las asociaciones profesionales y otro que ordenaba un aumento de sueldos para todos los trabajadores.

—No voy a decirles adiós, les digo hasta siempre —se despidió heroico frente a sus seguidores.

Américo, embriagado por sus palabras, sentía que hablaba para sus oídos y se preguntaba cómo podían dejar ir al único funcionario que escuchaba a los trabajadores.

El 17 de octubre Américo Miralles se levantó temprano para salir de su casa rumbo a Los Gobelinos. El clima estaba húmedo y pegajoso. Asomó a la calle y empezó a caminar por las cuadras de Villa Luro. Entonces notó que la ciudad tenía un movimiento extraño. Miró alrededor sin terminar de comprender, hasta que lentamente descubrió que aquel desagrado por la renuncia de Perón, aquella bronca por las amenazas de tirar por la borda las conquistas obreras, aquel hartazgo por la eterna ignorancia de los marginados, todos aquellos sentimientos habían tomado cuerpo, por primera vez en la historia, en miles de trabajadores que marchaban hacia la Casa de Gobierno para exigir la libertad del coronel. Se sintió excitado y sin pensar en el puesto que esperaba en la tienda se sumó a las columnas preso de emoción.

El cordón policial que intentó impedir el paso de los manifestantes había sido superado. Hacia el mediodía la plaza desbordaba de trabajadores.

—¡Perón! ¡Perón! —resonaban los gritos en el aire.

Américo buscó un lugar elevado de la plaza y clavó su vista en el balcón de la Casa de Gobierno con la esperanza de descubrir al coronel. El calor apretaba y la caminata lo había dejado fatigado. El sol todavía brillaba en lo alto. Américo se sacó los zapatos ingleses de cabritilla que había comprado por doscientos pesos en una tienda de la calle Florida y metió los pies en la fuente de la plaza. El alivio le devolvió fuerzas.

La tarde pasó sin novedades para Américo y el resto de los trabajadores que esperaban a Perón. El gobierno había instalado parlantes en el balcón de la Casa de Gobierno. Cada funcionario que intentaba convencerlos de retirarse recibía una rechifla como respuesta.

Perón se hacía esperar y el sol se ocultaba lentamente por detrás de la Catedral. Nadie se animaba a alejarlos de la plaza y su fastidio creciente sólo iba a calmarse con la aparición de su líder.

Finalmente, a las 23.10, la figura de Perón se dibujó en el balcón y la plaza entera se levantó en gritos de euforia. El coronel se abrazó con el presidente Edelmiro Farrell y tras los acordes del Himno Nacional se acercó al micrófono.

—¡Trabajadores! —la plaza volvió a sumergirse en un trueno arrollador. Américo sintió que sus ojos se llenaban de lágrimas.

—Hace casi dos años —continuó— desde estos mismos balcones, dije que tenía tres honras en mi vida: la de ser soldado, la de ser un patriota y la de ser el primer trabajador argentino. Hoy a la tarde el Poder Ejecutivo ha firmado mi solicitud de retiro del servicio activo del ejército. Con ello he renunciado, voluntariamente, al más insigne honor al que puede aspirar un soldado: llevar las palmas y laureles de general de la Nación. Ello lo he hecho porque quiero seguir siendo el coronel Perón, y ponerme en este nombre al servicio integral del auténtico pueblo argentino. Dejo el honroso uniforme que me entregó la patria, para vestir la casaca del civil y mezclarme con esa masa sufriente y sudorosa que elabora el trabajo y la grandeza de la patria.

—¡El pueblo con Perón! —contestaban los manifestantes a grito pelado.

La aparición del coronel había significado una culminación perfecta para los miles de trabajadores que cubrían la plaza y que habían resistido bajo el sol hasta conseguir forzar su deseo.

—Pido a todos que nos quedemos por lo menos quince minutos más reunidos porque quiero estar desde este sitio contemplando este espectáculo que me saca de la tristeza que he vivido en estos días —concluyó Perón.

La multitud aplaudió a rabiar y se retiró lentamente de la plaza. Américo regresó a su casa sin lograr quitarse de la mente cada instante de la jornada. Nunca los trabajadores habían sentido como aquel día la fuerza de su unión.

El 22 de octubre Perón se casó con la actriz Eva Duarte y enseguida comenzó a tejer alianzas y entrelazar afinidades para lanzar su candidatura presidencial.

El domingo 24 de febrero de 1946, Américo se levantó temprano como de costumbre. Tomó unos mates mientras sacaba brillo a los zapatos, se calzó el traje y salió a la calle. En la ciudad, la humedad se enrarecía con la ansiedad. Llegó al colegio y se ubicó al final de una larga cola. Los votantes apenas se cruzaban unas palabras. Su hermano Armando votó a favor de la Unión Democrática, la alianza formada por radicales, socialistas, comunistas y demoprogresistas. Américo no tenía dudas: eligió la fórmula Perón-Quijano, que ganó con el 55 por ciento de los votos.

―――――――※―――――――

La fila de hombres y mujeres se escurría silenciosamente por las colinas. Perla Jerosolinsky llevaba a su hijo entre los brazos, envuelto en mantas y rogándole a Dios que lo mantuviera callado hasta que estuvieran fuera de peligro. De vez en vez abría suavemente las mantas y espiaba en su interior. El pequeño Juan dormía ajeno al temor que mantenía alerta al resto. De pronto, Perla alzó la vista y descubrió que había quedado rezagada de la caravana.

¿Dónde están todos?, se preguntó con desesperación. Miró alrededor y no vio a nadie. Solamente la ladera ascendente de las montañas, hierba y bosque. Los pájaros cantaban despreocupados. Ningún rastro de seres humanos en el horizonte; tampoco de su marido que se había mantenido junto a los demás.

Perla sostuvo a su hijo con firmeza y caminó hacia adelante en busca de una huella, un indicio que permitiera regresar al grupo.

Habían emigrado de Polonia primero y de Checoslovaquia después con el deseo de alejarse de las tierras desvastadas por la guerra, huir de la miseria y los rastros de la sangre que brotaban en cada edificio destruido, en cada cúpula abierta en cuatro. Había demasiados recuerdos entre las ruinas de familiares y amigos muertos, de lugares conocidos que se habían convertido en escombros, de caras que se paseaban desafiantes como si se alegraran de haber sobrevivido a la guerra gracias a traiciones y colaboracionismo. Perla y su marido Arturo habían resuelto marchar lejos y comenzar de nuevo, levantar un hogar para su hijo sin construir las paredes sobre los cadáveres de la guerra. Su primera meta era llegar a Alemania occidental porque sabían que el mejor lugar para los refugiados eran los campamentos norteamericanos.

En Checoslovaquia habían entrado en contacto con fuerzas israelíes que se preparaban para convertirse en el ejército de su nación cuando Inglaterra cumpliera con su promesa de permitir un estado judío en Palestina. Secretamente, el ejército israelí les había conseguido documentos y prometieron conducirlos a través de la frontera hasta Viena. La persecución nazi había logrado que Perla se sintiera más judía que en su adolescencia y Palestina parecía el lugar indicado para reconstruir su vida.

Para alejarse de Europa el mejor camino era llegar a la zona norteamericana de Alemania, donde había comunicaciones fluidas con el resto del mundo. Austria, que había quedado bajo la influencia de Occidente era el primer paso para cruzar la cortina de hierro que, según Winston Churchill, caería desde Settin hasta Trieste y partiría en dos a Europa primero, y luego al mundo.

Una vez en Austria, Perla, Arturo y el resto del grupo que marchaba en busca de los campos norteamericanos debieron caminar cientos de kilómetros hasta el campo de concentración de Ebensee, al pie de los Alpes orientales.

Los norteamericanos los recibieron como refugiados y los alojaron en el mismo lugar donde los nazis habían encerrado y asesinado a los judíos. Perla descubrió en las paredes largas listas con los nombres de los prisioneros, miles de familias que sin saber cuál sería el destino de sus vidas habían grabado en los muros una señal de su paso por el infierno, un mensaje al futuro, para que el último suspiro de su existencia tuviera al menos el valor del testimonio, para que, cuando la locura terminara, los sobrevivientes pudieran reconstruir el horror y, tal vez, evitar su repetición.

Perla paseó el dedo por la lista en busca de su propio apellido. Buscó en los rincones, en cada nombre calado sobre el cemento, tembló ante la aparición de apellidos conocidos, pero sin toparse con un Jerosolinsky. De todos modos, no sintió alivio. Hacía tiempo que había perdido la esperanza de encontrar a su familia con vida.

Perla y Arturo rogaron a los soldados israelíes que los ayudaran a cruzar la frontera hasta la parte de Alemania que había quedado bajo el control de los Estados Unidos. El contacto con los norteamericanos también trajo a sus planes la idea de emigrar hacia América, que había sobrevivido a la guerra sin sufrir ataques directos y hacia mediados del siglo emergía como la tierra más promisoria para el futuro.

El primer día de su llegada a Hofgeismar, en Alemania, Perla corrió hasta el último lugar de la fila con la esperanza de traer comida para su hijo, que adelgazaba peligrosamente y se sacudía de excitación cada vez que se le ponía delante algo para comer. La cola avanzaba despacio y, en el extremo, un soldado arrojaba un cucharón colmado de caldo y verduras en los platos y cacharros de los refugiados. Perla se miró las manos y las descubrió vacías. Entonces encontró la mirada juvenil de un soldado que contemplaba a su hijo Juan y había leído en la cara de Perla el motivo de su turbación. Se acercó a la joven y la interpeló en inglés. Para la joven las palabras eran ruidos sin sentido. Entendía polaco, ruso, alemán, pero la lengua de los ingleses sonaba para ella como el rasgado de una guitarra. Levantó los hombros en señal de ignorancia y trató de trasmitirle sus problemas con gestos. La cola avanzaba y el cucharón del cocinero se acercaba al vacío. El soldado murmuró una frase que ella interpretó como tranquilizadora por su tono y con la palma abierta le indicó que esperara sin moverse de la fila. Perla asintió con la cabeza y sujetó con firmeza la mano de su hijo. Los minutos se volvieron interminables. El conscripto había desaparecido. Miró alrededor y sólo descubrió caras desconocidas. Después bajó la mirada hacia el pequeño y sintió pena por ambos. Entonces sintió un andar familiar que se acercaba, era el soldado con un plato de metal entre las manos. El norteamericano acarició la cabeza del niño y los despidió. Iba a conservar aquel cacharro abollado por el resto de su vida.

～∿∾～

La guerra en Europa había terminado pero Franco seguía de pie en España. El mundo se dividía en dos bloques y las potencias de Occidente habían comenzado a ver con agrado el anticomunismo frenético de la derecha española.

En los montes de Galicia y León, ocultos entre los bosques y las rocas, los guerrilleros dirigidos por Marcelino Fernández Villanueva comenzaban a abandonar la esperanza de una invasión aliada. Muchos habían caído en los enfrentamientos con la guardia civil, que había incentivado la represión con la orden de exterminarlos, y la lucha interna entre socialistas y comunistas sólo colaboraba con la derrota.

Dispuesto a jugar su última carta, *El Gafas* partió hacia Lugo para entrevistarse con los jefes comunistas en un intento por detener la fractura. Marcelino había perdido a sus mejores amigos en tiroteos con los franquistas y la presión del régimen ahuyentaba a los aldeanos que acostumbraban a acogerlos en sus cabañas. Los guardias civiles habían entendido que la mayoría de los pastores eran colaboradores de los guerrilleros y los sometían a feroces interrogatorios con la intención de descubrir los escondites de los montes.

Desde el automóvil, Marcelino contempló a lo alto las paredes interminables de la muralla romana, se internó por callejuelas, cruzó un arco y buscó la casa donde debía encontrarse con Manuel Castro Tellado, jefe de la III agrupación de la guerrilla. Lugo se elevaba pueblerina sobre el valle del río Miño.

Hubo abrazos, apretones de manos y con pocas palabras acordaron reunirse con el resto de los jefes de la guerrilla del nordeste en la villa de Meira, en las afueras de la ciudad.

Era enero de 1947. El invierno traía nevadas repentinas y el frío apretaba. Los delatores habían puesto en alerta a la guardia civil. Marcelino y Tellado iban rumbo al caserío de Meira cuando fueron sorprendidos por una brigada. Enseguida buscaron retroceder y comenzó el tiroteo. Marcelino sacó una pistola y apuntó directo a los cuerpos de los policías. De pronto sintió un grito y vio cómo Tellado caía herido. *El Gafas* disparó salvajemente y logró pegarle a dos guardias. Turbados por la respuesta, los perseguidores retrocedieron y Marcelino aprovechó para escapar una vez más de la muerte.

Los guerrilleros lo ocultaron en la casa de la familia Galocha, en la aldea lucense de Bretoña. El encuentro había terminado en un fracaso. Después de una larga huida, entre camas desconocidas y corridas, Marcelino se recostó y miró a su alrededor. Los objetos, las líneas, los colores comenzaron a cubrirse de penumbra. Había perdido su ojo derecho por las torturas de la cárcel y ahora el izquierdo amenazaba con apagarse para siempre. Estaba aislado en Lugo, lejos de sus camaradas de los montes leoneses, y a punto de quedar ciego.

La noticia de la enfermedad de Marcelino corrió a través de España por los correos clandestinos de la guerrilla. Sus amigos de Asturias le enviaron dinero y un oftalmólogo para que lo salvara de las tinieblas.

A su refugio de Lugo llegó también el consejo de los dirigentes asturianos y del exilio para que abandonara la contienda. El socialismo tenía poco interés en la lucha armada y el presidente del partido, Indalecio Prieto, buscaba pactar con los monárquicos opuestos a Franco el regreso de la democracia.

Mientras lentamente recuperaba la visión, Marcelino volvió a cambiar de refugio y a rotar por hogares de pobladores y campesinos. Los jefes socialistas de la guerrilla buscaban huir por Portugal.

Era una noche serena. La luz de la luna dibujaba una línea platinada sobre la comarca. Escondido en una casa de labranza, Marcelino escuchó de pronto los pasos inconfundibles de una brigada de la Guardia Civil. La mujer de la casa llegó apresurada al cuarto donde descansaba *El Gafas*, lo tomó del brazo y lo llevó al establo.

—Abajo, abajo —pidió la mujer. Le agachó la cabeza y lo escondió entre las patas de un toro reproductor. Marcelino sujetaba su arma e intentaba descubrir en los sonidos los pasos de los guardias. La mujer lo cubrió con un manto de heno y lo dejó a solas con el toro. Desde su refugio escuchó voces y se mantuvo helado, mientras sentía el olor profundo del animal y el ruido de sus pezuñas que se movían nerviosas.

El cerco de las fuerzas de seguridad lo obligó a moverse hasta otro refugio y de esa forma fue llevado al hogar de la familia Ron Otero. Eran socialistas de toda la vida y lo albergaron en su casa como a un héroe.

Marcelino disfrutó la hospitalidad de los Ron Otero y desde el primer día su vista siguió los pasos de las hijas Remedios y Francisca, que se paseaban por la casa con irreverente alegría. *El Gafas* siguió con la mirada los cuerpos inexplorados de las hermanas, las curvas que se insinuaban debajo de los pliegues de sus vestidos, y descubrió que Francisca devolvía el interés a través de sus ojos pardos.

Mientras tanto, los guerrilleros socialistas preparaban un plan para huir de España y entrevistarse con los jefes políticos exiliados en Francia. Marcelino fue informado en Lugo de los preparativos y para sumarse a la evasión debía regresar a Asturias. A sus manos habían llegado también documentos falsos para cruzar, finalmente, la frontera.

—Debo irme ahora —se despidió el guerrillero de la familia que lo había protegido.

—Yo voy contigo —respondió Remedios, resuelta a ayudar a escapar al pretendiente de su hermana.

Marcelino consiguió un taxi y partieron rumbo a Asturias.

El taxista conocía a Remedios y las inclinaciones políticas de su familia, y en secreto comenzó a buscar cruzarse con una patrulla para entregarlos.

Al día siguiente, la información del taxista ayudó a la policía a detener a la joven, que fue arrastrada hasta una comisaría y torturada hasta arrancarle la confesión sobre los enlaces del guerrillero. La policía comenzó a reconstruir los pasos de *El Gafas* y a detener a los intermediarios que ayudaban con la huida.

El cerco se cerraba. Pero Marcelino junto al guerrillero César Ríos ya había logrado embarcarse en el puerto asturiano de Luanco, el 22 de octubre de 1948, en un pesquero de bandera francesa con apenas tres marineros. A través de la neblina del mar Cantábrico llegaron al puerto de San Juan de Luz, en Francia. Al día siguiente, el presidente del Partido Socialista Obrero Español los mandó a llamar para reunirse y retratarse juntos en una fotografía.

Había peleado 11 años, 3 días y 2 horas entre los montes de Galicia y León. Ahora planeaba una nueva vida. Al otro lado del Atlántico, en Buenos Aires, lo esperaban la familia Ron Otero y Francisca, la hija, de quien sin saberlo se había ya enamorado.

Arturo sentía que su vida era incómoda, a pesar del bienestar que entregaban los norteamericanos. Sabía que el mundo se extendía más allá de los cuarteles de refugiados, de las colas de comida, de las tabernas atendidas por soldados en sillas de rueda, por mozos con un solo brazo. Estaba cansado de cubrir la mesa con comida ajena, de sentir sus bolsillos pelados, de ver pasar la vida por detrás de los límites marcados por el ejército. La paz era una realidad. Se sentía fuerte e inteligente. Había logrado triunfar incluso en medio de la estepa uzbeca. La llama que ardía en su interior lo llevó a intensificar la correspondencia con un amigo que había huido a París tras el fin de la guerra. El conocido había inaugurado una sastrería en Francia y conquistado un buen pasar. Los relatos de sus cartas repiqueteaban en sus oídos como el zumbido de un moscardón. Sin contarle a su mujer, Arturo y su amigo comenzaron a planear en secreto una huida a Francia. En su horizonte, América ganaba terreno sobre Palestina. Los asentamientos judíos en Tierra Santa preanunciaban conflictos con los árabes y la pareja había sufrido demasiadas muertes para regresar a la guerra. Pero sobre todo, el hermano mayor de Arturo se había radicado en un lejano y próspero país de Sudamérica y las noticias aseguraban que su economía marchaba sobre rieles. El nombre resultaba simpático, como el tintinear de las cuentas de un collar: Argentina.

Finalmente, un día, le reveló a su mujer que pensaba escapar hacia París para asentarse en Francia, conseguir documentos y lograr que Perla y su hijo pudieran cruzar también la frontera.

—¿Una nueva aventura, Arturo? ¿Hasta cuándo vamos a viajar? No olvides que tenemos un hijo.

—Soy joven. No quiero hacer cola toda mi vida para conseguir un plato de sopa. Quiero trabajar, tener un empleo. Será la última aventura.

—¿La última?

—Sí, la última. Van a fusilarnos o conseguiremos un empleo y podremos finalmente tener nuestro propio hogar, nuestra propia vida.

Perla suspiró con resignación. Ella también sentía que juntos podían lograr mucho más que vivir de la beneficencia.

—La última aventura —repitió para sus adentros.

Arturo escapó del campamento y se encontró con su amigo en el territorio alemán. Juntos atravesaron la frontera por el sur.

Una vez en París, Arturo aprendió sastrería y en sociedad con su amigo comenzó a ganar sus primeros francos. Apenas juntó dinero suficiente metió los billetes dentro de un sobre y se los envió a Perla. Pero la correspondencia llegaba abierta a los cuarteles de Hofgeismar y sin el dinero. Su mujer terminó por pedirle que cambiara sus envíos de billetes por ropa.

Desde su llegada, Arturo se preocupó también por conseguir documentos franceses, pero la tarea resultó menos fácil de lo esperado. Con el paso de los meses se hizo cada vez más evidente que si bien su trabajo para la sastrería de su amigo permitía ganar buen dinero, también era cierto que tarde o temprano debía independizarse si quería progresar junto a su familia.

La búsqueda de Arturo lo llevó a entrar en contacto con otros judíos polacos que vivían en París. Los problemas comunes creaban redes invisibles de ayuda mutua. En medio de la ciudad de pronto podía descubrirse un bar donde se juntaban cientos de compatriotas con historias similares, donde se compartían soluciones y secretos, y cada vez que se confesaba una dificultad al aire el resto de los comensales devolvían a los oídos del sujeto decenas de alternativas, antecedentes parecidos y formas de resolverlos.

De esa forma Arturo escuchó hablar de un cardenal de origen polaco que había ayudado más de una vez a los judíos sin papeles. Enseguida consiguió su dirección y fue a verlo. Arturo había abandonado su idea de quedarse en Francia. Las cartas de su hermano Szajo desde Argentina eran cada vez más alentadoras y le rogaban que fuera hacia Buenos Aires para agrandar la familia. Juntos podrían comenzar de nuevo, formar un hogar como en los lejanos tiempos de Varsovia.

—Yo puedo ayudarte, pero no vayas a la Argentina. Allí gobierna Perón, un nazi, un militar que aprendió de Mussolini. No vayas.

El cardenal bajó la vista y acomodó unos papeles sobre su escritorio. Tenía una cara pálida y afable que invitaba a la confianza. Arturo sentía un tono paternal en su voz y enseguida entendió que sus consejos eran francos. Pero las cartas de su hermano nada decían de persecuciones nazis. Era imposible que mintiera. Los recuerdos de la guerra estaban demasiado frescos y sabía que a la menor oscuridad en el horizonte su hermano lo hubiera alertado.

—Vete a Australia, es un buen país. Verás que progresarás mejor que en la Argentina.

—Mi hermano está en Buenos Aires, cardenal, debemos unirnos. Ayúdenos por favor —contestó Arturo con una sonrisa.

El sacerdote meneó la cabeza frente a la obstinación de su interlocutor y le apoyó la mano en el hombro.

—No te preocupes, conseguiremos los documentos para que abandones Francia sin problemas.

Finalmente, el tren que traía a su espoa y su hijo, se detuvo lentamente en Gare du Nord. Entre las personas del andén Perla descubrió a Arturo de traje y corbata, tan prolijo y atractivo como en los días apasionados de Varsovia.

—Te amo —repitió la mujer y volvieron a apretar sus labios con un beso.

Los tres fueron hacia un hotel de París, donde Perla descubrió sin importarle que la elegancia de su marido se limitaba a su atuendo. Las paredes eran viejas y húmedas, y el edificio todavía parecía guardar las heridas de la guerra.

Sin poder aguardar, Perla salió a llenarse los ojos de Louvre, de Torre Eiffel, del Arco del Triunfo, de los cafés junto al Sena, de la bohemia que renacía tras la opresión, de Edith Piaf que cantaba al mundo su *Vie en rose* y del aire mágico que entregaba sentirse libre.

Pasearon hasta el anochecer y luego disfrutaron de una nueva noche juntos después de un año sin sentirse, sin olerse, sin la intimidad de sus charlas sobre el futuro.

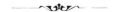

Los signos de la guerra se descubrían en cada esquina de Módena, en los comercios cerrados, los edificios destruidos, en la pobreza de la gente. Francesco Pelloni había regresado a su ciudad después de pelear por igual para fascistas, nazis y aliados con el deseo de construir una nueva vida. Pero en un lugar del alma llevaba las muertes grabadas como un rastro de suciedad imposible de limpiar.

Italia se había volcado tarde a los aliados y los vencedores iban a cobrarle cara su participación en el Eje con sumas millonarias. Se avecinaban años de escasez. De vuelta en casa, Francesco consiguió empleo como pintor, su oficio de adolescente. Pero la ciudad y su gente le eran extrañas. Su juventud se había ido con la guerra, algunos amigos habían muerto y otros habían emigrado. Francesco sintió entonces que era tiempo de iniciar una nueva vida, un futuro libre de recuerdos.

Se despidió de sus padres, de la ciudad donde había nacido, de sus calles empedradas, de sus iglesias, y partió. Viajó hacia el sur y se instaló en Crotona, un puerto de Calabria adonde llegaban las noticias del otro lado del océano, de América. Nuevamente consiguió empleo como pintor hasta que recibió, desde la Argentina, una carta de su cuñado Beliz. "En Córdoba están buscando pintores para la Fábrica Militar de Aviones. El sueldo es de 250 pesos", le había escrito.

No había nada que perder. Partió hacia Génova con la esperanza de juntar unos pesos y reunir a su familia en la Argentina. El 16 de enero de 1948, Francesco Pelloni se embarcó en *El Tucumán,* un buque de bandera argentina. En el barco viajaban otros 270 trabajadores italianos traídos por la Comisión de Recepción y Encauzamiento, y 514 inmigrantes de otras naciones.

El 9 de febrero de 1948 a las dos de la tarde Francesco desembarcó en la Argentina. Era lunes de carnaval. Descendió en la Dársena Norte con su cédula argentina número 4.013.321 en la mano. Ya estaba en América y ahora se llamaba Francisco. Lo alojaron en el Hotel de los Inmigrantes, un gran edificio de líneas rectas con un estrecho jardín al frente cercado por una prolija hilera de rejas y columnas. Le asignaron un cama cucheta en el amplio y concurrido pabellón dormitorio.

En el patio del hotel, Francisco estaba desempacando sus pocas pertenencias, una almohada, algo de ropa y su bicicleta, todo prolijamente ordenado en la gran caja de madera que había tallado su padre para el viaje, cuando alguien avisó:

—Pelloni, te buscan.

Pidió a un compañero que vigilara sus cosas y fue hacia la recepción. En el salón descubrió las caras de Blanca Molinari, una amiga de sus padres, y su hijo Nelson, sintió alivio de encontrar por fin una mano amiga.

—Venga a cenar con nosotros —invitó Nelson a Francisco y a otros cuatro conocidos que recién habían llegado de Europa.

Eran sus primeros pasos por la ciudad, que hervía de automóviles, mateos y tranvías. No había rastros de ruinas ni guerra. A Francisco, la Argentina se le presentaba pujante y hospitalaria. La cena fue amena y hablaron de Módena, del tiempo, de los carnavales, de trabajo. Cada tanto, Francisco miraba disimuladamente a Lidia, la menor de los Molinari.

Mientras esperaba que la fábrica militar de aviones lo mandara a buscar, el joven encontró trabajo como pintor de autos en el taller Tavenés, en Balcarce y México y amparado por la hospitalidad de los Molinari se acercó lentamente a Lidia. Entre miradas y halagos, un día se confesaron su amor y decidieron casarse en noviembre de ese mismo año. Sentían prisa por estar juntos. Lidia abandonó a su pretendiente, un mecánico de Juan Manuel Fangio, bastante adinerado y un poco dandy y su madre aceptó al nuevo candidato sin mayores cuestionamientos. Compraron el dormitorio de estilo provenzal y algo de blanquería para el modesto ajuar.

Su enamoramiento impidió que Francisco llegara a las sierras y a la fábrica militar. Un mejor puesto en la Capital y el amor por Lidia le hicieron echar raíces a la orilla del Río de la Plata. Antes del casamiento recibió una carta de su padre. "Hijo, me alegro que estés bien pero recordá que la América también se hace en Italia", había escrito el viejo Bruno con una nostalgia que duraría hasta su muerte. Pero la carta fue incapaz de torcer el nuevo camino de su hijo.

El *Jamaica* partía las olas con corcoveos interminables. El Atlántico se abría infinito, como un manto cromado de dunas ondulantes. Dentro del barco, la mugre y el hedor de los pasillos se volvía insoportable. El espacio resultaba cada vez más estrecho, los bordes de la nave parecían encogerse y cuando la travesía llevaba ya cuatro semanas de navegación, una sensación de claustrofobia invadía por igual a los pasajeros que se apretujaban con sus bártulos en la cubierta. En el horizonte, sin embargo, sólo se extendía el océano, sin rastros de tierra firme.

Perla Jerosolinsky se acodó en una baranda e intentó descubrir en la delgada línea del contorno marino el perfil de América. El cielo y el mar se unían en una sombra encrespada.

Polonia, Rusia, Siberia, Uzbekistán, Checoslovaquia, Alemania, Francia; la mujer se preguntó si el éxodo de su vida encontraría en el nuevo continente su tierra prometida. La quilla del *Jamaica* abría las olas en dos como el filo del cuchillo en una fruta madura. Habían sido demasiadas fronteras cruzadas en secreto y noches en vela a la espera de la voz militar que denunciara su presencia. La muerte había respirado en sus espaldas y habían escapado una y otra vez. Pero también había descubierto que la guerra dejaba en el alma una herida imposible de cubrir, como un pozo sin final.

En el camarote su hijo dormía apacible. Su marido Arturo conversaba con otros pasajeros. El destino los llevaba ahora hacia un país que les había cerrado sus puertas. Porque en Francia habían ignorado los consejos del cardenal y habían pedido un permiso como inmigrantes en la embajada argentina. Pero los diplomáticos habían rechazado su petición con excusas burocráticas. Los empleados le confesaron en secreto que los judíos tenían pocas esperanzas de entrar a la Argentina por las predilecciones ideológicas de los encargados de migraciones.

Pero, ellos habían delineado un plan: conseguir visados para Paraguay y desde allí entrar a la Argentina.

El *Jamaica* partía en pocos días más con destino a Montevideo, Uruguay, desde donde debían volar hasta Asunción.

—¡Llegamos, llegamos a América! —gritaban los pasajeros, y elevaban un coro de lenguas diferentes. Perla contuvo su deseo de correr hacia la baranda y se dirigió a su marido.

—El niño tiene fiebre.

—¿Estás segura?

—Sí, Arturo. ¿Qué vamos a hacer? No podemos volar a Paraguay.

Toscamente intentaron explicar que su hijo estaba enfermo, que necesitaban un médico.

Un funcionario los entregó a un grupo de gendarmes y los llevaron hasta un hotel desvencijado, en las afueras del puerto. Perla y Arturo se encontraron de pronto en una pieza húmeda, con una pequeña ventana que daba a la calle y por donde entraban los ruidos de la ciudad.

La llegada de los Jerosolinsky a Montevideo había corrido de boca en boca por la comunidad judía de Uruguay y llegado a los oídos de viejos conocidos de Varsovia. Al día siguiente, una familia judía que al igual que Perla eran de Novy Dwor llegó al hotel con comida, abrazos interminables y la compañía de un médico. Perla apenas podía creer que la noticia de su llegada se hubiera esparcido tan rápidamente. Una vez más la solidaridad, en cada rincón del mundo adonde fueran a parar, salvaba sus vidas. Al fin y al cabo, a pesar de los horrores, siempre sobrevivía una luz de humanidad.

Pocos días después Szajo Szejman llegó a Montevideo. Al verlo, Arturo se levantó de un salto y corrió a su encuentro. Apenas podía ahogar su emoción. Su familia, como otras miles, había estallado en pedazos durante la guerra, y desde entonces cada día había vivido a la espera de las noticias que anunciaban la muerte de sus conocidos. Había atravesado el mundo, había peleado entre las balas nazis y rusas, y allí estaba, en un lugar del mundo donde jamás había pensado estar. Las lágrimas estallaron incontenibles y unos a otros se saludaron interminablemente.

Una jornada fue insuficiente para ponerse al día. Antes de irse, Szajo miró fijamente a su hermano y dijo:

—No se muevan de acá por nada del mundo. Voy a conseguir papeles en la Argentina para sacarlos de Uruguay y cruzarlos a Buenos Aires.

Una tarde, Arturo lo vio entrar al hotel excitado y ansioso. Movía sus piernas y brazos con rapidez, como si una fuerza lo empujara más allá de sus posibilidades.

Los saludó con nerviosismo y enseguida sacó un paquete de entre las ropas. Arturo y Perla abrieron los ojos con ansia, mientras el hermano mayor desarmaba cuidadosamente el envoltorio. Las miradas estaban clavadas en el rectángulo de papel.

—Aquí están —exclamó Szajo sin sonreir.

La pareja tomó los pasaportes y los abrió en busca de la fotografía. Dos jóvenes desconocidos los miraban desde las hojas del documento.

—No somos nosotros —dijo Perla.

—Claro que no, pero nadie se dará cuenta porque son muy parecidos. La gente cambia con los años.

La noche cubrió Montevideo. Lentamente, Perla se había acostumbrado a los ruidos de la ciudad. Los gritos en español se volvían familiares, los olores de América, el atardecer dulzón de la ciudad, el ritmo provinciano de los uruguayos.

Cuando llegó la hora, Arturo se acercó a la ventana y miró para ambos lados. La calle estaba vacía. El empedrado brillaba bajo las luces de la noche. Entonces Arturo pasó una pierna y se sentó en el zócalo de la abertura. Perla sostenía a su hijo y con la mirada seguía los movimientos de su marido. Arturo cruzó la otra pierna y quedó apoyado con los pies hacia la calle. Miró una vez más a su mujer y saltó. El sonido seco de sus zapatos sobre la vereda sonó como un disparo. Perla se asomó y vio a su marido que levantaba los brazos para recibir al hijo. Se inclinó sobre la ventana y pasó al niño cuidadosamente. Rápidamente corrió a buscar las valijas y sacó todo hacia la vereda. Finalmente, Perla se subió al zócalo de la ventana y escapó silenciosamente.

Afuera los aguardaba Szajo. Caminaron con disimulo por la noche, entre las callejuelas de Montevideo que llevaban al puerto. La ciudad estaba vacía. En el amarradero los esperaba el pequeño barco que iba a cruzar el Río de la Plata. El agua parecía inmóvil después de los cimbronazos del mar. El corazón de Perla latía con nerviosismo. Arturo sostenía con firmeza sus documentos falsos y parecía concentrarse en los gestos de inocencia que debía improvisar cuando llegaran a destino. Perla paseó su mirada por el resto de los pasajeros, se los veía humildes y cabizbajos, como si fueran trabajadores que regresaban a su hogar. Había oído hablar del Plata, el río que se confundió con un mar, pero la anchura la sorprendió de todas formas cuando descubrió que había perdido de vista a Montevideo y por delante sólo había oscuridad. Finalmente, el perfil de Buenos Aires comenzó a dibujarse sobre el río.

El sudor corría frío por las manos de Perla. Su marido se acercó al empleado y, cuando el argentino dio la indicación con la cabeza, mostró los documentos. La ciudad parecía hundida en el silencio. El funcionario levantó la vista y recorrió las caras de Arturo, Perla y su hijo. Después asintió suavemente y dijo:

—Pasen, bienvenidos.

La alegría explotó en el pecho de Perla sin que pudiera dejar traslucir ni un suspiro de su emoción. Apretó los puños para contener sus sentimientos y respiró profundamente. Apuraron el paso y se dejaron devorar por Buenos Aires. La última aventura había terminado.

Luego de pasar unos años en la escuela de Trenel, al norte de La Pampa, María del Redentor Cobanera fue designada directora del colegio N° 83 de San Pedro de Capayán, en Catamarca.

Su marido había llegado meses atrás a la provincia para ocupar las cátedras de Latín, Castellano y Literatura en el Instituto Nacional del Profesorado y, desde entonces, María había pedido su traslado. Finalmente la familia volvía a encontrarse.

Atravesó valles y sierras desde La Pampa hasta Catamarca en un ómnibus y en Capayán se subió a un sulky que la llevaría hasta la casa preparada para su residencia. Llegó al pueblo al atardecer, cuando el sol comenzaba a ocultarse tras la cordillera. En el valle, entre las ondulaciones de las sierras de Ambato, crecían los naranjos, los mandarinos y los nogales, y al pie corría el agua del arroyo.

Don Desiderio Herrera, el dueño de la casa donde se instaló María, fue el primero de San Pedro en advertirle a la nueva directora sobre el conflicto que la esperaba. Un caudillo de la zona aspiraba que su esposa, maestra de la escuela, quedase al frente del colegio y contaba con la complicidad de un grupo de vecinos que lo seguían como a un líder.

Eran tiempos de cambios políticos. Catamarca presenciaba por entonces el ascenso de Vicente Leónidas Saadi, un joven ambicioso descendiente de una familia libanesa, que había logrado un lugar en el Senado nacional engañando telefónicamente a los líderes locales con una imitación de la voz de Juan Domingo Perón. Catamarca era una tierra de caudillos y terratenientes, donde la autoridad se heredaba y sólo el poder daba derechos.

En la escuela, María buscó evitar el enfrentamiento con el ex director de la escuela, que hacía alarde de influencias y autoridad. Pero su deseo de dejar a su mujer a cargo del colegio volvió inevitable el choque. Apenas descubrió que María iba a ser un escollo en sus ambiciones comenzó a enviar notas a las autoridades escolares con falsas acusaciones. La responsabilizaba de alejarse de la escuela y de forzar a los alumnos a ir a la iglesia en vez de asistir a clase. Eran inventos creados a partir de chismes llevados por la mujer del caudillo, pero que complicaban su futuro por el poder de su adversario. Cuando faltaban dos meses para terminar las clases, María supo que habían iniciado un sumario para investigar su conducta.

Entretanto, la directora se refugiaba en las charlas con don Desiderio, al calor del mate y la pava sobre el brasero. Bajo la parra encontraba su descanso y acompañaba las conversaciones con pan casero del horno de barro, empanadas fritas o pastelitos. María también buscaba serenidad en sus recogimientos religiosos, disfrutaba de la veneración catamarqueña por los santos y especialmente por la Virgen del Valle. Se sentía a gusto al ver pasar las caravanas de peregrinos que llegaban a rendirle culto a la virgen, y se maravillaba con los vendedores de mantas, ponchos de vicuña y alpaca, quillangos, fajas y canastas, que se reunían en las ceremonias.

María creía ciegamente que la divulgación de la religión era la mejor forma de salvar las injusticias a los desposeídos de San Pedro y evitar más adolescentes embarazadas a causa de las aventuras de los hijos de los terratenientes.

El sumario finalmente descartó las acusaciones, pero María estaba cansada de la pelea. Corría 1948 y Saadi comenzaba a tomar las riendas de la política provincial. Hacía 30 años que la maestra viajaba por el país de una escuela a otra. Extrañaba a su familia y ya no sentía las fuerzas que la habían llevado a internarse en un rancho de adobe por primera vez. El destino quiso que la hermana del ministro de Educación, Magda Ivannisevich, visitara Catamarca y María pudiera expresarle personalmente su intención de regresar a Buenos Aires. Poco después su deseo fue concedido.

A lo lejos, el puerto de Buenos Aires insinuaba lentamente sus grúas y sus mástiles recortados en el horizonte. En el barco viajaba una treintena de inmigrantes. Los más afortunados llevaban el nombre de un pariente arrugado en un papel. El resto sólo huía de los pueblos arrasados por la guerra. En el grupo, Marcelino Fernández Villanueva se acomodaba sus gafas y sostenía su única valija a la espera de la llegada.

El barco atracó en la Dársena Norte. Desembarcaron, cruzaron una larga explanada de adoquines y Marcelino fue llevado junto al resto al Hotel de Inmigrantes. Unas horas después lo llamaron. Marcelino se puso alerta, pero enseguida se distendió cuando supo que sólo llegaban para avisarle que Francisca Ron Otero, acompañada de sus padres, traían la orden de un juez que certificaba que Marcelino Fernández Villanueva había arribado a la Argentina para contraer matrimonio.

A los pocos días se casó en los Tribunales y luego fue rumbo al Centro Republicano Español, de la calle Bartolomé Mitre al 900, en busca de ayuda para abrirse paso en su nuevo país. Por primera vez sentía que podía moverse a la luz del día, entre las calles bulliciosas, sin mirar a sus espaldas ni ocultar su cara.

Durante todo el viaje en mar había escondido una carta en un zapato. Al llegar al Centro Republicano la mostró a sus autoridades. Era una nota de don Álvarez del Vallo, un dirigente socialista que había sido ministro de la España republicana. La carta pedía protección y ayuda para Marcelino Fernández Villanueva, quien había luchado contra la tiranía de Franco en nombre de la República. En pocos días, sus nuevos amigos del centro lo ayudaron a conseguir un empleo y documentos argentinos.

El Gafas promediaba los 30 años cuando consiguió trabajo en la Papelera Iturrat. Sus manos ya no sujetaban armas. Los dueños le ofrecieron ir en el camión de los repartos pero Marcelino prefirió ofrecerse como vendedor. Apenas conocía los nombres de las calles de su nueva casa, Formosa y San Irineo, en el barrio de Caballito, pero estaba preparado para recorrer la ciudad en busca de clientes. Al fin y al cabo era un hombre de monte y sabía sobrevivir.

1950

El gobierno peronista había aumentado los sueldos mínimos y el empleado de la tienda Los Gobelinos, Américo Miralles, había logrado duplicar su salario. Como delegado del Sindicato de Comercio, Américo reunió un día a sus compañeros de trabajo y propuso que todos juntaran sus sueldos y los repartieran en partes iguales. Los vendedores de la tienda aceptaron y, desde entonces, se encontraban a fin de mes en torno a la mesa de una confitería con sus recibos de sueldo en la mano. Los mozos de La Boston y la Loprete eran amenos testigos del reparto y los empleados sentían que, de esa forma, se aseguraban un sueldo promedio más allá de los altibajos de sus ventas personales.

El bienestar de la última década comenzaba a empañarse. Los años 50 presagiaban tiempos de ajustes. El enfrentamiento entre el peronismo y la oposición se había vuelto más violento y Perón entrelazaba frases de concordia con amenazas.

Américo se unió con devoción a la gigantesca máquina peronista y, en medio de la campaña para las próximas elecciones presidenciales, participó de los actos oficialistas para contagiar como trabajador su opción por Perón. Los fines de semana recorrían con otros delegados sindicales los cines de los pueblos para repetir las promesas electorales y recordar los logros económicos y sociales del gobierno.

El 1° de mayo de 1950, Américo se sumó a la masa de trabajadores que festejaban su día frente a la Casa Rosada. Perón salió al balcón y la gente se quebró en un saludo ensordecedor. El presidente repasó una vez más el dogma peronista.

Cerca de fin de año, Américo renunció a Los Gobelinos para trabajar en Casa Castilla, de Uruguay 190, una de las talabarterías preferidas por los zapateros que su suegro había abierto antes de morir. Los compañeros de trabajo lo despidieron con una gran comida. Aquel día, Américo comenzó a alejarse lentamente de la actividad sindical, donde además había comenzado a descubrir con desagrado el ascenso de dirigentes que se abrían camino con más obsecuencia que capacidad y más ambición que entrega. El ambiente gremial se enrarecía entre arreglos inconfesables y deslealtades.

Por aquel tiempo, al frente de una vigorosa fundación dedicada a la asistencia social, Eva Duarte había logrado entrelazar su fascinación como actriz con su carisma político y conquistado un nivel de popularidad que incluso superaba a su marido. Pero desde fines de 1949, un cáncer había comenzado secretamente a consumir su salud. Eva palideció, sufrió hemorragias y perdió peso. A medida que su estado trascendió a la sociedad, los homenajes a la "abanderada de los humildes" se volvieron sombríos y melancólicos. Al mismo tiempo su sufrimiento profundizó la adoración de los peronistas. Pero el odio que separaba a grupos de argentinos de acuerdo a su orientación política también dio lugar a pintadas dolientes con la leyenda "Viva el cáncer".

La CGT buscó torcer el destino y organizó un masivo cabildo abierto en la avenida 9 de Julio para rogarle que aceptara la candidatura a vicepresidente. Eva pidió tiempo para pensarlo, pero el 31 de agosto anunció por radio que renunciaba al pedido de los trabajadores. El desgaste de negociaciones secretas y exhibiciones públicas había acelerado su enfermedad.

El 17 de octubre de 1951 se levantó de la cama. La gente se agolpó en las calles que hacían vértice con la Plaza de Mayo. Américo Miralles y su mujer llegaron temprano a la cita. Entre empujones ganaron un lugar sobre la Avenida de Mayo, desde donde pudieron ver a la lejanía cómo Evita avanzaba en un automóvil descapotable ayudada por una estructura metálica para mantenerse de pie.

En los balcones de los edificios que rodeaban la plaza dos cámaras de televisión estaban a punto de captar las imágenes de la primera transmisión de televisión argentina. Era un Día de la Lealtad Peronista especial. Evita, demacrada y con la voz apagada por la agonía, iba a despedirse de sus descamisados.

Mary, la mujer de Américo, lloraba con las manos en la cara. Su esposo, atrapado por su propio dolor, era incapaz de darle consuelo.

La cuadra de Martínez Castro, en Floresta, se había cubierto de casas alargadas, con pasillos profundos que morían en el centro de la manzana, techos planos y amplias puertas con banderolas.

Al frente de su hogar, la familia Gurevich había instalado una colchonería, y a la vuelta, los peronistas del barrio habían abierto una Unidad Básica.

El partido de Perón crecía, sus locales se multiplicaban y las campañas de afiliación se volvían compulsivas. Una maraña de amiguismos y burócratas vinculados al peronismo se reproducía sin pausa a la sombra del poder oficial.

Cecilia Gurevich prefería a los socialistas y se enardecía cada vez que leía las denuncias pomposas de *La Vanguardia* contra el gobierno.

La dueña de la colchonería conocía a los peronistas de la Unidad Básica pero rechazaba sistemáticamente sus invitaciones a afiliarse. La insistencia la exasperaba, como si intentaran demostrarle que era imposible vivir al margen del partido oficial.

Cecilia había nacido en 1914 en un hogar humilde de Buenos Aires y había abandonado el secundario luego de la muerte de su mamá. Por aquel entonces, la prioridad para los estudios eran los hermanos varones. Había visto con desconfianza el ascenso del peronismo al poder y se molestaba cuando escuchaba halagos hacia Eva Perón porque consideraba que su ayuda social era como limosnas para los pobres.

Por ello, cuando desde la Unidad Básica llegaron con un pedido de colchones para la fundación de Evita, Cecilia inventó excusas para justificar su negativa. Los argumentos dejaron inconformes a sus vecinos peronistas, quienes se preocuparon por recordarle el trabajo social de la mujer de Perón, las necesidades de su fundación y las obligaciones del pueblo para con los pobres. A Cecilia todo le sonaba a politiquería y creía que era una forma demagógica de ayudar a los más necesitados.

Los peronistas se marcharon del local furiosos. A los pocos días comenzaron a llegar los inspectores. Revisaban puntillosamente sus papeles de habilitación, sus libros contables, cada rincón del negocio estuvo bajo su lupa. Lejos de amedrentarla, las presiones de la Unidad Básica la envalentonaron. Continuó negándose a entregar colchones y enfrentó a los peronistas como si en su postura se jugara profundos ideales. Las diferencias frente al gobierno dividían a la mayor parte de los argentinos

María del Redentor Cobanera de Álvarez había regresado a Buenos Aires en compañía de su familia, para trabajar en una escuela levantada a un lado del camino que unía Suipacha y Almeyda, al norte de la provincia. Los tiempos de penurias para la maestra parecían alejarse con el pasado.

La escuela ocupaba un terreno donado por los propietarios de la estancia "La Dulce". Era un edificio de estilo canadiense, con dos grandes aulas, dirección, amplias galerías y baños. Los salones de clase estaba bien provistos con pizarrones, bancos, mapas y escritorios, y tenían incluso salamandras para espantar el frío. El recuerdo del ranchito neuquino de adobe los hacía reír en las tardes cálidas de "La Dulce".

Comenzaban los 50. Juan Domingo Perón había logrado concentrar el poder de los sindicatos y su partido poseía una cómoda mayoría en el Parlamento. Los sueldos de los trabajadores habían mejorado, se extendían los beneficios de las jubilaciones y los empleados disfrutaban por primera vez de las conquistas de los sindicatos, como hoteles accesibles en los centros de veraneo, que daban al país una atmósfera de bienestar. La Argentina y las familias se quebraban en dos entre peronistas y antiperonistas sin lugar para los acuerdos. Al lado del líder, Eva Duarte conquistaba admiración con su propio carisma y seducción. Había dejado su trabajo de actriz para acompañar a Perón y se había convertido en la principal impulsora de la tarea social del gobierno. Bajo la sombra de su nuevo protagonismo, las mujeres se preparaban para votar por primera vez en la historia argentina.

A principios de noviembre de 1951, María debió viajar a Suipacha en medio de una tormenta. El domingo 11 la encontró al frente de una mesa electoral femenina. La maestra había sido convocada como presidente de mesa.

A lo largo de toda la semana, Lidia Molinari había pensado con ansiedad en el domingo. Tenía 24 años. Había deseado acelerar los tiempos y las tareas para acercar la jornada, para vivirla de una vez y terminar de desearla.

Finalmente, el domingo 11 de noviembre de 1951, Lidia se levantó más temprano que de costumbre. Preparó café y tostadas. Se vistió con su chaqueta celeste y blanca (la misma que había usado, tres años atrás, en su primera cita amorosa con Francesco Pelloni) y una pollera negra que escondía sus rodillas. Completó el atuendo con unos mocasines al tono, los únicos zapatos que soportaba desde su primer y reciente embarazo. Poco importaba que la moda exigiese tacos altos.

Una y otra vez se asomó nerviosa a la puerta de su casa. Desde allí podía divisar la escuela Juana Manso. Por primera vez, el colegio no significaba útiles ni libros sino el símbolo de su primera e inestable participación cívica. Por fin podían votar. Durante una hora contempló cómo, lentamente, algunas mujeres formaban fila con la libreta cívica en mano.

A primera hora de la mañana, caminó los pasos que la separaban de Zapata 449. Buscó el número de su mesa y se sumó a la espera.

—Yo no sabía por quién votar, por eso le pregunté a mi marido —escuchó decir a una vecina.

—Yo tampoco, esto del voto es una molestia —oyó responder a otra.

Se sintió enojada por las quejas y pese a la estricta veta política, Lidia se animó a contestarles a las compañeras de fila. Con tono conciliador buscó argumentar sobre la importancia y la justicia del voto femenino, pero sus creencias progresistas, conseguidas en un hogar de socialistas, chocaron contra décadas de sumisión y silencio. Los entredichos opacaron levemente la emoción de aquel domingo primaveral.

Sin embargo, Lidia resolvió que la experiencia de votar era más fuerte que los lamentos y la ignorancia de aquellas mujeres. Esperó ansiosa hasta que llegó su turno. Y cuando estuvo frente a la mesa entregó su documento virgen. Las dudas masticadas durante los últimos días volvieron a su mente. En su interior, Lidia sentía que la lucha por el voto femenino pertenecía más a Alfredo Palacios que al matrimonio Perón. "¿Cómo no podés querer a Evita si es linda como un sol?" La pregunta de su amiga Elena hizo eco en su cabeza. Lidia era socialista, pero sentía la necesidad de agradecer al gobierno que por primera vez le ofrendaba la posibilidad de elegir. Entonces tomó la boleta del peronismo y la depositó en la urna.

Tal vez por vergüenza, tal vez por rebeldía decidió que esa

ofrenda sería su secreto. Su cuñado Diacinto, el Gordo, rompió el silencio apenas cruzó la puerta de su casa.

—¿Por quién votaste? —preguntó el peronista.

Un ceño fruncido fue la respuesta muda de Lidia.

—Sos una traidora. Ellos te dieron el voto y vos no los votás —se ensañó su cuñado sin saber que Lidia había decidido, sólo por esa vez, aliarse al peronismo.

A las 11 de la noche se acercó a la radio, sintonizada en la emisora El Mundo. Escuchó que pese a la lluvia había manifestaciones por toda la ciudad. Las primeras mesas escrutadas quitaron todo atisbo de duda. Se acostó con la satisfacción del deber cumplido pero sabiendo que esa acción de gracias no se repetiría.

"Es abrumadora en todo el país la mayoría peronista. Consagró el pueblo a Perón a la segunda presidencia." Los títulos del diario *El Mundo* del lunes le confirmaron lo evidente: su voto estaba del lado ganador.

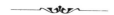

Eva Perón había votado en su cama del Policlínico Presidente Perón de Avellaneda. La victoria la reanimó, pero la enfermedad avanzaba. El 4 de junio de 1952, Eva participó en la ceremonia de asunción del mandato de la segunda presidencia de su marido. Su cuerpo, devorado por el cáncer, se perdía dentro de su tapado de piel.

El 26 de julio, a las nueve de la noche, Américo Miralles, su mujer y sus hijos se preparaban para cenar. La mesa estaba puesta y cada uno había ocupado su lugar. La radio acompañaba el anochecer. De pronto se hizo silencio y la voz de un locutor irrumpió en el hogar con tono severo. "Cumple la Secretaría de Informaciones el penosísimo deber de informar al pueblo de la República que hoy a las 20.25, la señora Eva Perón, jefa espiritual de la Nación, entró en la inmortalidad."

Américo y Mary se miraron a los ojos. La mujer se largó a llorar y su marido la rodeó con un abrazo. Miralles tenía los brazos rígidos y los puños cerrados de bronca. Pasaron gran parte de la noche con la radio encendida. Bien temprano se vistieron de luto riguroso y salieron a la calle.

Un profundo silencio aplastaba las calles de Villa Luro. Tomaron un colectivo rumbo al Ministerio de Trabajo. Cuando llegaron al centro de la ciudad se enfrentaron a una muchedumbre sollozante. Llovía pertinazmente. Una fila interminable daba vueltas por las calles a la espera de llegar al segundo piso donde velaban el cuerpo. En el interior de un ataúd de cedro, con una tapa de cristal prolijamente iluminado, Evita destellaba reflejos violáceos.

La noche del 26 de julio de 1952 la familia estaba reunida cuando por la radio anunciaron la muerte de Evita. Y a pesar de las diferencias, unas lágrimas recorrieron la cara de doña Esther de Levenson.

Hubo silencio. A la mente de Gregorio regresó como si volviera a vivirlo las imágenes del encuentro que había mantenido con Evita en la residencia presidencial de la calle Agüero. Una vez más retornó a su memoria su figura carismática y rebelde y a través del recuerdo revivió su discurso vehemente y solidario.

—Necesitamos que interceda, la ley de mineralogía está empantanada en Diputados —le había pedido Gregorio en el salón de la residencia.

De pie, Perón observaba en silencio.

Sin muchas vueltas y con la dureza que aplicaba a quienes consideraba traidores, Eva había respondido:

—Vean compañeros, yo conozco muy bien a las muchachas, son de fierro. Darían la vida por el General. Pero qué quieren que haga, cuando algún tipo se las coge perdemos el control.

Gregorio sonrió en silencio con la voz de Eva en su cabeza. Las imágenes se mezclaron con su última visita a Evita. Había sido una reunión de cortesía. Su agonía se comentaba ya en todo el país. Unas exclamaciones y unas risas juguetonas e infantiles inundaban la sala donde aguardaban que la primera dama los recibiera. Perón se hizo presente; los saludó y con voz triste les dijo:

—Pobre Evita, está viendo unas viejas películas de Chaplin.

Unos minutos después apareció ella. El maquillaje no ocultaba su estado y su tez demacrada. Buscó mantener una sonrisa y los abrazó uno a uno.

De pronto, los fantasmas de las visitas se esfumaron de su mente. Gregorio volvió a observar a su madre. Un viejo reloj de la pared marcaba casi las ocho y media. Doña Esther se levantó despaciosamente y, como si presagiara un significado oculto para el futuro del país, detuvo las agujas en la hora exacta de la muerte. Jamás volverían a moverse.

Las nubes avanzaban espesas sobre los pastizales y prometían más lluvia. A lo lejos, la línea de un alambrado quebraba la repetición de los campos. María del Redentor Cobanera de Álvarez había caminado hasta una casa vecina que tenía radio para enterarse sobre la muerte de Eva Duarte. En medio de la noche escuchó sobre los preparativos del velatorio y el duelo que envolvía a Buenos Aires.

Al día siguiente, los alumnos llegaron a la escuela como de costumbre. Luego de izar la bandera a media asta con un crespón negro, María hizo frente a los pequeños una breve semblanza de la esposa del presidente y tras explicarles que se habían suspendido las clases por duelo nacional los despidió.

Los hijos de la directora habían recargado las baterías de su radio y volvieron a sintonizarla en busca de noticias. Pero las emisoras nacionales repetían todo el día música sacra como expresión de luto. En medio de los campos de Suipacha, la radio era el único vínculo con el exterior.

—¡Cuándo terminarán con esta música de Iglesia! —comentó finalmente una vecina irritada.

María tampoco disfrutaba la monotonía musical impuesta por el gobierno. Había respetado el duelo escolar pero interiormente sostenía inconmovible su rechazo al peronismo. Su conservadurismo religioso la había llevado a mirar con desagrado la soltura de Evita y a enfrentar el populismo de Perón.

Finalmente, su hijo Juan José se las ingenió para colocarle a la radio una antena más grande que permitió sintonizar las emisoras uruguayas.

A María, el cuerpo comenzaba a pedirle descanso. Con la mirada puesta en los campos que rodeaban la escuela, la directora comenzó a pensar en jubilarse. Tenía entonces 52 años. Una observación de la inspectora de escuelas Francisca de Albertengo la terminó por convencer. En el folio 18 del cuaderno de actuación, la funcionaria escribió sobre María: "Profesional de vasta experiencia. Con buenos deseos de cumplir con su labor, pero su estado de salud algo resentido le impone limitaciones". Se acercaban sus bodas de plata con Juan Augusto pero su marido seguía de clases en Catamarca y sólo se veían en los recesos. María estaba cada vez más nostálgica y extrañaba a su esposo hasta el sufrimiento.

Su hija María Estela se había recibido de maestra, pero cuando se presentó en el Ministerio de Educación le exigieron presentar un carnet de afiliada al Partido Peronista y, además, dirigir una carta a la señora Eva Perón para pedirle el nombramiento. María Estela se preguntó cuál era el sentido de enviar una carta a una difunta. Entonces descartó la propuesta del ministerio y se anotó en una escuela provincial. La anécdota sirvió para que su madre justificara su antipatía hacia el peronismo. Veía con desagrado que las máximas de los líderes del gobierno debieran explicarse en clase y que *La razón de mi vida* fuera el libro de lectura oficial. Sus opiniones terminaron por volcarse a la clase cuando una alumna preguntó:

—¿Evita era una santa?

María respiró hondo y, de acuerdo a sus principios católicos, explicó que la Iglesia se toma años para estudiar si una persona merece ser declarada santa y antes debe ser designada "venerable" y "beata".

El comentario de la directora rápidamente llegó a oídos de los vecinos peronistas. A las semanas supo que había sido denunciada ante el Ministerio de Educación.

Cuando María se enteró de las acusaciones viajó a La Plata para explicar sus temores a las autoridades de la Inspección de Escuelas. La directora terminó por perder la calma cuando una mañana, mientras estaba en la sala de dirección, sintió un ruido a sus espaldas y al darse vuelta vio que los cuadros de Perón y Eva se habían caído al piso sin motivo aparente. Como si espantara una maldición, María los tomó del suelo y volvió a clavarlos en su lugar.

A pesar de las amenazas, las denuncias nunca pasaron a mayores y sólo quedaron en bravuconadas. Los miedos terminaron por olvidarse con la llegada de su marido, que se había jubilado y había abandonado las clases en Catamarca. Estaban otra vez juntos.

Dos meses después llegó la comunicación que autorizaba a María a jubilarse. El final de su carrera tenía fecha. Con la carta del ministerio entre las manos, la maestra entendió que una etapa de su vida terminaba para siempre.

El último día de clases María se sentó junto a sus alumnos bajo los árboles para saborear docenas de empanadas que había preparado para la despedida. De postre hubo golosinas para todos. Los llenó de consejos sobre la vida y los chicos miraron interesados, contagiados de la emoción de la directora. Al final formaron fila frente al mástil. Era costumbre que arriara la bandera el alumno que mejor se hubiera portado. Cuando las maestras empezaron a buscar un nombre, la alumna Élida Justina Menay gritó desde su fila:

—¡Debe ser la señora directora!

María sonrió y se acercó al mástil. Cuando sujetó el cordón se dio cuenta que tenía las manos sudorosas. Lentamente la bandera trepó hacia lo alto y se sacudió con el viento. Después María besó uno por uno a cada alumno y cuando se marcharon se sentó al pie del mástil. Por los caminos de tierra los vio alejarse, unos a pie, otros a caballo, los menos en sulky. María sentía una angustia dulce como si viviera un sueño ajeno.

El público colmaba las tribunas y se enardecía cada vez que los automóviles pasaban frente a sus narices envueltos en un rugido ensordecedor. El Autódromo Municipal 17 de Octubre lucía su arquitectura futurista recién inaugurada y desbordaba de simpatizantes. La entrada costaba cinco pesos y permitía participar además del sorteo de un automóvil y dos motocicletas fabricadas en Córdoba.

Desde el palco oficial, el presidente Juan Domingo Perón seguía con excitación el recorrido de la Maserati que surcaba la pista como un relámpago.

—Juan, vos no te movás de las cuerdas —le había repetido Daniel Pelícori al favorito, como si Juan Manuel Fangio necesitara consejos. Pero la suerte de amor fraternal que los entrelazaba permitía cualquier opinión. Pelícori había logrado que Juan Manuel terminara antes el servicio militar, tras súplicas a tenientes y coroneles, y había compartido sus primeros triunfos, cuando corría con un Chevrolet pintado con brocha.

Con los triunfos, la historia había comenzado a cambiar. Fangio había entrado en 1950 en la escudería Alfa Romeo y al año siguiente se había proclamado por vez primera campeón de la Fórmula Uno.

Sin embargo, el Gran Premio de la República en el autódromo tenía el encanto especial del aliento de los compatriotas y el regreso triunfal a Buenos Aires. En la pista Fangio enfrentaba a adversarios calificados como las Ferraris de Mike Hawthorn y José

Froilán González. Cuando la carrera comenzó quedó en claro que iba a ser un duelo. En cada vuelta, el argentino exigió su auto al máximo, sin permitirse siquiera pensar en un segundo lugar. Finalmente, la Maserati del argentino logró cruzar primera la bandera a cuadros y el público coreó su nombre en medio de la algarabía.

Luego llegaron los festejos en privado, los saludos de los funcionarios que buscaban apropiarse del éxito del campeón mundial, los abrazos de desconocidos y las felicitaciones de los amigos. Fangio todavía vestía su traje de corredor y se lo veía exhausto. Después de tres horas de carrera su cuerpo sólo pedía descanso. La tensión de la competencia había desaparecido y el cansancio regresaba ahora a cada uno de sus músculos.

Daniel Pelícori se abrió paso entre los curiosos y los invitados en busca de su amigo. Alejó a Fangio de la muchedumbre y lo felicitó calurosamente. Cuando las miradas se cruzaron unas líneas de preocupación atravesaron la frente del corredor

—Me avisaron que van a afanarme la copa —deslizó.

Pelícori abrió los ojos sorprendido, aunque como comisario deportivo sabía de jugarretas y zancadillas en los momentos menos esperados. Fangio seguía con el ceño fruncido y sin soltar el trofeo. Un grupo de periodistas se acercaba para probar suerte con una entrevista al ganador

—Es así Daniel, me pasaron el santo de que se la van a llevar —insistió Fangio.

Pelícori tomó la copa y buscó tranquilizarlo.

—No te preocupes, yo la saco de acá y después te la alcanzo.

Sus manos sostenían ahora los 950 gramos de oro, que poco antes habían coronado el triunfo.

Los periodistas abordaron a Fangio y Pelícori dio un paso hacia atrás. Miró alrededor y sintió que los temores del corredor tenían fundamento. Se sentía observado.

Una voz llamó su atención desde su espalda.

—¿Me la permite? —preguntó el extraño mientras extendía las manos hacia la copa.

—¿Cómo dice? —respondió Pelícori con actuada ingenuidad.

El hombre lo superaba en altura, el pelo negro y recortado le daban un aspecto policial y sus labios forzaban una sonrisa artificiosa.

—Si me permite la copa, tengo que llevarla a grabar —argumentó.

—¿Grabarla ahora? ¿Un domingo? —interrogó Pelícori elevando el tono de su voz para intimidarlo.

A su lado, una pareja se dio vuelta para observar la escena. El extraño había sentido el impacto. Miró alrededor para estudiar la situación y cuando volvió a clavar sus ojos en el retador éste ya había recuperado su temple.

—Pero la copa es del señor, acaba de ganarla, se la dio el General, permita que la luzca para las fotos —contratacó Pelícori.

El hombre se había quedado sin respuestas.

—¿Por qué no viene después? —ofreció Pelícori para dejarle una salida y ganar tiempo.

El extraño se retiró insatisfecho.

Cuando Fangio finalizó con uno de los tantos reportajes de ese día de gloria, Pelícori se acercó al corredor y preparó su huida.

—Tenías razón, Juan. Me la llevo.

Fangio asintió y lo vio escabullirse entre los invitados.

Pelícori se sentó en su automóvil y abandonó el autódromo por el túnel.

—Si me paran ahora me meten en cana —pensaba mientras trataba de simular una expresión distendida.

Se alejó del autódromo por las calles desiertas de Villa Lugano en busca de su almuerzo. Al rato la tensión había desaparecido y la anécdota resultaba graciosa.

Por la tarde fue en busca de Fangio a su casa de Talcahuano 154 donde el corredor vivía con la Beba. La mujer del campeón lo recibió en la puerta con una sonrisa y lo invitó a pasar.

—¿Y Juan? —preguntó el recién llegado.

—Duerme, estaba muerto. Llegó y se tiró a la cama. Dejáme ver si se despertó.

La Beba desapareció entre los cuartos y al rato apareció con Fangio. Su cara rojiza y marcada delataban las horas de sueño sobre la almohada.

—Hola Juan. ¿Cómo estás?

—Cansado, viejo.

El corredor apenas soportó un instante de ansiedad y enseguida preguntó:

—¿Y Daniel? ¿Qué pasó al final?

Pelícori ensayó su mejor cara de frustración.

—Sucedió lo que tenía que suceder —respondió con gesto sombrío.

La expresión de Fangio abandonó toda la distensión ganada con la siesta. El agotamiento demoledor de la carrera volvió a caer sobre sus hombros. Tensó las manos en una expresión de bronca y empezó a mover la cabeza de un lado a otro. Su mirada parecía oculta detrás de la penumbra.

—Me avisaron, ¡mirá que me avisaron! ¿No te dije? ¡Qué increíble!

La Beba lo abrazó para darle consuelo y Fangio, ganado por el cansancio y la tristeza, se largó a llorar.

A Pelícori la situación lo llenó de arrepentimiento y presintió que la broma había llegado demasiado lejos.

—Acá está Juan, no te amargues que era un chiste —dijo mientras iba en busca de la copa que había quedado escondida detrás de la puerta cancel.

Cuando regresó con el trofeo descubrió que el matrimonio estaba lejos de compartir su sentido del humor.

—¡Con esto no se jode, che! —protestó Fangio cuando tuvo la copa entre sus manos. Un segundo después dio por terminada la visita.

Pelícori se despidió sorprendido por la reacción y cuando se marchaba, la Beba volvió a clavar el estilete.

—Vos también... ¡Qué mal gusto para los chistes!

Los días se llevaron la bronca y al poco tiempo los amigos volvieron a encontrarse sin resentimientos. La copa del Gran Premio de la República descansaba a salvo en la vitrina de Talcahuano.

Gregorio Levenson caminaba por las calles del centro de la ciudad cuando de pronto escuchó a lo lejos estruendos de bombas. A las 12.40 de aquel frío y destemplado 16 de junio, los maceteros de las escalinatas de la Casa Rosada se tumbaron contra el cemento. Segundos después, otra bomba alcanzó un trolebús con pasajeros. Como en cámara lenta y en medio del griterío de los pasajeros, el coche volcó sobre su lado izquierdo. Al golpear contra el asfalto, las puertas se abrieron y escupieron cuerpos ensangrentados. El tercer proyectil descargó su furia sobre la arista noreste del Ministerio de Hacienda. En segundos, la plaza se había convertido en un caos. Todo estaba cubierto por esquirlas, vidrios y los cables descontrolados de los trolebuses. El humo ascendía espeso hacia el cielo, desde donde los aviones de la Marina habían lanzado su descarga mortal.

Los conspiradores golpistas habían resuelto la sublevación incentivados por el desgaste económico del gobierno, el conflicto con la Iglesia católica, el descontento militar y el encono de la oposición.

A fines de agosto, el presidente presentó su renuncia al partido peronista, en una jugada que buscaba recuperar el poder jaqueado. Desde las primeras horas de la tarde del 31 de agosto, un millón de personas se agolparon en Plaza de Mayo al grito de "¡Perón, Perón!" La información oficial aseguraba que la renuncia había sido presentada para pacificar la situación política pero nadie daba crédito cierto al ofrecimiento. De pronto el altoparlante anunció que el presidente hablaría a las seis de la tarde.

—Yo contesto a esta presencia popular con las mismas palabras del 45: a la violencia hemos de contestar con una violencia mayor. Con nuestra tolerancia exagerada nos hemos ganado el derecho de reprimirlos violentamente. Y desde ya establecemos como una conducta para nuestro movimiento: aquel que en cualquier lugar intente alterar el orden contra las autoridades constituidas, o en contra de la ley o de la Constitución, puede ser muerto por cualquier argentino… cuando uno de los nuestros caiga, caerán cinco de los de ellos.

En un rincón de la plaza, las virulentas palabras de Perón retumbaron como un tambor en la cabeza de Gregorio. Se avecinaban tiempos feroces. Goyo vio cómo los descamisados se alejaban gritando y cantando sin ningún incidente. Parecían sentirse los héroes de la lucha, como si la victoria estuviera asegurada por el rigor de las palabras.

El 16 de septiembre de 1955 amaneció lluvioso. El golpe había comenzado temprano. Desde la una de la mañana, el general Eduardo Lonardi encabezaba un levantamiento militar en la Escuela de Artillería de Córdoba y pedía a sus seguidores que actuaran con la máxima brutalidad posible. Mientras, las tropas leales a Perón intentaban sofocar la sublevación. Los sediciosos parecían estar acorralados. En Buenos Aires, grupos de civiles armados se habían arrojado a las calles sin organización ni apoyo. Entre tanto, la contienda se había ido extendiendo a otros puntos y otras fuerzas: la Armada había bombardeado la destilería de Mar del Plata y amenazaba con repetir la acción en la ciudad Eva Perón. Aquejado, Perón se lamentaba de esos bárbaros que querían destruir la obra de su gobierno.

Sorpresivamente, llegó de Buenos Aires una orden de tregua. Ambos bandos no alcanzaban a comprender la jugada del presidente. Insistía con su renuncia para calmar las diferencias. Muchos creyeron que era una nueva maniobra política. Pero rebeldes y leales aceptaron de lleno su oferta. Algunos salieron a la calle oliendo victoria. Otros, apesadumbrados, no podían dar crédito a la resignación del líder.

Para entonces, Perón ya estaba fuera del país y del alcance de los militares sublevados que lo habían sacado del trono. El líder navegaba a bordo de una cañonera, sobre las aguas barrosas del Paraná, rumbo a Asunción.

Finalmente, el 23 de septiembre otra multitud colmó la Plaza de Mayo. Agitaban banderas argentinas. Era la Argentina antiperonista que aclamaba a Eduardo Lonardi, el nuevo presidente de la Nación.

Gregorio se sintió parte de un pueblo abandonado e indefenso. Recorrió ministerios en busca de compañeros; se dirigió a la Confederación General del Trabajo para pedir explicaciones y buscar consuelo. Pero se encontró con despachos vacíos y dirigentes que ya habían hecho las valijas.

Con el paso de las horas, Gregorio reunió a un grupo de compañeros que se preguntaba por el destino del peronismo. Resolvieron fijar un lugar de encuentro y organizar reuniones periódicas. En el camino, se cruzaron con grupos de obreros que, de regreso a su hogar y sin armas, lloraban la derrota. Sin saberlo, habían comenzado a transitar el largo camino de la resistencia.

Cuando el desconcierto del golpe se asentó, Goyo y otros compañeros comenzaron a planear la lucha que debía conseguir el regreso de Perón. El cuartel general era la curtiembre de Adolfo Álvarez, un socialista devenido patrón de la fábrica. Allí se encontraban, asado de por medio, Rodoldo Puiggrós, Hernández Arregui, Rossi, Angel Cairo, el negro Jáuregui y Buezas, entre otros compañeros. De mano en mano circulaban las "Directivas para todos los peronistas" y las "Instrucciones Generales" que Perón había escrito desde el exilio. A pesar de la censura del régimen, la imagen del líder acechaba cada rincón del país. En la sobremesa, el grupo leía en voz alta el mandato del General: "La resistencia es una lucha interna, diluida en el espacio y el tiempo. Ella exige que todos en todo lugar y tiempo se conviertan en combatientes contra la canalla dictatorial que usurpa el gobierno. A las armas de la usurpación hay que oponer las armas del pueblo".

Mientras tanto, los de la curtiembre, como el resto de los peronistas dispuestos a combatir contra los golpistas, aprendían a hacer bombas molotov, a armar caños y a buscar protección para algún compañero vigilado.

La jornada para poner en marcha el movimiento revolucionario que debía retomar el poder se fijó para el nueve de junio de 1956. Pero el alzamiento, liderado por los generales Juan José Valle y Tanco, duró apenas 12 horas. Había comenzado en Campo de Mayo y seguido en la Escuela de Mecánica del Ejército, la Escuela Industrial de Avellaneda, en el regimiento 7 de La Plata y con algunas escaramuzas entre rebeldes y la policía en diversas partes. La represión fue feroz y certera y no dudó en ejecutar a los militares en sus cuarteles y a un grupo de civiles en un basural de José León Suárez.

Las dificultades económicas se agravaron en 1957 y el gobierno militar rápidamente quedó acorralado entre el descontento de la mayoría peronista y su fracaso. La actividad de los partidos aumentó con la convocatoria a una Convención Constituyente. Los anuncios sobre la inminencia de una nueva salida electoral terminaron por convencer a Gregorio de volcar su militancia hacia el camino democrático. La señal de la senda que debían transitar los grupos peronistas la recibieron en enero de 1958 cuando Perón ordenó, desde el exilio, votar por Arturo Frondizi, el hombre de la Unión Cívica Radical Intransigente. Secretamente, el caudillo había pactado en Caracas con Rogelio Frigerio, el enviado de Frondizi, votos a cambio de una futura apertura política.

Desde Buenos Aires, sus seguidores acataron el designio. El grupo de la curtiembre de Álvarez y otros peronistas de izquierda constituyeron un Comité Nacional de Apoyo a la candidatura de Frondizi y dirigieron sus esfuerzos militantes hacia el proselitismo. Su prédica logró convocar a muchos ex comunistas y viejos radicales apartados de la estructura partidaria.

La campaña electoral se desarrolló en un clima de violencia. El régimen mantenía la represión y las detenciones contra los peronistas, todavía proscriptos. Finalmente, en febrero de 1958 se realizaron las elecciones. El triunfo de Frondizi fue contundente.

Gregorio y otras quinientas personas eufóricas se reunieron en los altos del hotel Bonaparte frente a plaza Miserere para celebrar el triunfo. Los gritos de "Viva Perón" se confundían en los festejos. Todo estaba preparado para aclamar al gran vencedor. El flamante presidente había comprometido su asistencia pero las horas pasaban sin que apareciera. Con el correr de los minutos la espera se hizo tensa y los ánimos se inquietaron. Frondizi continuaba sin dar señales de vida. Aguardaron un tiempo que consideraron prudente e iniciaron el acto sin el invitado de honor. Festejaron, comieron y brindaron. Todo ello sin el nuevo presidente de los argentinos que por esas horas mantenía su primera reunión con el embajador estadounidense. De madrugada, Gregorio regresó a su casa entre la alegría y las sospechas. La ausencia de Frondizi había enturbiado con dudas sus esperanzas.

Corría la década del sesenta. Ricardo Pueyrredón había cumplido con la promesa realizada a su padre Honorio. Hacía casi 25 años que tenía su propia agencia de publicidad llamada Pueyrredón Propaganda. Tenía acciones en empresas y un campo. Se consideraba rico.

Por sus manos y su imaginación habían pasado cientos de marcas y había gestado slogans que se repetían en la calle y se colaban en la vida cotidiana de los argentinos. Había visto el crecimiento de los medios gráficos y participado del nacimiento de la televisión. Había creado avisos para el dentífrico Odol y el polvo jabonoso Ombú, que publicaba en la revista femenina Maribel. Y también la campaña "Caracoles" para las mallas Masllorens usadas por las pulposas bañistas de Divito porque "modelan mejor". Había participado en el lanzamiento en el país de los autos Rambler y de la presentación de los Ika y era suyo el slogan "¿Crema de leche en un jabón? Sí, en jabón Mamita". Finalmente vivía de lo que amaba.

Frondizi había sido derrocado por los militares que temían la participación del peronismo en las elecciones y reemplazado por el gobierno de José María Guido, que escondía detrás de su fachada civil el verdadero poder militar.

En 1963 se volvió a convocar a elecciones con el peronismo proscripto.

Por entonces, Ricardo Pueyrredón había comenzado a entremezclar su pasión por la publicidad con su militancia radical. En 1946 había sido asesor en la campaña electoral de la fórmula Tamborini-Mosca y había acompañado al radical Larralde en su candidatura a la gobernación de Buenos Aires.

Ahora trabajaba junto a Arturo Illia, que acompañado por Carlos Perette, era el candidato de la Unión Cívica Radical del Pueblo para las elecciones del 7 de julio. Ricardo estaba obsesionado con el poder de la televisión porque no sólo permitía oír o leer sino ver productos y personas en movimiento. Era la clave para demostrar integralmente las ventajas y beneficios de una marca. E incluso de un candidato. Pero quien debía salir a escena era Illia, un médico de carácter moderado y reservado, con aire campechano, transparente y de convicciones firmes.

La tarea de Pueyrredón era lograr que el candidato llegara a la gente, que se colara en la intimidad de sus casas y para eso nada mejor que la televisión. Pero había problemas con esa estrategia. Illia ni se dejaba maquillar ni estaba muy convencido de los beneficios de ese medio. Ricardo debió usar todas las artimañas que encontró para convencerlo e inventó una situación en la que aparecían los dos compañeros de fórmula discutiendo. Por supuesto al candidato a presidente le asignó la mejor parte. En voz baja dijo a Illia:

—Usted tiene que aparecer tranquilo, moderado. Para la gente, Perette es el peleador.

El candidato presidencial aceptó las condiciones del juego a regañadientes. Unas manos acomodaron su cabellera canosa de 63 años, siempre prolijamente peinada hacia atrás y que apenas disimulaba sus orejas prominentes. Mientras, otras empolvaron su nariz angulosa y buscaron esconder los lunares que dibujaban una constelación en su frente. Poco después, las imágenes de ambos llegaron a los hogares argentinos.

La publicidad política era aún incipiente. Pero, al igual que Pueyrredón, los demás candidatos de la contienda habían comenzado a vislumbrar el poder de las imágenes para llegar a las masas. A los avisos de todos los tamaños publicados en los diarios de circulación nacional, se sumaban apariciones televisivas que exigían desembolsos cuantiosos de dinero: 50.000 pesos los espacios de media hora y 7.000 pesos cada spot de 40 segundos.

Pedro E. Aramburu aparecía en el noticiero del mediodía de Canal 7 y cerca de la medianoche en "El Reporter ESSO" se prestaba a contestar todas las preguntas que le hicieran periodistas nacionales y extranjeros. Desde el Canal 9, Héctor Gómez Machado, presidente del Comité Nacional de la UCR Intransigente, "indicaba cómo debe votar la ciudadanía".

Faltaban apenas dos días para las elecciones. El viernes 5 era la gran noche final. Pueyrredón ya había realizado las gestiones de rigor para que en la página 11 del diario *Clarín* de ese mismo día se publicara un aviso publicitario de página completa. Era necesario reforzar los estímulos para completar el impulso. El cierre de campaña se iba a realizar en el Luna Park, el mismo sitio donde la noche anterior Aramburu había arengado a sus fieles. Unas veinte mil personas llegaron a apoyar a los candidatos de la Unión Cívica Radical del Pueblo. Pueyrredón estaba exultante. Las redes que había contribuido a tejer mostraban sus primeros y elocuentes resultados.

Finalmente, el domingo 7 de julio las expectativas se cumplieron. La UCRP salió victoriosa: fue elegida por 2,4 millones de argentinos. Pero los votos en blanco habían sumado 1,5 millón; era el símbolo evidente de la proscripción absoluta del peronismo. Pueyrredón se sentía orgulloso; había contribuido al triunfo de su partido con técnicas que los políticos más tradicionales habían rechazado.

El 12 de octubre José María Guido le entregó el mando a Illia. Por detrás, los militares todavía ideaban nuevas conspiraciones. En el interior de la Casa de Gobierno, los nuevos funcionarios radicales se arremolinaban en torno a Illia.

—Presidente, ¿qué le va a dar a Richard que lo ayudó tanto en la campaña? —preguntó uno al flamante presidente.

—Nada, nada.

—Pero déle algo, con todo lo que hizo por usted —insistió.

El mandatario recapacitó y lo mandó a llamar.

—Hágame un favor, acépteme una embajada. Sería en Canadá —le propuso.

—¿En Canadá? —se sorprendió Pueyrredón, que creía que le correspondía ser embajador ante los Estados Unidos, como había sido su padre décadas atrás.

—Sí. Pero viaje seguido a Washington para ver cómo andan las cosas por ahí —agregó el presidente intuyendo el deseo secreto de Ricardo.

—Presidente, ¿cómo voy a hacer eso?

—Yo ya lo hablé con quien corresponde —remató el presidente.

Al igual que su padre 40 años antes, Pueyrredón organizó el traslado de su familia al nuevo destino. Pero la estadía en Canadá duró apenas un año. El aburrimiento cotidiano de Ricardo que se resistía a impostar sonrisas a toda hora y a concurrir a tediosos cocktails oficiales lo empujo a abandonar la diplomacia. La publicidad había resultado mucho más entretenida que la vida política.

A la hora de la siesta, Lidia Pelloni solía limpiar. Aprovechaba los momentos que le dejaba libre el almacén para cumplir con las tareas del hogar. Aquel viernes había conectado el lavarropas Hoover y estaba sola. Su hija Silvia, la mayor, estaba en la casa de Dora, tomando sus clases de inglés junto a otros chicos del barrio. La segunda, Adriana, jugaba en lo de su abuela. Y su esposo Francisco pintaba autos en el taller donde trabajaba.

La radio la acompañaba como un murmullo lejano. Algo de música, comerciales, noticias y las voces cotidianas.

Faltaban unos minutos para las tres de la tarde. De pronto la atención de Lidia se desvió de la escoba y la gamuza. "Fue asesinado el presidente de los Estados Unidos, John Fitzgerald Kennedy", escuchó en la radio. Sintió un griterío en la vereda. Arrojó lo que tenía en las manos y un impulso la condujo hacia la calle. Nadie podía creer lo que acababa de suceder. Con su juventud, su atractivo y la magnética atracción de su esposa, Kennedy había superado la tradicional figura de presidente norteamericano y se había convertido en un protagonista de las revistas femeninas.

En el centro de la ciudad, los porteños se reunían frente a las vitrinas de los diarios para tener las últimas noticias. La calle Corrientes había sido cortada, involuntariamente, por un grupo reunido en el edificio de *Clarín*. A pocas cuadras, en Sarmiento 663, la bandera estadounidense flameaba a media asta.

De pronto, Lidia recordó el lavarropas. Los comentarios sobre la muerte de Kennedy desparecieron por un instante de su mente. La tarde comenzaba a caer y los vecinos empezaban a dispersarse. Llamó a su hija y regresaron a la casa a la carrera. Las recibió un incesante traquetear. Ajeno a la política, las balas y la conmoción, la máquina había lavado una y otra vez sin pausa. Ella detuvo la marcha del aparato, tomó la manija de los rodillos y estrujó la ropa. Enjuagó todo, arregló las últimas cosas y volvió al almacén. Toda la tarde hubo un único tema de conversación. El país estaba conmovido. El presidente Arturo Illia había firmado un decreto que disponía la adhesión de la Argentina al duelo internacional.

A la hora de la cena, los Pelloni vieron en la televisión las imágenes captadas por la cámara del aficionado Abraham Zapruder y escucharon sus gritos horrorizados de "lo mataron, lo mataron". Por

1976. Bernardo Levenson en los años
de la clandestinidad.

1982. Bajo el sombrero Panamá y los lentes oscuros está Gregorio Levenson,
exiliado en Costa Rica. Es uno de los argentinos que apoyan la guerra
de Malvinas, pero sus razones son diferentes.

1983. La democracia volvió a la Argentina y el exilio de Gregorio Levenson en Costa Rica está por terminar.

1984. La persecución militar lo obligó a recorrer parte del mundo. En Estados Unidos, Gregorio Levenson se cobijó en el afecto de sus nietos.

1969. Lidia Molinari y Francisco Pelloni se acodan en el mostrador de su almacén de Guevara y Heredia. Los modelos de TAB los custodian.

1996. Un nieto juega a ser fotógrafo artístico y roba una imagen distendida de la nona Lidia Molinari.

1959. Los Pelloni en pleno: Francisco, Lidia, Silvia y Adriana.
La abuela Blanca Molinari se asoma con su batón de algodón.

1996. Francisco Pelloni, orgulloso, en su Fiat Europa.

1950. Días de sol en Mar del Plata. Américo Miralles posa para las cámaras de Marotta junto a su mujer y sus dos hijos. La mascota, infaltable.

1952. Casa Castilla. Entre tintas y suelas de zapatos, Américo Miralles divierte a los empleados del negocio que fundó su suegro.

1963. El gobernador Anselmo Marini celebra el 81º aniversario
de la fundación de La Plata junto a su amigo Ricardo Balbín
y al presidente de la Nación, Arturo Umberto Illia.

1951. El inspector deportivo Daniel Pelícori comenta la carrera junto al campeón Juan Manuel Fangio.

1953. Cabalén, Fangio y Pelícori recorren los boxes del autódromo porteño.

1970. Ricardo Pueyrredón había logrado cumplir su sueño
adolescente y ya era un publicista reconocido.

1997. El 16 de noviembre fue un domingo de fideos verdes
y berenjenas. Américo Miralles posa junto a sus hijos, nietos
y bisnietos. Falta Julián, nació meses después.

1998.
Marcelino
Fernandez
Villanueva.
Es sábado,
y el Gafas
se reúne
en el bar
"La alameda"
junto a los que
sobrevivieron
a la dictadura
de Franco.

1998. Pedro López. Con 102 años, en su casa de Ramos Mejía, don
Pedro no deja de hojear cada día los apuntes que atesora
en su libreta de almacén.

1968. La tragedia de la
Puerta 12 marcó para
siempre la vida
de Jorge Dante Merli.

1989. Pasaron décadas antes que Jorge Merli volviese a la cancha, a pedido
de su hijo Alejandro, también fanático de Boca.

1981. La última foto de María del Redentor Cobanera,
junto a su esposo en su casa de Escobar.

1982. María del Redentor Cobanera y su hija Raquel en Palermo, cuando el Papa Juan Pablo II visitó la Argentina durante la guerra de Malvinas.

1983. María del Redentor Cobanera y su prima, con boina blanca, festejan la asunción de Alfonsín.

1997. María del Redentor con sus seis hijos, cuando la familia se reunió para celebrar sus noventa y siete años.

1950. Recién llegada
a la Argentina, Perla
Jerosolinsky se detuvo
en el estudio Rose Marie,
de Florida 433, para
retratarse.

1952. Después de diez años
de vida nómade, Arturo
Szejman y su mujer Perla
dan vida a un hogar
en la Argentina.

1999. Perla y su amigo Gabriel
disfrutan al sol en el hogar de Burzaco.

un instante, las imágenes y los gestos se habían congelado en la plaza Dealey de Dallas. El joven presidente yacía sobre un descapotable negro. Todo había ocurrido a las doce y media del mediodía del 22 de noviembre de 1963.

El automóvil oficial marchaba con ritmo sostenido hacia La Plata. El gobernador Anselmo Marini asomó su mirada por la ventanilla y creyó descubrir en las caras de los vecinos una expresión de desprecio. Fue entonces cuando entendió que se acercaba el final. Lo había soñado diferente, plagado de felicitaciones y honores, pero se presentaba gris e inevitable. Era el 27 de junio de 1966. La mayoría de la sociedad presenciaba la caída del gobierno de Arturo Illia indiferente. Los peronistas habían sido habilitados para participar de las elecciones y comenzaban a triunfar en los comicios provinciales, pero iban a dejar caer sin resistencia al gobierno que consideraban ilegítimo.

Anochecía. La entrada a La Plata se veía despejada, pasó junto a la estación del ferrocarril Roca y enfiló hacia la casa de Gobierno. Al llegar a su despacho se enteró de que los militares habían tomado Radio Provincia. El desenlace se esperaba con impotencia, como se había recibido cada crítica de los jefes del Ejército, como se había dejado pasar cada denuncia de conspiraciones. Ahora se volvían realidad y nadie resistía.

Marini reunió a su gabinete e intercambiaron novedades. La madrugada había sumido a la ciudad en las penumbras. El teléfono trajo la noticia anunciada: el general de la décima brigada de Infantería, Jorge Federico von Stécker iba a asumir el Poder Ejecutivo de la provincia de Buenos Aires. La suerte ya estaba echada.

El militar llegó a la casa de gobierno a primera hora de la mañana, junto con un grupo de coroneles y jefes de guarnición. Stécker había pedido al general Julio Alsogaray, a cargo del operativo del derrocamiento, que lo librara de destituir a Marini porque lo conocía desde hacía años y se tenían mutuo respeto. Pero Alsogaray había rechazado de plano su pedido y lo había intimado a cumplir con su misión.

Cuando entraron al despacho del gobernador, Stécker se sintió en confianza.

—Bueno, Marini ¿Dónde está el actita? —dijo con tono campechano, en alusión al certificado de trasmisión de mando que ambos habían acordado firmar.

—No sé de qué actita me habla —lo detuvo el radical.

Alrededor presenciaban la escena los ministros y principales funcionarios de la gobernación. Stécker endureció su semblante y recitó la perorata consabida.

—Vengo en nombre de los tres comandantes de las Fuerzas Armadas a tomar el mando del Poder Ejecutivo de la provincia…

Sin abandonar su solemnidad, el militar pidió a Marini un encuentro a solas. Ambos se reunieron en una oficina aparte. El diálogo se distendió como si conversaran sobre una realidad que los superaba.

—Mire, yo no tengo fuerzas para resistir este atropello —se resignó el radical.

En Buenos Aires, Alsogaray había desalojado a Illia de la Casa Rosada y el general Juan Carlos Onganía se preparaba para asumir el control de la Argentina.

Los golpistas entusiastas llamaban revolución al derrocamiento. Los acontecimientos demostraban que el gobierno radical había sido incapaz de sostener la legalidad democrática frente a la indiferencia de gran parte de la sociedad, la complicidad de dirigentes políticos, el aval de grupos empresarios y el ensañamiento castrense.

La principal resistencia tenía lugar en la Universidad de Buenos Aires, donde alumnos y profesores advertían que iban a defender la autonomía frente al avasallamiento militar.

Pero en La Plata la situación era otra. El escribano Horacio Ringuelet redactó el acta de trasmisión de mando en una Olivetti. Marini dejó sentado en el documento que era su deber constitucional defender la legalidad de su mandato, pero frente a la diferencia de fuerzas que representaba el general entregaba el cargo.

—Buenos días, general. Hasta siempre —se despidió el gobernador, y se marchó juntó a sus funcionarios.

Un grupo de simpatizantes radicales cantó el Himno Nacional y al rato se dispersó por la ciudad. El sol del mediodía del 28 junio de 1966 se proyectaba imperturbable sobre las calles platenses.

En la pensión de Hipólito Yrigoyen 951, Jorge Dante Merli intentó una vez más convencer a su amigo.

—Dale, vení conmigo a la cancha mañana —insistió.

—No, che; mañana no quiero ir —respondió Canje.

Ambos eran fanáticos de fútbol. Jorge de Boca; Canje de River. Pero la rivalidad de sus equipos favoritos era incapaz de frustrar su costumbre dominguera de ir juntos a la cancha y luego encontrarse a la salida para comer juntos una pizza. Sin embargo, Canje tenía otros planes para aquel domingo.

La tarde del sábado 22 de junio de 1968 caía sin prisa sobre Buenos Aires. Juntos miraban una película en la aparatosa televisión que Jorge había comprado con su sueldo de empleado de la imprenta de la Armada, donde operaba una rotativa Heidelberg, una de las primeras que había llegado a la Argentina. Había nacido en Punta Alta, tenía 20 años y hacía dos que vivía en la capital. La ciudad se ofrecía prometedora.

El domingo amaneció soleado y un poco frío. Jorge se despertó temprano; ante la negativa de su compañero había decidido ir solo a la cancha. Desayunó en la pensión, se vistió con pullover, campera y zapatos; se dejó la cadenita de oro, el reloj y el anillo que le había regalado su madre. Cerca de las 10 tomó el colectivo 229 hacia Núñez.

Llegó temprano al Monumental, sacó la entrada e ingresó. Siempre se ubicaba lejos de la hinchada por precaución. Se sentó en una bandeja alta, bien arriba para tener un panorama total del encuentro.

A los pocos minutos de llegar comenzó el partido de la inferior. La cancha se había ido cubriendo de espectadores. Llegaban padres con sus hijos, algún hincha con su novia o esposa, y otros con bombos y banderas. Era un domingo de clásico, de fiesta.

De pronto, las hinchadas recibieron con un rugido estremecedor a sus equipos y las tribunas temblaron por los saltos y gritos. Jorge se acomodó en un rincón apartado de la tribuna y se dedicó a disfrutar de las jugadas, aunque desde el inicio el partido pareció condenado a la falta de goles.

Al final, cuando presintió que el partido ya estaba destinado al empate, Jorge se levantó y enfiló hacia la salida, aunque debajo los jugadores todavía intentaban llegar al gol. Sorteó a los hinchas que soñaban con la victoria en el último minuto y caminó hacia la puerta número 12. A sus costados, otros grupos de espectadores imitaban su decisión.

La luz tenue de una única lamparita iluminaba los primeros escalones y reflejaba la humedad de la orina en los rincones. Más abajo, la oscuridad devoraba el final del pasillo. La penumbra obligó a aminorar el paso y la muchedumbre que comenzaba a abandonar el estadio avanzó despaciosamente, entre cantos y gritos de aliento.

Desde la cancha llegó el rumor que indicaba el final del partido. La masa de espectadores se levantó de sus asientos y buscó la salida. Los cánticos de la hinchada se entremezclaban con los gritos de los primeros de la columna que pedían frenar la presión del resto. Jorge miró hacia adelante y vio que los molinetes y la puerta a medio abrir atoraban la salida. Lo atrapó la inquietud.

Como un alud de seres humanos, la gente se apretujaba en la escalera sin advertir la trampa. En el recodo que formaba el primer descanso el tumulto era insoportable.

Jorge vio que la salida estaba cerrada por una pared de personas y desde arriba llegaban más fanáticos. De pronto los cuerpos se aplastaron unos a otros y se volvieron una marea desbocada. Jorge se sintió arrastrar y buscó aferrarse de la baranda de la escalera. Pasó sus brazos por debajo del pasamanos, los cruzó en una equis y se tomó del pullover. Una corriente de manos y gemidos pugnaba por absorberlo. Vio cómo los cuerpos volaban escupidos por la presión y caían sobre los que estaban más abajo. Otros extendían los brazos al cielo para defenderse de quienes se desmoronaban sobre sus cabezas. Un aullido de terror oscureció el túnel.

De repente sintió que sus ojos y su cabeza hervían, como si fueran a explotar. La presión aplastaba su cuerpo hasta dejarlo sin respiración.

—¡Mamá me muero! —gimió desde su más profunda desesperación cuando se sintió en medio de la masacre.

A su lado, la cabeza de un niño se estrujaba contra el frío del cemento de la pared.

Sus piernas y sus pies comenzaron a empequeñecerse. Sintió que los zapatos se deslizaban y caían. Manos enloquecidas arrancaron su campera, que se perdió como jirones entre el magma de piernas, brazos y cabezas.

Un cuerpo sumergido en el fondo le aprisionaba el pie derecho. El aire se cubrió de llantos y gemidos; los cuerpos se contorsionaban, se plegaban en busca de un escape imposible.

—¡Por Dios, basta! —alcanzó a gemir antes de caer desvanecido.

Mientras miles de hinchas salían del estadio por otras puertas, entre sonrisas y cantos, sin siquiera intuir la masacre que tenía lugar a unos metros de distancia. Sólo después las sirenas de los patrulleros y las ambulancias advirtieron que el festejo se había quebrado.

El sol se ocultaba detrás de la ciudad y la noche traía el frío de junio. Una boca húmeda se apoyó en los labios de Jorge y le regaló una bocanada de aire. Aturdido, su cuerpo tendido sobre la vereda de Figueroa Alcorta reaccionó sobresaltado. No entendía dónde estaba. Entonces giró la cabeza hacia la puerta 12, alcanzó a ver decenas de cadáveres que todavía esperaban aplastados contra los escalones o incrustados en los molinetes y volvió a perderse en la inconciencia.

—Naciste de vuelta —la frase del médico fue la primera que escuchó cuando se despertó en el hospital Fernández. Una traqueotomía le había salvado la vida.

Por sus ojos rojos e hirvientes como el fuego corrieron unas lágrimas. En ese primer instante de lucidez sintió cómo la muerte lo había rozado. Le enyesaron el tobillo fracturado y curaron su espalda rasguñada y cubierta de moretones.

Jorge estuvo dos días más en el Fernández, allí se enteró de que en la puerta 12 habían muerto 70 personas. Luego lo trasladaron al hospital Antártida donde estuvo ocho días más. Tenía apenas 20 años y su vida nunca sería como antes.

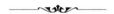

Era un domingo de pastas y reunión familiar. Aquel 20 de julio de 1969, los Pelloni festejaban los 48 años de Francisco. Un vino espumante, una torta, una botella de Gancia y algunos ingredientes de copetín agasajaban la mesa.

El televisor sintonizado en Canal 7 matizaba el ambiente y preparaba los ánimos. Desde hacía cuatro días, tres hombres vagaban por la órbita lunar y se esperaba que de un momento a otro pisaran el suelo del satélite.

Las dos hijas adolescentes, Silvia y Adriana, jugueteaban con el grabador Geloso que su papá les había traído de su reciente viaje a Italia. Francisco había vuelto por primera vez a su patria después de la guerra. Grabaron algunas palabras, unas risas, unas frases. Volver a escucharse les pareció mágico, tan inimaginable como la llegada a la Luna. Ambas habían decidido estrenar el aparato con un acontecimiento único y la travesía del Apolo regalaba una ocasión ideal.

La ansiedad creció a medida que los detalles del suelo lunar se volvieron más nítidos. La cápsula orbitaba alrededor de la Luna con

Collins en su interior. El módulo se desprendió y fue atraída por la gravedad del satélite. Edwin Aldrin y Neil Armstrong se preparaban para salir. El módulo Eagle se apoyó silenciosamente sobre el suelo polvoriento y lentamente se abrió la escotilla al borde del mar de la Tranquilidad. Faltaban cuatro minutos para las once de la noche pero la emoción había alejado el sueño y quebrado la rutina. El grabador estaba encendido y registraba cada palabra y murmullo metálico en inglés que llegaba desde la Luna.

Un hombre camuflado con un traje espacial descendió, con pequeños saltos, los nueve peldaños de la escalerilla. "No parece haber dificultad en moverse alrededor. No hay problemas en caminar por aquí", dijo al posar su pie izquierdo sobre la superficie lunar. Las huellas acanaladas quebraban la virginidad del suelo. Los Pelloni seguían cada avance boquiabiertos, mientras las chicas grababan, ansiosas, la transmisión de la radio. Sus voces adolescentes se convirtieron en la traducción privada del suceso.

Siguieron los pequeños rebotes contra el suelo a cada paso. Un segundo astronauta se unió al primero. La voz entrecortada y distante. "Este es un pequeño paso para el hombre, pero un salto gigantesco para la humanidad". Caminaron lentamente y poco después, Armstrong y Aldrin clavaron en el suelo una bandera de Estados Unidos. Habían pasado apenas 32 minutos. Pero la fascinación movilizó los ánimos de todos.

—Tal vez encuentren materias primas y minerales… Quizás en unos años viajemos a la Luna y hagan colonias… —auguró Francisco desde la cama cuando la jornada terminaba. Sus instintos de inmigrante se colaron en su imaginación.

—No, en ese lugar no pasa nada, y además, yo no voy a ir nunca— respondió Lidia a su lado con tajante realismo.

Cuando pibe, Miguel Alejo Levenson había participado en los torneos deportivos y los campeonatos de fútbol organizados por la Fundación Evita. Era un buen delantero derecho, pero el asma truncó su carrera. Había nacido en un hogar de militantes comunistas que en la década del 40 habían devenido peronistas. Sin que mediaran exigencias, Miguel Alejo había seguido los mismos pasos de sus padres, Gregorio y Lola. Creía en la fuerza de las armas para la conquista del poder arrebatado a la clase obrera. Su héroe era el Che Guevara y amaba Cuba, adonde partió un día para participar del corte de la caña. Llegó incluso a prepararse para ayudar al Che en su incursión en Bolivia. Pero el fracaso guevarista lo hizo volcarse hacia la Argentina. Junto a un grupo de jóvenes peronistas diseñaban estrategias, presagiaban grandes movimientos nacionales, discutían geopolíticas y soñaban con la toma del poder.

La lucha armada, hija de la revolución cubana, se expandía por América latina entre el espíritu del mayo francés del 68; los ecos de la guerrilla vietnamita y las consignas maoístas de lucha campesina. Para otros, los 60 se escurrían también al son de los Beatles, los Rolling Stones, el flower power y la consigna sexo, droga y rock'n'roll.

En la Argentina iniciaban sus operaciones las agrupaciones militares de izquierda FAP, las FAR y las FAL. Envar El Kadre agitaba la guerrilla en el monte tucumano. Pero Gregorio, el padre de Miguel Alejo, fiel a su antimilitarismo, percibía que estos movimientos tenían un escaso eco en las masas. El problema, repetía Gregorio por lo bajo, era su error de considerarse vanguardias revolucionarias, cuando la correlación de fuerzas era desfavorable.

El alias de Miguel Alejo era Julián. Con un grupo de compañeros y bajo la mirada comprensiva pero distante de sus padres formaron una organización. La bautizaron Protofar. Discutieron, estudiaron y se entrenaron para la guerrilla urbana. Un día sintieron que era hora de comenzar a luchar contra el capital yanki. El objetivo: la cadena de supermercados Mini-max, propiedad de Rockefeller y el repudio al magnate que por entonces visitaba la Argentina.

El día señalado, los miembros de la agrupación que integraba Miguel Alejo, y de otras que se habían sumado a sus consignas, se juntaron en la verdulería de Larrea y San Luis a las siete de la tarde. Se escucharon órdenes para los manifestantes que aguardaban la señal en la avenida Pueyrredón. Algunos gritaron, otros arrojaban piedras contra el blanco prefijado. Rápidamente, el cuerpo de Infantería desató la furia contenida y la frágil barricada de automóviles y las empalizadas cedieron. Todos corrieron hasta Tucumán y Boulogne Sur Mer y se dispersaron para dificultar la cacería.

Julián iba con los demás. De pronto detuvo su marcha, tal vez atrapado por un mal presagio. Giró la cabeza y vio cómo un inconfundible miembro de las fuerzas de seguridad vestido con un perramus señalaba a su compañero Emilio Jáuregui al resto de los policías de civil. La seña sirvió para que lo rodearan. Después, Julián sólo escuchó tiros y se alejó como pudo.

Por la noche supo que su compañero había sido fusilado sin miramientos en la vereda, frente a la puerta de un almacén. La pérdida de Jáuregui hundió al grupo en el dolor, sus planes de guerrilleros urbanos se enfrentaban por primera vez al brutal realismo de la muerte.

Las corridas, las palpitaciones y la respiración agitada habían agravado el asma pero la militancia dejaba poco lugar para ayuda médica.

A pesar de las bajas, la agrupación creció con el ingreso de nuevos jóvenes. Pronto la organización se transformó en las Fuerzas Armadas Revolucionarias.

El 30 de julio de 1970 resolvieron que era hora de salir definitivamente a la luz. A las 9 de la mañana llegaron en varios vehículos a la estación de tren de Garín. Vestían de sport y llevaban valijas para simular que eran vendedores ambulantes. Los jefes del comando se instalaron en el bar de la estación mientras los demás recorrían el lugar para estudiar el terreno. Hacia el mediodía, el grupo se reunió en el café. En tono bajo y disimulado intercambiaron datos, precisaron ubicaciones, confirmaron las hipótesis y ajustaron detalles.

—Empezamos a las dos en punto. En quince minutos hay que liquidar todo —ordenó uno de los jefes.

Se disfrazaron de policías y de doctores. Tomaron las armas y se dispersaron hacia los puntos estratégicos del lugar: el banco, la central de ENTel, el destacamento de policía, la calle de entrada desde la Panamericana. Todo sigilosamente y con apariencia despreocupada.

El operativo estaba en marcha. Media hora después del mediodía, una de las mujeres del grupo llegó hasta el 175 del boulevard Henry Ford. Las puertas del frente estaban cerradas. Rodeó la casa y entró por una puerta lateral hacia la vivienda de los caseros.

—Buen día, estamos realizando un censo en la zona. ¿Podría hacerles algunas preguntas sobre la familia? —dijo en tono inocente.

—Sí, no hay problemas —contestó la dueña de casa un tanto sorprendida.

Comenzó el interrogatorio: cantidad de miembros en el grupo familiar, ingresos, instalaciones de la vivienda. La consigna era hacer tiempo hasta las dos de la tarde. De pronto apareció uno de sus compañeros.

—Buenas tardes, soy de ENTel. Necesito las llaves del local para hacer unas revisiones en la central.

—Está abierto. Godofredo Biodelli está trabajando ahora ahí —respondió la casera, sacudida de su rutina habitual.

El supuesto empleado agradeció y se fue. La muchacha se despidió y siguió sus pasos. A las dos de la tarde, Biodelli estaba maniatado y encerrado en el baño, y el cable maestro de comunicaciones cortado con un serrucho. La mayor parte de Garín había quedado sin teléfonos.

Mientras, en el Acceso Norte y la avenida Belgrano, otros cinco uniformados de policías controlaban el movimiento de ingreso y salida.

—Documentación.

–¿Qué pasa oficial?

–Debo retener los documentos. Desvíense por esa calle; no se puede circular por Belgrano.

Los autos circulaban despacio.

–Documentación.

–...

–Señora debe volver hacia el centro. Esta salida está bloqueada.

A esa altura del operativo, los tres policías verdaderos estaban encañonados en la seccional de Garín. De cara al piso y con las manos atadas observaban los movimientos.

A 350 metros de allí, una parte del comando había llegado a la esquina de Belgrano y Víctor Manuel. Habían saludado al cabo Fernando Sullyng que hacía guardia en la puerta y habían entrado libremente a la sucursal del Banco Provincia de Buenos Aires. Pero Sullyng había sospechado que algo extraño ocurría. Había ingresado tras ellos y antes de que pudiera desenfundar el arma reglamentaria una bala se había incrustado en su estómago. Con pasos rápidos y movimientos certeros, en segundos todos estaban maniatados y sujetos con cadenas.

–Esto no es contra ustedes, así que no se resistan –les dijeron a los clientes, al cajero y al gerente mientras los encerraban en una oficina del banco.

–¡Las llaves de tesoro! –exigieron a un empleado del banco.

–Yo no las tengo. Están en el destacamento –respondió aterrorizado.

El resto del operativo avanzaba sin mayores problemas: la comisaría estaba controlada al igual que las rutas de acceso a la población. Pero en Garín la rutina de la gente común continuaba su curso normal.

Julio Omar Pereyra intentaba encender su auto a metros del banco. El motor ronroneaba. Alzó la vista, vio que no había guardia en la puerta y observó movimientos extraños en la sucursal. Corrió hacia la comisaría. En ese mismo instante, el vecino Domingo Burzece estaba intentando hacer una llamada desde un teléfono público. Estaba sin tono. Horquilleaba una y otra vez pero sin respuesta.

Casi todo Garín estaba sin teléfono y en segundos más todo el poblado iba a estar aislado. En la oficina de correo de la estación de tren, dos guerrilleros fingían un envío.

—Queremos mandar un telegrama a Capilla del Monte.

—Un segundo —respondió Ricardo Galassi, el empleado el correo.

—Va dirigido a Jorge Caínzos.

—¿El texto?

—Pasado mañana llegan los repuestos del tractor —dijo uno del comando.

—¿El remitente?

—Autocar SRL.

—Domicilio y teléfono.

—Roma 757, Capital. 69-4598.

A esa altura del diálogo, un tercer miembro había eliminado sigilosamente la última línea telefónica instalada en la oficina de correo. El Rambler celeste aceleró a fondo. Un grupo huía del pueblo con la misión cumplida.

Pero en Garín todavía quedaban detalles por ultimar. Algunos imprevistos se colaban en el operativo. El vecino Pereyra había logrado llegar a la comisaría.

—¡Están asaltando el banco! —denunció ante un policía y un hombre con guardapolvo blanco.

Ya era tarde para comprender el grave error. Acababa de hacer la denuncia ante los propios atacantes.

—¡Al piso, boca abajo! —le gritaron mientras lo ataban con cadenas y cerrojos junto a los policías verdaderos.

Habían dado las dos. Era tiempo de abandonar el lugar. Los que estaban en la comisaría tomaron armas y uniformes policiales, inutilizaron el sistema de comunicaciones que conectaba el destacamento con la red policial bonaerense y las unidades móviles. Antes de partir, como símbolo de su paso pintaron la pared del frente del destacamento. "Libres o muertos, jamás esclavos. FAR." Se subieron a un auto y escaparon.

Mientras, los nervios crecían en el banco Provincia.

—¡Aníbal! ¡Nora! ¡Roberto! ¡A buscar las llaves del tesoro a la comisaría! —gritó el líder del comando desesperado porque el volumen del botín menguaba a cada segundo.

—¡Estás loco! ¡No nos queda tiempo! —respondieron sus compañeros.

—Agarrá lo de la caja. ¡Rápido! —vociferó uno.

Mientras, el vecino Burzece se había topado con dos conocidos. Los alertó sobre lo del teléfono y les dijo que había visto movimientos raros en el banco. Los vecinos de Garín eran incapaces de entender lo que ocurría en el tranquilo poblado. Estaban cerca del acceso de Panamericana así que corrieron en esa dirección. Un grupo de policías ordenaba el tránsito. Creyeron encontrar la salvación.

—¡Oficial, están asaltando el banco! —gritó Burzece alterado.

—Ya lo sé. Seguí nomás tu camino —dijo con tono entre solemne y amenazador el supuesto oficial.

Consternado, Burzece volvió hacia al banco para ver si podía ayudar. Pocos metros antes de llegar, un hombre lo interceptó con una ametralladora.

¡Adentro! —le ordenó

Al igual que Pereyra había descubierto tarde las ramificaciones del operativo, que dejaba pocos resquicios para los errores. Ahora era prisionero.

En el banco, una mano rápida guardaba los billetes de las cajas en una bolsa. El reloj marcaba las dos y cuarto de la tarde; era el momento de escapar. En la puerta, uno del grupo sacó un aerosol de un bolsillo y garabateó: FAR, Fuerzas Armadas Revolucionarias. La última fase del operativo acababa de terminar.

Se escucharon portazos, aceleradas y chillidos. Un Valiant

champagne, una pick-up Dodge azul y una camioneta Rambler Cross Country celeste desaparecieron en segundos.

Unas horas después llegó la policía. Comenzó el rastrillaje. Lejos de allí, el comando celebraba la victoria. Había sido un operativo impecable. Todo en los quince minutos pactados. Se sentían orgullosos de la demostración de fuerzas de las FAR.

—Si quieren saber qué pasó hoy en Garín, vayan al baño de damas de la confitería de Montes de Oca y Caseros. Hay un comunicado.

La llamada anónima alertó a la redacción de *Clarín*. Un periodista volvió poco después con una hoja impresa en mimeógrafo. "Después de algunos años de acción anónima, asumimos hoy en Garín nuestra identidad política y como Fuerzas Armadas Revolucionarias proclamamos: 1°) que la lucha armada nos es impuesta como única salida por largos años de violencia oligárquica…", comenzaba el documento.

Miguel Alejo se sentía exultante. Todo había salido según lo planeado. No habían perdido a nadie. El único traspié era la escasez del botín: apenas 700.000 pesos moneda nacional. Pese al resbalón, el grupo saboreó la victoria y asumió con fuerza su nueva identidad pública.

Los operativos que siguieron se ensombrecieron con las primeras bajas. El éxito impecable de Garín pronto se oscureció entre los errores y las vidas perdidas. Pero la lucha debía continuar. El pase de manos del gobierno del general Juan Carlos Onganía a su camarada de armas, Roberto Levingston, tenía poca significación para la FAR y el ERP, que veían el traspaso del poder como una simple sucesión de dictadores.

El 20 de diciembre de 1970 el cielo amaneció nublado. El aire se sentía compacto y húmedo. Julián participaba de una nueva maniobra de las Fuerzas Armadas Revolucionarias cuando se sobresaltó por las frenadas de automóviles y entendió que habían sido sorprendidos por la policía. La orden fue dispersarse. Corrió perseguido por los disparos que se escuchaban a su espalda y el asma que le oprimía el pecho. Un sudor frío le atravesaba el cuerpo. Cuando llegó a su casa, un ataque respiratorio terminó por provocarle un paro cardíaco. Miguel Alejo, Julián, murió a los 33 años.

El 17 de noviembre de 1972, Américo Miralles salió de Comodoro Rivadavia rumbo a Trelew en la pick up carrozada que usaba para repartir los paquetes de suelas de zapatos fabricadas en Casa Castilla. En el camino lo sorprendió de pronto una explosión de bocinazos que provenían de los conductores que se cruzaban en la ruta.

Miralles encendió la radio y descubrió que las bocinas festejaban el regreso de Juan Domingo Perón a la Argentina.

Hizo un alto en el camino y llamó por teléfono a la Capital. Los empleados de Casa Castilla le confirmaron la noticia y le avisaron que su hijo Armando había salido rumbo a Ezeiza, para sumarse a los tantos peronistas que, pese a la prohibición oficial, intentaban acercarse al aeropuerto. La opción por el peronismo había sido transmitida a jóvenes que jamás en su vida habían visto al fundador del movimiento.

Habían pasado 17 años y dos meses desde el inicio del exilio de Perón, cuando la Revolución Libertadora lo había expulsado del país. Ahora tenía 77 años. Con comentarios primero y cuando la censura lo permitió a través de las noticias de los diarios, Américo había seguido durante años los pasos de su líder por Paraguay, Panamá, Venezuela, República Dominicana y España. Desde Madrid, Perón había logrado defenestrar a los dirigentes peronistas que intentaron opacarlo, había apoyado oportunamente salidas electorales y planteos militares y había sostenido su liderazgo en el Justicialismo a pesar de los miles de kilómetros de distancia que lo separaban de la Argentina. El peronismo, tironeado entre la izquierda combativa y la derecha reaccionaria, buscaba ahora su liderazgo para definir el enfrentamiento.

En Comodoro Rivadavia, el viento empujaba autoritario a las nubes que corrían a través del cielo. Por la mañana, Américo consiguió un diario y buscó los detalles sobre el regreso. "Perón trasládase hoy a su domicilio", titulaba la tapa del diario *La Nación*. Devoró cada columna del matutino hasta que su mirada se cruzó con la crónica de los violentos incidentes de Ezeiza, donde se habían enfrentado manifestantes de izquierda y grupos armados de derecha.

El recuerdo de su hijo le heló la piel y corrió a llamar a Buenos Aires. El alivio llegó apenas Armando atendió el teléfono y explicó a su padre que los embotellamientos de los miles de hombres, mujeres y niños que habían marchado para recibir a Perón le impidieron llegar al aeropuerto.

Américo, como la mayor parte de los peronistas, sintió que el regreso de Perón abría un nuevo tiempo de tranquilidad y bienestar.

Pero la Argentina de comienzos de la década del 70 era muy distinta a la de 1955. Los primeros meses de gobierno transcurrieron en calma gracias al apoyo conseguido por un acuerdo entre la Confederación General del Trabajo y la Confederación General Económica, que buscaba terminar con la inflación. Los grupos más radicalizados, sin embargo, exigían la "patria socialista" que habían soñado con el regreso del peronismo al poder.

El asesinato del dirigente gremial José Rucci y el intento de copamiento al cuartel de Azul demostró crudamente que la presencia de Perón lejos estaba de significar un freno inmediato de los enfrentamientos que tenían lugar en la sociedad. Los Montoneros y la Juventud Peronista rápidamente vislumbraron en López Rega, un oscuro personaje que transitaba entre sus aficciones espiritistas y su ideología autoritaria, la personificación de la derecha.

A fines de junio, durante un viaje oficial a Paraguay, Perón fue sorprendido por la lluvia y el frío. Regresó a Buenos Aires pálido, con tos y fiebre.

Tras una noche agónica, el 1° de julio de 1974 los médicos descubrieron que milagrosamente su salud había mejorado. Pero a las 10.30 su corazón dejó de latir.

A la mañana siguiente el sol asomó perezoso sobre el horizonte, el ataúd con el cuerpo de Perón avanzó entre filas de Granaderos y fue subido al coche fúnebre. En su parte superior llevaba cruzada una bandera nacional y apoyada la gorra de Teniente General.

La viuda, López Rega y el edecán presidencial, Pedro Alberto Fernández Sanjurjo se subieron al coche y el cortejo abandonó Olivos. A cada paso, la caravana fue acompañada por la despedida acongojada de una multitud apiñada en las veredas. Muchos se largaban a llorar apenas descubrían a lo lejos las motocicletas policiales que encabezaban la marcha. A las once, la guardia presidencial de Granaderos subió el ataúd sobre un catafalco, bajo la cúpula del salón del Congreso. Filas interminables de hombres y mujeres vestidos de oscuro esperaban frente al Congreso para dar su adiós al líder. Por la tarde se abrieron tres ingresos y el salón se cubrió de expresiones de desconsuelo y lamentos. Los peronistas transitaban sin pausa por el Congreso y afuera la cola se renovaba con la llegada de más contingentes.

Al día siguiente la multitud se mantenía inamovible. En el interior, el edecán Fernández Sanjurjo mantenía su guardia rigurosa a pocos pasos del ataúd. Había sido la sombra del hombre que ahora se extendía inerte, con los dedos entrecruzados sobre el pecho. Había sido testigo de innumerables muestras de devoción hacia el presidente, pero sólo aquel gentío había terminado por confirmarle la gigantesca influencia de Perón en los argentinos.

Américo Miralles y su mujer lograron abrirse paso. De pronto quedaron frente al ataúd. Jamás lo habían visto tan cerca. Perón parecía dormir, rigurosamente vestido con su uniforme militar y el pelo negro tirante y prolijo.

El 4 de julio, finalmente, se ordenó cerrar las puertas del Congreso. Una lluvia otoñal caía sobre la ciudad. El salón había quedado desierto, con el cuerpo de Perón bajo la gigantesca araña de cristal de Baccarat. Entonces Fernández Sanjurjo descubrió que una disimulada gotera caía sobre la frente del General y mandó a cubrir la cúpula del salón con lonas. El ataúd iba a ser llevado después a la residencia de Olivos donde se lo expuso cerrado a la vista del público, junto al cadáver embalsamado de Eva Perón.

El jefe de la policía, el comisario general Alberto Villar, llegó a la redacción del diario *Noticias* con una orden de clausura. Entró al edificio de Piedras al 700 a golpes de sus tacos contra el piso y entre insultos hacia los responsables del periódico. Cargaba además con una obsesión a cuestas:

—¿Cuál es el escritorio de Rodolfo Walsh? —inquirió.

En pocos minutos terminó, por medio de un decreto firmado por Isabel Martínez de Perón, con nueve meses de labor periodística y lucha.

Gregorio Levenson tenía a su cargo la dirección administrativa del diario, que se autodefinía como popular y peronista, y que buscaba tanto informar como formar ideológicamente a los partidarios. Su orientación era motonera y más de una vez, cuando la confusión nublaba el camino, los militantes se acercaban a la redacción para pedir consejos sobre la forma de seguir adelante. Pero los redactores de *Noticias* intentaban conservar el espacio político que habían conquistado, a pesar de las amenazas de bombas, sabotajes, boicots, intimidaciones y secuestros de ediciones, más que transformarse en oráculos de los militantes.

Junto a Gregorio estaban Francisco Paco Urondo con su permanente sonrisa contorneando los labios, Rodolfo Walsh y su hija Patricia, Juan Gelman, los hermanos Betanin, Walker, Piatti, el uruguayo Michelini, Alicia Barrios y Bernardo Levenson, que aportaba lo suyo desde el archivo del periódico.

Nueve lunas duró *Noticias,* un período en el que diariamente habían tenido que parir el diario con pocos recursos y apoyos menguantes.

—Necesitamos tus rotativas para completar la tirada —habían pedido Gregorio y Urondo a Ricardo García una tarde que el diario amenazaba con no salir a la calle.

—Miren, no podrá ser. Yo con los milicos, los curas y la loca no me meto. Ustedes sí que las tienen bien puestas —había respondido el dueño de *Crónica,* que siempre lograba, ya entrada la madrugada, conseguir el primer ejemplar de *Noticias.*

En la corta vida del diario había tenido lugar la muerte de Juan Domingo Perón y el ascenso a la presidencia de su esposa María Estela Martínez de Perón, más conocida por Isabel, su nombre artístico de bailarina. El fallecimiento del mandatario había acentuado la inestabilidad política que vivía el país. Las fracciones internas del peronismo, ahora sin la mediación ni el arbitrio del líder, transformaron su enfrentamiento latente en una lucha abierta.

Se sucedían asesinatos y amenazas. Bandas de ultraderecha mataron a Rodolfo Ortega Peña y al ideólogo marxista Silvio Frondizi, mientras el terrorismo de izquierda abatió a Bruno Genta, al profesor de Filosofía Carlos Alberto Sacheri y al comisario general Villar. Entre el fuego cruzado, la Triple A abonó el terreno con un impune terrorismo de Estado.

El factótum del nuevo gobierno era José López Rega, llamado por sus allegados "Josecito", quien había ascendido inexplicable y velozmente de cabo a comisario general de la Policía Federal. Desde enero de 1975, en calidad de secretario privado de la Presidencia, López Rega manejaba todos los asuntos del gobierno de Isabel en medio de un clima esotérico y represivo.

Mientras, la crisis económica agudizaba el descontento de la población. Había desabastecimiento de azúcar, aceite y hasta de papel higiénico; la inflación parecía descontrolada y los salarios se esfumaban en pocos días.

Los militares se sumaban a los grupos paramilitares y sus mandos superiores comenzaban a conspirar contra el gobierno democrático. La represión sin control que siguió al ataque al cuartel de Monte Chingolo dejó el sabor de una oscura profecía.

El desbarajuste económico que marcó la gestión del ministro Celestino Rodrigo sólo arrojaba más leña al inflamable clima político. Isabel era incapaz de contener los enfrentamientos y demasiados interesados levantaban apuestas por el caos.

Entre el tumulto de los transeúntes, el aroma del carbón virgen regresaba de improviso a Marcelino Fernández Villanueva y su mente volvía a Olloniego. Habían pasado cerca de tres décadas desde que había pisado por última vez su pueblo natal y huido de España para salvar su vida. En Buenos Aires, *El Gafas*, el legendario guerrillero asturiano del monte, era sólo un recuerdo de los viejos republicanos que se sentaban en los cafés de la Avenida de Mayo.

Marcelino sabía que había perdido una guerra y la fuerza que antes había volcado al combate ahora estaba puesta en su trabajo. Durante los últimos veinte años había hecho carrera como vendedor de la papelera Iturrat y había caminado Buenos Aires hasta lograr la mejor clientela del negocio. Hacía tiempo que había abandonado las alpargatas gastadas y ahora podía darse el gusto de cambiar zapatos como quien cambia de pañuelos.

Los esfuerzos habían dado sus frutos. En 1975, Marcelino era propietario de tres hoteles en pleno centro porteño. El Embajador, El Impala y El Shelton, que hospedaban a centenares de turistas y daba un digno pasar a su esposa Francisca y a sus tres hijos varones. El trabajo todavía tenía recompensas.

A pesar del bienestar, los recuerdos de los años duros seguían intactos en su mente y la sombra eterna de su ojo izquierdo le impedía olvidar las torturas franquistas. La mayoría de sus compañeros dormían en tumbas sin nombre. España estaba donde siempre, lejos y prohibida.

El 19 de noviembre de 1975, Buenos Aires amaneció nublado, pero al atardecer el viento limpió el cielo y una luna radiante iluminó la noche. Entonces llegó la noticia de que Franco había muerto.

A Marcelino primero lo encendió el inconfesable placer de la revancha, pero después enfureció al descubrir que el gobierno argentino había dispuesto cinco días de duelo nacional por la muerte del dictador.

Cuando Marcelino confesó sus intenciones de volver a visitar su tierra, la familia puso el grito en el cielo.

—No podemos. Tú sabes que aún no están dadas las condiciones para volver sin miedos —le rogaba Francisca, su mujer.

Pero la decisión estaba tomada y Francisca hizo las valijas para acompañar de regreso a su marido. Abandonaron su casa de Caballito con dos boletos de ida y vuelta. El destino indicaba la ruta Buenos Aires-Madrid-Asturias.

En las largas horas de vuelo apenas cruzaron unas palabras, un nudo en la garganta los empujaba al silencio. En su interior, *El Gafas* sabía que las dudas de su mujer tenían lógica.

Finalmente el avión pisó tierra en el aeropuerto de Barajas. Un gentío deambulaba por los pasillos, mientras las voces metálicas de los altoparlantes informaban sobre llegadas y partidas. El matrimonio Fernández Villanueva debió esperar hasta tomar el vuelo que iba a llevarlos a Asturias. Se sentaron en una confitería del aeropuerto para matar el tiempo. El café sabía amargo. De pronto, una imagen entre la gente capturó la atención de Marcelino.

—Mira Francisca —dijo, mientras tiraba de la manga de su mujer y apuntaba con su mirada hacia un joven que pasaba sin prestar atención a la pareja, con un prendedor con la insignia comunista.

—Si éste muestra la hoz y el martillo a la luz del día entonces ya nada malo puede pasarnos en España —se alegró Marcelino, con su mirada sonriente sobre el muchacho.

Los altoparlantes anunciaron la salida del vuelo rumbo a Asturias y la pareja, con menos temores sobre la espalda, apuró el paso. El viejo deseo de libertad regresaba a sus vidas.

Ya en Asturias, un auto los llevó desde el aeropuerto hasta Olloniego. A través de las ventanillas del taxi descubrió las pequeñas casas blancas donde había crecido y pidió al chofer que lo dejara bajar. Arrastró las valijas por las calles del pueblo, mientras la memoria le devolvía recuerdos perdidos.

Lentamente la emoción abrió paso a una sensación de extrañeza, como un peregrino en la procesión equivocada. Marcelino no reconocía a nadie. Dejaron las valijas en un hotel y pasearon por el pueblo en busca de caras conocidas. La mina había dejado de dar carbón y había sido clausurada años atrás. Su cierre había traído también la agonía del pueblo, que se cubrió de cantinas.

En una caminata, Marcelino detuvo a un muchacho que se presentó como Gómez. Era el hijo de Luis, de *Panbarato,* con quien había peleado en la guerrilla antifranquista. Marcelino abrazó al muchacho con firmeza pero sintió que la respuesta era fría.

La familia de *Panbarato* había guardado los apuntes del guerrillero, que describían a *El Gafas* como a un héroe y revivían la supervivencia en los montes. Así se enteró que su compañero había vuelto para morir junto a su familia en Olloniego, a pesar de los peligros que acechaban en el pueblo. Su hijo, sin embargo, estaba poco interesado en historias del pasado y prefería mantenerse distante de los problemas que podían traerle con los resabios de la derecha.

España daba los primeros pasos de su transición hacia la democracia, tímida y cautelosa. Toda una generación había crecido bajo la educación opresiva del franquismo.

—¿Dónde están las pelotas que deberíais haber heredado? —se terminó por enfurecer Marcelino, frente al hijo de *Panbarato,* cuando entendió que la ideología los separaba. No era el regreso imaginado por Marcelino. Se sentía ajeno en su propia tierra y la leyenda de su lucha parecía haberse esfumado con el viento de las montañas.

Francisca hizo las valijas. Después tomó del brazo a su esposo y lo subió a un taxi. Un avión los esperaba para volver a Buenos Aires.

El 24 de marzo de 1976, los primeros reflejos del sol iluminaron los tanques y blindados del Ejército que rodeaban la Plaza de Mayo. Una junta militar comandada por el general Jorge Rafael Videla, el almirante Emilio Eduardo Massera y el brigadier Orlando Ramón Agosti había derrocado al jaqueado gobierno de Isabel Perón. Entre sus primeras medidas, la cúpula militar mandó a redactar un improvisado sustento jurídico y bautizó al golpe como "Proceso de Reorganización Nacional".

En la mirada del nuevo gobierno eran tan peligrosos los grupos guerrilleros como los estudiantes universitarios, los intelectuales, los gremialistas de base, los simpatizantes de izquierda, los defensores de los derechos humanos, los periodistas y, por extensión, todos aquellos que contradecían su forma de pensar.

Miles de argentinos comenzaban a planear su exilio, otros presenciaban impasibles el derrumbe democrático y muchos apoyaban esperanzados la llegada de los militares con añoranzas de orden y estabilidad.

Para los Levenson las consecuencias del golpe eran claras y debieron urgentemente reforzar su clandestinidad. Bernardo, su esposa Marta Bazán y su hijo Alejo abandonaron la casa donde vivían. Sabían que un grupo de tareas los había descubierto. Deambularon por hogares de compañeros y de familiares en busca de un escondite. Marta, la Coca Bazán, desapareció en octubre. Ella también era montonera y era considerada por sus colegas y comandantes como un buen cuadro, una "comebulones", como llamaban a las mujeres de carácter duro.

Sin embargo, el 18 de octubre de 1976 por la noche, Gregorio Levenson y Lola, supieron de la muerte de su segundo hijo Bernardo. Ambos asumieron la pérdida con entereza convencidos de que era uno de los destinos de su lucha. Poco después, Gregorio recibió del mando montonero la medalla al "Valor en combate" de la mano de Fernando Abal Medina. Su familia había sido arrasada.

El pequeño Alejito quedó en custodia de Gregorio y Lola. Los abuelos le explicaron la suerte corrida por sus padres. Tenía apenas cuatro años.

El endurecimiento de la represión obligaba a cada rato a esforzar la cautela. A pesar de los intentos desesperados por resistir, la guerrilla estaba jaqueada.

Para despistar al enemigo y encontrar un poco de sosiego, Gregorio, Lola y su nieto alternaban sus días entre la capital y una pequeña casa que tenían en Mar del Plata.

Un día de diciembre volvieron a Buenos Aires. Esa misma madrugada sonó el teléfono. Dormida y alarmada a la vez, Lola levantó el auricular. Del otro lado apareció la voz inesperada de su nuera Marta.

—¿Cómo está Alejito? —fue lo primero que dijo la madre.

—Bien, ¿pero dónde estás? —respondió Lola.

—No se preocupen, no les va a pasar nada. Necesito que saquen a Alejito del país. Llévenlo a Venezuela.

A la orden siguió un sonido a línea vacía. Tuvieron miedo, se sintieron mortalmente vigilados y supieron que eran la próxima presa. A las pocas horas escaparon al escondite de Mar del Plata.

Desde entonces, cada nuevo regreso a Buenos Aires se vio seguido por nuevas llamadas de su nuera. Eran conversaciones sin precisiones, enigmáticas y cortantes. Pero Gregorio y Lola se resistían a engendrar sospechas sobre el delator de sus movimientos.

El 15 de febrero los Levenson partieron hacia Buenos Aires. Tal como se había pactado, Alejito iba a pasar el fin de semana con sus otros abuelos. Al día siguiente, Lola y Alejo tomaron un colectivo hacia Plaza Flores, el lugar secretamente convenido para el encuentro con la otra abuela. Eran las seis de la tarde. El día regalaba una luz veraniega. De pronto, Lola escuchó una frenada. Enseguida comprendió que un grupo de tareas intentaba capturarla con su nieto. Hubo forcejeos, gritos y golpes. La plaza se alborotó, los transeúntes se detuvieron a ver la escena y los parapoliciales debieron replegarse. A salvo, las víctimas tomaron un colectivo, luego otro y otro más hasta asegurarse que habían perdido a sus perseguidores. Sin saber adónde refugiarse, regresaron a su casa de siempre. A las once de la noche los cazadores llegaron al departamento. Golpearon con fuerza a la puerta.

—Queremos llevar al chico a su madre que está con nosotros. Con usted no tenemos nada. ¡Entréguelo! —gritó uno del otro lado de la puerta.

En medio del temor surgió una esperanza: entonces Marta aún estaba con vida. Lola miró a Alejo y respondió:

—El chico no sale solo.

Respondió otra voz, menos paciente y más vehemente.

—Tráigalo usted y luego se va, sino rompemos la puerta y nos llevamos a todos.

En el departamento estaban su tercer hijo Alfredo y su hermana María. Para salvar al resto Lola resolvió acceder. Abrió la puerta y tomó al pequeño de la mano. Unos hombres, a cara descubierta, que acechaban armados en el pasillo. No parecían querer sólo a un pequeño. Antes de llegar a la calle, uno de los hombres le arrebató a Alejo. En ese instante atroz sintió que lo perdía para siempre. La subieron a un auto sin patente y con vidrios oscuros. A Lola le faltaban dos días para su cumpleaños 65.

Le taparon los ojos y dieron vueltas por la ciudad. El auto se detuvo en la avenida Libertador y se sumergió en las sombras de la Escuela de Mecánica de la Armada. Al día siguiente, los sabuesos de la dictadura volvieron al departamento de los Levenson. Lo arrasaron. Como aves de rapiña se llevaron todo, libros, electrodomésticos, cartas.

Encapuchada, Lola fue arrojada a un cubículo y engrillada a una estructura metálica. De las cadenas colgaron un proyectil de cañón de unos quince centímetros de diámetro y 25 kilos de peso. Poco a poco perdió la noción del tiempo y del espacio. La habían privado del mundo externo. Se sumergió en una soledad sin luz.

Por entonces Gregorio intentaba salvarla con habeas corpus en la Justicia. Pero la complicidad de los jueces impedía flanquear la zona oscura que rodeaba el accionar de las fuerzas de seguridad. Levenson sabía que era la siguiente víctima y fue obligado a recluirse aún más.

Gregorio, oculto en una pensión de pleno centro, pensaba en sus muertos enterrados y en los desaparecidos. Imágenes de Alejito, Lola, Bernardo y Miguel Alejo avivaban su soledad. Durante días, los secuestradores lo buscaron en Mar del Plata. Pero Levenson se les esfumaba de las manos. Rompieron la puerta y desvalijaron la casa del balneario. La persecución se hizo más intensa.

—Vivo en una concha —comentó al compañero Norberto, en una de sus citas secretas en la confitería Young Men de Córdoba y Esmeralda.

Café de por medio y rodeados de otros militantes, repasaban la lista de los caídos y desaparecidos. Desde la ventana, Norberto relojeaba su Fiat 600 cargado de libros y de paquetes, estacionado en infracción sobre la avenida.

—Tenés que rajar —obligó el cabezón a Gregorio, en uno de los encuentros.

Finalmente, con el alma desecha y sin conocer el destino de Lola y de Alejo, el 20 de mayo de 1977, Gregorio salió del país rumbo a Caracas con identidad falsa. En Venezuela lo esperaba desde hacía dos años su nuera Susana, esposa de Miguel Alejo, y sus nietos Martín y Laura.

En la ESMA, la vida de Lola se perdía como el calor final de las cenizas. Su entereza se partía en aquel sitio que los transeúntes de la muerte llamaban Capucha. Sentada en el frío piso de alisado de cemento, la tortura le quitaba sus últimas fuerzas.

—Si quiero puedo volar pero no me iré porque aquí estoy con todos mis hijos... —dijo un día Lola en medio de un atroz agotamiento físico.

En Caracas, Gregorio gestó en su nuevo hogar una burbuja alrededor de sus nietos y su nuera, y se alejó temporalmente del movimiento revolucionario.

A fines de agosto, Lola escuchó pasos a su alrededor y sintió que la llamaban. Como pudo, se puso de pie. La sangre volvió a latir en sus venas. La llevaron a la enfermería del subsuelo. Poco después un pinchazo de pentotal la adormeció. La cargaron en andas y la sacaron por una puerta lateral. Había llegado el momento del "traslado". Ese mismo día, Elsa Ravinovich de Levenson fue arrojada con vida desde un avión al Río de la Plata, como tantos otros desaparecidos. Su familia ignoraba el triste destino.

Tras su tiempo venezolano, entre el calor de familia, Gregorio se reincorporó a Montoneros para cumplir tareas administrativas y políticas. Enseguida fue designado tesorero del Movimiento Peronista Montonero. El nuevo rol lo acercó a la cúpula de la organización. Adonde se trasladaran, Gregorio debía seguirlos.

En los primeros meses de 1978, los comandantes del movimiento decidieron mudarse a Roma por cuestiones estratégicas. Gregorio siguió sus pasos y se instaló en la oficina que la organización poseía en la capital italiana.

La Argentina se preparaba para el XI Campeonato Mundial de Fútbol, donde intervendrían 16 países. Montoneros creyó que era una oportunidad ideal para comunicar a la opinión pública mundial las violaciones a los derechos humanos que tenían lugar en la Argentina e introducir documentación y folletos al país.

La oficina de Prensa de Montoneros puso manos a la obra y generó un gran número de publicaciones que denunciaban las acciones represivas de la dictadura. Pero les faltaba un aliado que gozara de la suficiente inmunidad como para ingresar el material sin inconvenientes. Realizaron algunos contactos y finalmente el salvoconducto para la aventura fue el seleccionado italiano de fútbol. En una reunión secreta les entregaron volantes y folletines a los jugadores. El equipo, dirigido por Enzo Bearzot, llegó a Mar del Plata escoltado por un avión de la

Fuerza Aérea Argentina, un día antes del inicio del campeonato y sin realizar ninguna declaración a los medios. Los volantes y folletos ya habían sido ingresados sigilosamente al país y estaban en manos de los militantes que habían sobrevivido a la represión.

El mundial, que había costado más de 500 millones de dólares, se inició el jueves 1° de junio de 1978. Desde el mediodía se declaró asueto para la administración pública, mientras que otros tantos trabajadores tomaron el día sin permiso. Todos debían contribuir a exaltar el clima festivo. Se dispusieron trenes especiales de la línea Roca para el recorrido Buenos Aires-Mar del Plata, una de las sedes principales del campeonato. En la Capital, el cardenal primado de la Argentina y arzobispo de Buenos Aires, monseñor Juan Carlos Aramburu había oficiado por la mañana una misa en la Catedral para pedir por el éxito del evento.

Pese a los intentos de la dictadura y de sus aliados por acallar sus atrocidades, muchos argentinos usaron el interés generado por el evento como foro de denuncia. La contradicción que vivía el país se evidenció en la página 7 del diario *La Prensa* del 1° de junio. Mientras el fútbol acaparaba las noticias principales, Emilia D. Santoro y Dolores M. Santoro recordaban en una solicitada el primer aniversario del secuestro y posterior desaparición de su familiar Roberto Jorge Santoro.

Pero la fiesta seguía su curso. El domingo 25 de junio el campeonato llegó a su fin. A las tres de la tarde el silbato del referí sonó para dar inicio al partido que daría la victoria final al seleccionado argentino, en la cancha de River Plate, a pocas cuadras de la Escuela de Mecánica de la Armada donde seguían las torturas y el horror.

Arturo Szejman se llevó la mano al pecho y confesó su dolor. Su mujer, Perla Jerosolinsky, lo examinó compasiva. Se veía demacrado y pálido. Las amarguras por la economía del país ayudaban poco. El ministro José Alfredo Martínez de Hoz imponía sin miramientos su plan económico con bajas en los aranceles a la importación que abría las fronteras a baratijas asiáticas y mercaderías subsidiadas. El poder adquisitivo de los argentinos había caído a la mitad, los capitales volaban al exterior en busca de mejores intereses y en medio del clima opresivo de la dictadura, donde el grueso de las noticias eran superfluas, los diarios comenzaban a dar espacio a las críticas de los empresarios que advertían la destrucción de la industria.

Pero los militares se movían a sus anchas en el poder y desanimaban a los políticos que reclamaban la transición democrática advirtiéndoles que a Videla iba a sucederlo otro general. Había que olvidar las elecciones.

El taller textil que Arturo poseía en Once había sucumbido al igual que tantas otras pequeñas empresas locales. La política económica favorecía la importación sin preocuparse por el destino de quienes quedaban en el camino. Su depósito de la calle Aráoz estaba repleto de pantalones cortados, imposible de vender. Había dieciséis máquinas paradas. Sus anhelos jóvenes del negocio propio, de la prosperidad, de una vida digna se desmoronaban sin que él pudiera hacer nada por evitar el fin.

Perla vio en la cara de Arturo la expresión inconfundible del dolor. Levantó el teléfono y llamó a su hijo. Al mediodía internaron a Arturo en el hospital Fernández. Su corazón se negaba a seguir latiendo. Perla lo siguió entre camillas y guardapolvos blancos, vio su gesto quebrado, su mirada sin destino, y lo acompañó. Estaban juntos, como en Varsovia contra las familias que se enfrentaban a su noviazgo, como en Siberia donde habían resistido la muerte del frío. Ellos seguían unidos pese a todo. La guerra había sido incapaz de separarlos, los nazis, los rusos, el hambre; nada ni nadie lo había logrado durante medio siglo. Nunca. Perla apretó los dientes y contuvo las lágrimas.

Entre tanto, en la plaza Lavalle, Videla y los jefes militares rendían homenaje a los muertos de la Policía Federal. La lluvia caía implacable ese sábado. Aseguraban que las torturas, los secuestros, los

253

centros clandestinos de detención eran apenas un invento del comunismo internacional.

El sábado murió gris. Perla durmió en el hospital protegida por una frazada.

Los médicos resolvieron operarlo el lunes. Las horas pasaron opacas. Los recuerdos arrastraban la mente de Perla hacia el pasado, y el regreso al presente, en la frialdad ascéptica del hospital, resultaba brusco y doloroso. Arturo seguía recostado en la penumbra mortecina de la habitación. Su hijo Juan y su nuera Liliana acompañaban la espera. Nada mejoró a lo largo de la tarde.

Al anochecer, Perla se acercó a su marido. Arturo abrió los ojos exhausto y extendió las manos hacia su mujer. Los dedos se entrelazaron tibiamente.

—Perdóname, Perla, si alguna vez te hice mal.

La mujer odió escuchar una despedida. No podía dejar que muriera. Era imposible concebir la vida en soledad. Arturo se llevó las manos de su esposa a los labios y las besó. La tristeza abrió un abismo. Perla acercó su boca y dejó un beso sobre los dedos marchitos de Arturo. Los médicos pidieron que abandonara el cuarto.

Arturo Szejman, el estudiante que en Varsovia había dejado el rabinato para ir en busca del amor de Perla, murió al cumplirse la primera hora del lunes 29 de octubre de 1979.

Anselmo Marini y Ricardo Balbín se habían conocido en La Plata siete décadas atrás, en tiempos de luchas universitarias, de ideales reformistas y peleas por la libertad de cátedra. Balbín era apenas dos años mayor, pero desde entonces Marini lo seguía como el discípulo al maestro.

Abrió la puerta y vio a su amigo tendido en la cama. Se lo veía desmejorado. Tenía la piel terriblemente blanca y salpicada por pintas oscuras. Los pequeños ojos de Balbín se esforzaban por mantener la luz de los tiempos de ataques políticos y palabras rimbombantes.

—¿Cómo estás, Ricardo? —preguntó Marini cuidadosamente.

El rostro de Balbín lo transportaba al recuerdo de su primer discurso político. Había sido en 1927, durante una asamblea universitaria en la Facultad de Derecho. La presencia de Balbín lo intimidaba porque lo respetaba devotamente y se sentía por debajo de sus cualidades de oratoria. En aquella oportunidad Marini pronunció cada palabra con firmeza, mientras el corazón le latía descontrolado. Sólo esperaba arrojar sus ideas con claridad, sin tartamudeos ni interrupciones que delataran su inseguridad. Finalmente concluyó el discurso y se dio vuelta en busca de la opinión de su compañero. Estaba inquieto.

—Estuviste bien, pibe. Ahora hay que meterle, hay que seguir —lo motivó Balbín.

Ambos eran apenas estudiantes veinteañeros, pero Balbín se movía como si supiera de política desde su nacimiento.

Habían pasado 54 años desde aquel discurso y la devoción se mantenía. La crisis económica y el aislamiento internacional debilitaban al régimen militar. Como una forma de contener los reclamos y asegurarse un lugar en el futuro gobierno democrático, el general Roberto Viola había ordenado a su ministro del Interior, Horacio Tomás Liendo, que iniciara conversaciones con los representantes de los partidos políticos, que lentamente se animaban a exigir una salida electoral al gobierno.

Mientras tanto, la Unión Cívica Radical había festejado en Córdoba sus noventa años de existencia, en un acto que había servido como demostración de fuerzas.

—¿Fuiste a Córdoba? —preguntó Balbín desde la cama.

—No, no pude, yo también estuve medio enfermo.

—¡Qué lástima! —replicó el líder radical.

Marini se sintió suavemente regañado. Los radicales buscaban tomar la iniciativa en la multipartidaria y encabezar los reclamos a favor de la transición democrática.

—Deberías haber ido, Anselmo. El partido te necesita. Ahora hay que meterle, hay que seguir.

La repetición de aquella frase de la juventud lo estremeció. A la salida de la clínica IPENSA, Marini enfrentó a los periodistas que aguardaban y respondió que el estado de salud del dirigente radical era "estacionario". Después caminó lentamente por las cuadras arboladas de La Plata hacia su casa de la calle 2. Unos días después, el 9 de septiembre de 1981, su amigo murió.

Entre las calles de Roma, una nostalgia aguda atrapaba desprevenido a Gregorio Levenson y sus sentimientos se hundían en la añoranza de Lola, sus dos hijos muertos y Alfredo, que seguía en la Argentina en busca de su madre desaparecida. Recordó sus primeros acercamientos a la izquierda y a la clase de obrera junto a su padre en los astilleros de San Fernando. Había pasado más de medio siglo.

Cada mañana llegaba a la via della Doagna Vecchia 5, sede de la oficina de Montoneros. Las miradas azoradas de los exiliados argentinos que escapaban de la dictadura testimoniaban el infierno que habían dejado tras su huida.

—Llegó la familia Betanin; les adelanté 500 dólares —comentó Gregorio a Carlos Perdía, uno de los líderes de la organización. Sentía que era un imperativo ayudar a los exiliados a reconstruir su vida, pero sus convicciones chocaron con la gélida respuesta de Perdía.

—No podés disponer de un solo peso más. Que te los devuelvan —contestó el jefe montonero.

—Pero es una familia de tradición revolucionaria, están destruidos —insistió Gregorio. La cúpula de Montoneros había planeado otros destinos para los fondos.

—Los hermanos Betanin eran funcionarios de la organización y tenían una asignación. Entonces pagáles el sueldo —desafió Gregorio.

—Mirá, cuando se resolvió pasar a la clandestinidad éramos conscientes de que muchos compañeros quedaban sin seguridad.

—Hubo un proyecto para financiar la reubicación en el exterior de los cinco mil que estaban en peligro. Pero era mucho dinero. No podíamos destinar tantos fondos para eso, nos hubiéramos quedado sin dinero para hacer política —insistió Perdía.

—Pero, ¿cuántos de los muertos o desaparecidos estarían hoy con vida entre nosotros si se hubiera hecho algo? —interrumpió Gregorio consternado, para bajar la conversación de las finanzas a la realidad.

La distancia que se había abierto entre la cúpula montonera y los devastados cuadros de la agrupación era ya insalvable. Las diferencias dentro de la organización eran cada vez más evidentes.

Pocos meses después, Gregorio debió trasladarse a San José de Costa Rica con una nueva misión: la dirección administrativa de la radio Noticias del Continente, instalada por Montoneros para apoyar los movimientos revolucionarios de América latina y enviar información a sus contactos en la Argentina. La radio se había montado con los últimos adelantos tecnológicos y contaba con un gran alcance y el apoyo inestimable del gobierno democrático costarricense. Al inicio, Noticias del Continente estaba al servicio del ejército sandinista que preparaba la ofensiva final sobre Managua para derrocar al general Anastasio Somoza. Desde allí, el ejército arengaba los ánimos de la población y enviaba información táctica a las fuerzas operativas.

Los revolucionarios buscaban unir sus fuerzas en un continente ganado por las dictaduras militares. La radio se convirtió rápidamente en un lugar de encuentro y recepción para los cientos de militantes latinoamericanos que llegaban a Costa Rica para sumarse al Frente Sandinista de Liberación Nacional en su arremetida final contra el régimen de Somoza.

Poco antes de la batalla final, Mario Firmenich y Fernando Vaca Narvaja llegaron a San José dispuestos a calzarse sus uniformes de batalla.

—Queremos participar en la toma de Managua. Ponenos en contacto con los jefes del frente —ordenaron a Gregorio los comandantes de la cúpula montonera ya vestidos con sus uniformes de guerra y parapetados con metrallas.

Un tanto sorprendido, Levenson inició las gestiones sabiendo que los movía la intención de figurar en las páginas de la historia más que una convicción revolucionaria. Con una extrema diplomacia, los líderes del ejército se negaron al pedido de los argentinos bajo el argumento de motivos de seguridad.

Levenson comunicó la decisión a Firmenich y Vaca Narvaja, quienes impedidos de luchar optaron por tomarse algunas fotografías montados en tanquetas, exhibiendo medallas, armas y un sobreactuado fervor revolucionario.

Mientras, las divergencias dentro de Montoneros se profundizaban. Poco a poco, un grupo de compañeros dio forma a una nueva organización: el M17. Viejos y nuevos cuadros se atrevían a cuestionar públicamente a la conducción, que parecía desgastada y menos férrea. Ambos bandos se reunieron, se juraron confraternidad y sellaron un pacto de no agresión. El M17 intentó avanzar con la nueva propuesta, pero la heterogeneidad de los disidentes condujo al fracaso. Fue entonces cuando Gregorio decidió alejarse definitivamente de los montos y renunció a su puesto en la radio.

Sin estructura que lo contuviera y desilusionado, Levenson vagó con sus ideales en la soledad del exilio hasta que Naciones Unidas lo contrató para ayudar a los refugiados nicaragüenses, haitianos, cubanos y hondureños que buscaban cobijo en Costa Rica. De esa forma se unió a los voluntarios de la Cruz Roja y Cáritas que recibían a las víctimas de la guerra desatada en América Central entre la guerrilla y las fuerzas de derecha.

Los ideales habían encontrado un nuevo cauce, y en el trabajo solidario se unió estrechamente a curas y monjas.

A pesar de las ocupaciones, su mente traía a cada rato el recuerdo de su familia. Pero la añoranza por su país se sacudió de pronto por una noticia. Por primera vez desde 1870, la Argentina se involucraba en una guerra con otra nación. Tropas argentinas acababan de desembarcar en las Islas Malvinas bajo el mando del general Mario Menéndez.

Gregorio se sintió inquieto y confundido: la siniestra Junta Militar levantaba la bandera de la soberanía contra los ingleses que tanto habían defendido los militantes revolucionarios.

Gregorio pronosticó dos escenarios futuros sobre las consecuencias de la guerra. Por un lado, una derrota iba a forzar a la Junta Militar a abandonar el gobierno. Por el otro, la victoria sólo iba a ser posible con el apoyo, cuanto menos, de los gobiernos latinoamericanos y de la Unión Soviética. Estas alianzas sólo serían posibles si los militares relajaban su política de terror. Ambas hipótesis se vislumbraban alentadoras.

Gregorio buscaba señales para definir su postura. El 2 de mayo el submarino nuclear británico *Conqueror* hundió, en la zona de exclusión, al crucero *ARA General Belgrano*. Desde Costa Rica, Gregorio supo que habían muerto 400 soldados. Entonces sintió que era su obligación apoyar la guerra. Impulsados por su prédica, un grupo de argentinos que en el pasado habían sido montoneros se sumaron a los respaldos conseguidos por la acción de los militares. La guerra empujaba a coincidencias insospechadas.

María del Redentor Álvarez de Cobanera vivía el tiempo apacible de su retiro. Se había mudado a Villa Ballester. Sus seis hijos se habían casado y la casona de Escobar resultaba demasiado grande para llenarla con su vida.

Su esposo, Juan Augusto, tenía 92 años y sufría arterioeclerosis. Vivía en un rincón, sentado todo el día con la mirada perdida en la ventana, donde contaba los autos que veía pasar por la calle Balcarce. Su mente se extraviaba en los laberintos oscuros de la enfermedad. La púa del tocadiscos transitaba por los acordes de la novena sinfonía de Beethoven. Era el 2 de abril de 1982.

De repente, la puerta tembló con los golpes de su cuñado, Ramiro, que entró como un torbellino a la casa y sin dar respiro contó sobre la invasión a las Islas Malvinas. La íntima placidez del matrimonio se quebró. La Argentina estaba en guerra.

Ramiro subió a María a su automóvil y la llevó hacia Plaza de Mayo. Los recuerdos de los rincones olvidados del país que había conocido como maestra la arrastraron inmediatamente hacia la euforia. Sentía que era un acto de justicia. Se escurrieron entre la multitud que cubría la plaza con sus banderas blancas y celestes. En medio de la muchedumbre, María jamás descubrió que en otro lado de la plaza estaba su hija María Raquel junto a una amiga. Era la misma plaza donde tres días antes habían reprimido una masiva protesta sindical, pero a diferencia de la campaña desatada por la guerra las noticias contrarias al régimen eran ahogadas por la censura.

Cuando la tarde recién comenzaba, todos los manifestantes vivaron al general Leopoldo Fortunato Galtieri que salía al balcón.

—Compatriotas hemos recuperado, salvaguardando el honor nacional y sin rencores pero con la firmeza que las circunstancias exigen, las islas australes que integran por legítimo derecho el patrimonio nacional —vociferó exaltado desde la Casa Rosada.

La plaza respondió con un "Argentina, Argentina", a la manera de un partido de fútbol y María sintió que su interior explotaba de patriotismo.

—¡Viva la patria! —clamaban a coro un grupo de señoras que imaginaban vivir una suerte de moderno 9 de julio.

Todos regresaron a sus hogares como si la guerra estuviera ganada. La Argentina impulsaba negociaciones en las Naciones Unidas desde 1965, pero el cálculo populista de Galtieri, quien junto a la cúpula militar veía desmoronarse el apoyo a la dictadura entre problemas económicos y denuncias de corrupción, habían lanzado al país hacia una aventurada contienda bélica contra el principal aliado de los Estados Unidos.

María seguía la guerra por radio, como la mayoría de sus vecinos de Villa Ballester. Los medios exageraron los triunfos argentinos hasta que las malas noticias se filtraron por fuerza propia.

El 25 de abril los británicos recuperaron las Georgias del Sur. Las principales potencias de Occidente se alinearon con Gran Bretaña y Argentina quedó aislada, sólo avalada por el apoyo retórico de países latinoamericanos. El éxito inicial comenzó a cubrirse de sombras. En Malvinas, los soldados argentinos, mal equipados y poco entrenados, esperaban la invasión.

Las mujeres donaban sus joyas, se depositaba dinero en las cuentas oficiales y las ancianas tejían ropa para los soldados. Al patriotismo despertado por la guerra se sumaba el Mundial de fútbol que comenzaba a jugarse en España. María rezaba convencida del triunfo, hasta que por la radio supo que habían hundido el buque *General Belgrano*.

Juan Augusto estaba en cama, su enfermedad lo había privado incluso de la ventana y de la marcha abstraída de los automóviles. Entonces ocurrió lo inesperado. Desde las sábanas llamó a su mujer. María acercó su oído y lo escuchó.

—No te preocupes —le murmuró—, te voy a esperar con alegría.

María contuvo el llanto e intentó recomponerse. El agravamiento de la salud de su marido obligó a sus hijos a acompañarla en su casa.

La agonía duró tres días. El 7 de mayo a las ocho de la noche Juan Augusto estaba rodeado por su mujer y sus hijos cuando clavó los ojos en un punto perdido en la habitación. El entierro tuvo lugar en el cementerio de Escobar, donde los seis hijos despidieron por última vez a su padre. Lo recordaban como un hombre por momentos distante pero afectuoso, y llevaban grabada la imagen de Juan Augusto con una bandeja de masas finas en la mano para repartir a su familia en los días de fiesta.

Poco después, las tropas británicas rodearon Puerto Argentino, donde el general Mario Benjamín Menéndez finalmente se rindió el 14 de junio de 1982. La derrota encendió la cuenta regresiva del poder militar.

───◦◦◦◦───

Los ochenta comenzaban a distender el clima lúgubre de la dictadura. A comienzos de 1983, la convocatoria a elecciones y la cercanía de la democracia terminó por levantar la censura. Los cines exhibían "Desaparecido", de Costa Gavras, y Pink Floyd "The Wall", que se transformó en la meca sabática de una procesión incesante de jóvenes.

La gente ansiaba tener su primer televisor a color. Una pantalla, precisamente, trajo a los ojos de María del Redentor Cobanera la imagen de Raúl Alfonsín sobre un palco en la avenida 9 de Julio y las palabras del Preámbulo de la Constitución, que el candidato había transformado en una suerte de rezo profano.

Los enfrentamientos con los caudillos de Catamarca y con las inspecciones escolares del peronismo habían alimentado la antipatía de María hacia el Justicialismo. El discurso conciliador y esperanzado de Alfonsín terminaron por resolver su voto.

El 28 de octubre de 1983, el retumbar grave de los bombos regresó a los oídos de Américo Miralles y sintió que la sangre volvía a latirle en las venas como cuarenta años atrás. Interminables pasacalles de los sindicatos, carteles y banderas rodeaban el Obelisco. Buscó acercarse al palco y cuando encontró un lugar se dedicó a pasear su mirada por la marea de cabezas que se agitaba sobre la 9 de Julio. Luego llegaron los discursos y el fuego a lo lejos de los símbolos radicales quemados por Herminio Iglesias. Regresó a su casa y cuando Mary lo recibió contestó sólo con una palabra.

—Perdemos.

Su seguridad surgió tal vez de la falta de carisma que presentía en el candidato a presidente Ítalo Luder, en las provocaciones de Iglesias, en la distancia que separaba a los dirigentes de la gente, o tal vez en una mezcla de sensaciones inexplicables. Pero aquella noche se fue a dormir con el retumbar de los bombos en su memoria y la presunción de una derrota electoral.

El 30 de octubre Gregorio Levenson amaneció inquieto. Fue a la cocina de su departamento del Distrito Federal de México y se preparó un café. Por primera vez en siete años, la posibilidad de regresar a la Argentina estaba cerca.

Cuatro días atrás se había levantado el Estado de sitio que pesaba sobre la vida de los argentinos desde hacía una década. Y la campaña electoral había vuelto a cubrir las calles de consignas políticas y ansiedad. A la distancia, Gregorio y el grupo de peronistas de izquierda reunidos en México ansiaban el triunfo de Luder, a pesar de las diferencias ideológicas que lo separaban de la mayoría de los candidatos que presentaba el Justicialismo.

Se juntaron temprano en la puerta del consulado argentino en México. La euforia teñía las caras. Había ansias de paz. En medio de la algarabía, Gregorio se reencontró con viejos militantes y se cruzó con otros a quienes el exilio y las desapariciones habían quitado las ganas de celebrar.

Corearon canciones contra la dictadura y quemaron tres muñecos de trapo que ridiculizaban a Videla, Massera y Agosti. Se escucharon gritos de bronca y aplausos. Desde las ventanas del consulado, detrás de los cortinados, se asomaron las caras de los funcionarios de la dictadura.

En Buenos Aires, octubre se despedía con calor anticipado. Perla Jerosolinsky abandonó su departamento de Barrio Norte y con la ayuda de su hijo Juan fue a votar por Raúl Alfonsín. Se sentía feliz por el regreso de la democracia. Los años vividos bajo regímenes autoritarios habían alejado de sus recuerdos el placer de criticar a los gobernantes sin temor a perder la vida. Los tiempos de dictadura militar sólo habían avivado sus imágenes de la persecución nazi y de la opresión stalinista. A través del mundo había buscado alejarse de la muerte, pero siempre la había sorprendido a sus espaldas.

Américo fue designado fiscal de mesa y a pesar de sus presagios tenía esperanzas de un triunfo peronista. La falta de costumbre provocó demoras en la apertura de mesas y las colas de votantes se alargaron frente a los colegios.

María votó en la escuela número 23 de Villa Ballester por la Unión Cívica Radical y regresó a su casa para seguir las noticias por televisión.

Al mediodía el sol se hizo sentir con fuerza y los vendedores de gaseosas aprovecharon para sacar provecho a la jornada en los colegios. A primera hora de la tarde el termómetro marcaba 26 grados.

Al terminar el comicio, Gregorio y un grupo de compañeros se alejaron de la embajada argentina en México y fueron a la casa de Ernesto Jauretche y Susana Sáenz. Encendieron la radio y acercaron copas y bebidas para festejar el triunfo peronista. La radio internacional trajo la noticia. "Hasta el momento, las mesas escrutadas arrojan el siguiente resultado: Alfonsín con 4.130.289 votos se alza con el 55 por ciento, Luder le sigue con el 37 por ciento al contar con 2.839.160, en tercer lugar, Alende con el 3 por ciento y en cuarto puesto Frigerio con el 1 por ciento". Por primera vez en la historia argentina, el peronismo había sido derrotado en una elección nacional.

Buenos Aires se cubrió de bocinazos y festejos. María se olvidó de sus 84 años y salió a la vereda a celebrar el triunfo de su candidato. Los vecinos de Villa Ballester saludaban a su paso los autos embanderados.

Américo aceptó el resultado con resignación y soportó estoico las bromas de su hijo radical. Sentía bronca al recordar a quienes habían luchado por recuperar un gobierno peronista y la dirigencia que había frustrado sus sueños.

Alfonsín había triunfado con un margen amplio de votos pero su partido era minoría en el Senado, la Confederación General del

Trabajo amenazaba con transformarse en su principal oposición y las Fuerzas Armadas lo miraban con desconfianza por sus promesas de juicio a los responsables del terrorismo de Estado.

El 10 de diciembre de 1983, Alfonsín asumió la presidencia. Con el regreso de la democracia, la vuelta a la Argentina se convirtió en un anhelo común de los exiliados. Gregorio Levenson vivía entonces en la capital de México junto a sus nietos Martín y Laura. Se había alejado de la actividad política y su militancia estaba volcada al trabajo solidario con los refugiados y chicos de la calle.

Su participación en las Naciones Unidas lo involucró en un programa destinado a organizar el regreso de los argentinos que, perseguidos por la dictadura, se habían desparramado por América latina. Gregorio se ocupaba de administrar los fondos provistos por el gobierno de Suecia y el organismo internacional para el pago del pasaje aéreo y los primeros gastos de radicación en la Argentina.

Así despidió a muchos compatriotas que regresaban a su tierra, hasta que finalmente en octubre de 1984 quiso que fuera su turno.

Su hijo Alfredo se encargó de limpiar el nombre de su padre de las acusaciones levantadas por los militares. Pero por si acaso, Levenson ingresó al país con la misma falsa identidad que había usado para escapar en mayo de 1977.

Se sintió feliz de volver pero también cansado y vacío. Tenía que empezar de nuevo. La dictadura le había arrancado a su esposa Lola, a su hijo Bernardo y a tantos otros amigos y compañeros. Una mano oficial también se había encargado de quitarle su modesta jubilación destruyéndole el expediente que registraba todos sus aportes.

Al igual que en México, los primeros meses estuvieron dedicados de lleno al trabajo con los refugiados que regresaban al país. Estudió proyectos económicos, repartió fondos de las Naciones Unidas y alentó esperanzas. De a poco también reorganizó su vida, aunque las heridas eran imposibles de cerrar.

Como novedad para unos y triste confirmación para otros, en septiembre de 1984 la Comisión Nacional sobre la Desaparición de Personas reveló con precisiones las atrocidades del régimen militar. Las denuncias se plasmaron en el libro *Nunca Más*.

En abril de 1985, el gobierno inició el proceso judicial contra los integrantes de las primeras tres juntas militares.

El pensamiento político de Gregorio se había acercado a la posición democrática y defendía el juicio como un triunfo.

El 9 de diciembre de 1985, tras semanas de amenazas de bombas y atentados, la Cámara Federal condenó a los integrantes de las juntas militares.

El alma de Gregorio se colmó con una bocanada de justicia. Después de tanto tiempo, su país le devolvía una satisfacción.

Ricardo Pueyrredón había cerrado su agencia de publicidad hacía 17 años. Su amistad con Raúl Alfonsín, las campañas compartidas, la tradición radical de su familia y su propia convicción política lo habían convertido en director de Ceremonial y Protocolo de la Presidencia de la Nación. Eran pocos quienes lo envidiaban por entonces. Los primeros meses de 1989 encontraron al gobierno jaqueado por la inflación, las corridas bancarias y la presión de los principales grupos económicos. Cortes de luz programados y sistemáticos alteraban la vida cotidiana de los argentinos. El clima político terminó de oscurecerse cuando en enero un grupo de militantes del Movimiento Todos por la Patria dirigidos por Enrique Gorriarán Merlo copó el Regimiento 3 de La Tablada.

La situación colaboró con la derrota del candidato radical Eduardo Angeloz y el domingo 14 de mayo Carlos Saúl Menem fue electo presidente de los argentinos por el 49 por ciento de los votos.

Menem era un abogado riojano de larga militancia peronista, pero para la mayoría de los argentinos era todavía un enigmático caudillo de 59 años.

Lejos de traer calma, las elecciones terminaron por evaporar el poder radical y la inflación se mantuvo incontrolable. Dos semanas después, columnas de pobres saquearon supermercados, pequeños almacenes y comercios en el cordón industrial de Buenos Aires, Rosario y Tucumán. El salario real había caído más del 50 por ciento en seis meses mientras los precios subían y el dólar escalaba hacia una cima inalcanzable.

En junio, la inflación siguió su carrera enloquecida y superó la barrera del cien por ciento. A mitad de mes los sueldos de la mayoría de los argentinos se habían evaporado y se temían nuevos levantamientos sociales.

El gobierno electo se negaba a avalar medidas que lo llevaran a compartir el costo político de la crisis y el poder económico estaba dispuesto a jaquear sin contemplaciones los últimos meses de Alfonsín.

Radicales y peronistas habían comenzado a negociar la entrega anticipada del mandato. Sin las urgencias que asfixiaban al gobierno, los vencedores elevaron sus exigencias. Finalmente, los bandos acordaron que el traspaso del mando sería el martes 1° de agosto.

La fragilidad del acuerdo rápidamente fue quebrada por la persistencia de la crisis. El domingo 11 de junio Alfonsín convocó a sus amigos y colaboradores más cercanos. Monologó por unos minutos, reveló que el sindicalismo planeaba una manifestación en su contra, lanzó críticas contra los vencedores de las elecciones e hizo una pausa. Hubo silencio.

—He hablado con Víctor Martínez y ambos vamos a renunciar —fue la frase final.

El último año de la década lo encontraba cansado de resistir. La Casa Rosada estaba convulsionada. La palabra "renuncia" resonaba en cada ángulo del edificio. Ricardo Pueyrredón quiso confirmar las versiones. Se dirigió hacia el despacho presidencial; saludó al edecán y le preguntó si podía ver a Alfonsín.

Ricardo golpeó la puerta del despacho. Sentado en su sillón, el presidente miraba perdidamente hacia Paseo Colón.

—Presidente... —dijo el visitante.

No hubo respuesta. Entonces cerró despaciosamente la puerta y caminó hacia donde estaba Alfonsín.

Una atmósfera sombría envolvía el despacho.

—Vení, vení. Sentate —lo invitó el presidente, mientras rodeaba su escritorio.

Ambos se acomodaron en la larga mesa de reuniones.

—Voy a renunciar. No puedo más. Ya tenemos la confirmación de que viene una manifestación desde Rosario. Me dice que van a llenar la plaza. Puede haber disturbios, algún muerto. Y yo no quiero eso.

—No renunciés. Te lo van a cargar toda la vida —intentó convencerlo Pueyrredón.

Una profunda desazón colmó a Pueyrredón.

Para ese entonces, Rodolfo Terragno ya estaba en La Rioja notificando la decisión al futuro presidente.

—Tengo la misión de anunciarte que Alfonsín y Martínez han renunciado. El presidente lo anunciará hoy a todo el país. Te pedimos que no hagas ninguna referencia al asunto hasta después de que Alfonsín hable por la cadena de radio y televisión.

—¿Se adelantó todo? ¿Cuándo se va del gobierno? —interrogó Menem convulsionado.

—Alfonsín piensa que el 30 de junio debe hacerse la transferencia del mando.

El regreso a la Capital Federal se demoró más de lo previsto. Recién hacia el atarceder Terragno y su comitiva se subieron al avión presidencial. La radio comenzó a transmitir el discurso: "He decidido resignar mi investidura presidencial...".

Alfonsín acababa de abandonar el escenario barrido por la hiperinflación, la presión del poder económico y el descontento social. A las 14.10 del frío 8 de julio entregó el mando al nuevo presidente de los argentinos. Había sido un otoño despiadado.

Con 79 años a cuestas, Pueyrredón debía partir junto al gobierno de Alfonsín. Para su sorpresa, Menem le ofreció quedarse pero cortésmente rechazó la propuesta, un poco por cansancio y otro tanto por ideología.

El traspaso del poder no encausó la corriente. La economía continuó desbocada y el año terminó con un decreto presidencial que indultaba a los militares.

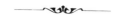

Encender la radio era un hábito tan cotidiano como el desayuno. Las voces de locutores y periodistas cubrían el departamento de Peña 2775 y matizaban la soledad de Perla Jerosolinsky. Su marido había fallecido seis años antes. Sus amigas, las acompañantes de los paseos por Florida, de las matinés en el cine, del té en la confitería Richmond también habían muerto. El tiempo devoraba su pasado y los recuerdos parecían sacados de un mundo desaparecido, como si hubieran sucedido en la ficción. Se preguntaba si la historia de su éxodo personal se extinguiría con su memoria.

La soledad sólo se quebraba con la luz de sus nietos. Le resultaba imposible dejar de ser condescendiente con los pequeños. La presencia de los chicos daban vida a la rutina de su hogar, al círculo inalterable de despertares, almuerzo, lectura y anocheceres. Todos los días idénticos al siguiente en la usual repetición de la vejez.

A las 9.53 del 18 de julio de 1994, el locutor leyó una noticia urgente. Perla congeló sus movimientos, las palabras de la radio daban vueltas en su cabeza sin que sus sentidos terminaran de caer en la realidad. La repetición de la información, el tono severo del locutor y los silencios dieron una medida de la tragedia. Faltaban cinco minutos para las diez. "Decenas de muertos y heridos es el saldo de una gigantesca explosión que esta mañana destruyó la sede de la Asociación Mutual Israelita Argentina, en Pasteur 633, en el barrio porteño de Once."

Como aullidos que anuncian la muerte, el ruido de las sirenas se coló por las ventanas del departamento. La radio explotó en gritos, voces desencajadas, relatos del infierno, descripciones de las víctimas y los ecos de una marea humana sin orden que pugnaba por ayudar.

Perla se sujetó al borde de un sillón y buscó sentarse. Las manos le temblaban. Las descripciones desde el Hospital de Clínicas daban cuenta de mutilaciones y cuerpos destrozados. Las noticias se entremezclaban en la mente de Perla con la memoria de su cuñado, Szajo Szejman, quien durante 18 años había trabajado en la AMIA a pesar del brazo que había perdido en la guerra. Había muerto hacía 30 años, pero su cara sonriente se aparecía ahora entre los relatos del horror, como si la explosión hubiera removido los recuerdos perdidos.

Perla se llevó las manos a la cara y se largó a llorar, sin poder detenerse, sin fin. Lloró con cada noticia, con cada entrevista. El edificio de Cultura de la AMIA, en Pasteur 632, era ahora refugio de familiares y amigos desesperados que aguardaban un aviso de esperanza, lugar de oraciones, de contención, de decisiones, de solidaridad, las paredes de las casas vecinas se cubrían con las fotos de los desaparecidos que todavía estaban bajo los escombros. Un tropel de voluntarios y de profesionales corrían sin descanso.

La Morgue era el lugar donde se extinguían las escasas esperanzas.

De pronto las noticias se confundieron en la mente de Perla con gritos en alemán, con uniformes nazis. Jude, jude schwei, judío cerdo, camina, corre jude, muere jude, el ghetto, su familia calcinada en Auschwitz, su padre. Y lloró desesperadamente, las lágrimas cayeron por sus mejillas interminables. En medio del dolor se preguntó por qué, buscó una explicación imposible en la crucificción de

Cristo, en la historia de Judas, y sintió que los miles de kilómetros de huida que la habían llevado desde la Varsovia nazi hasta Buenos Aires sólo la habían regresado al lugar de partida. De nuevo estaba de cara frente al odio, como si el círculo se cerrara sobre el comienzo. No había explicación posible.

Cuando Marta llegó para ocuparse de la limpieza se expresaron mutuamente su desconsuelo. La cantidad de muertos pasaba los ochenta. Marta era su mayor compañía desde la muerte de su esposo Arturo y, ante el panorama de angustia, trató de tranquilizarla.

—Quiero irme a Israel, Marta, quiero morir en mi tierra, cuando me sienta mejor voy a viajar —se confesó Perla.

La fidelidad hacia el peronismo se mantuvo inalterable en Américo Miralles y el 22 de agosto de 1994 se alegró con la sanción de una nueva Constitución Nacional, que habilitaba al presidente Carlos Menem a ser reelecto.

Volvió a votar al candidato justicialista en las elecciones presidenciales del 14 de mayo de 1995 y disfrutó la nueva victoria de su partido. Pero secretamente sentía que nada era como antes, las plazas desbordantes, las mejoras de sueldos, la convicción de una Argentina poderosa.

Vivía en una casa sencilla de Versailles, con una jubilación modesta. Había pasado los ochenta años y sentía que la suerte de su futuro estaba echada.

El sol entibió el domingo y las voces de la familia llenaron la casa. Todos se encontraban para compartir el almuerzo. Hijos, nietos y bisnietos.

—Acá no se habla de política ni de religión —aconsejó la abuela Mary para evitar nuevas discusiones.

Los tenedores caían sobre las berenjenas en escabeche que había preparado Américo y la charla comenzaba a tomar color. Cuando el timbre anunció que los últimos habían llegado, Mary apoyó sobre la hornalla encendida la olla repleta de agua.

Las previsiones de la abuela, como de costumbre, rápidamente quedaron en el olvido y la conversación apuntó peligrosamente hacia la política. Un hijo elogió la modernización de la Argentina. Otro contestó con las cifras de desocupación. Américo entró de lleno en el duelo y criticó a los políticos contemporáneos que se olvidan de las conquistas sociales de Perón.

—Los peronistas hacen lo mismo que hizo Perón, se llenan la boca con promesas y después se olvidan de la gente —desafió el hijo radical.

La charla se recalentaba vertiginosamente. La abuela Mary buscó en su mente un comentario para desviar el sentido de la disputa.

—Escucháme, nena —preguntó a una de sus nietas—, ¿es cierto que viene esa loca de Madonna a filmar una película sobre Evita?

No había elegido el mejor escape. A Américo se le crispó la piel y pegó un puñetazo contra la mesa.

—Ahora resulta que los yankis también se toman el privilegio de jugar con la imagen de Evita —protestó.

Su bronca creció cuando un hijo recordó con cizaña que Menem había ofrecido el balcón de la Casa Rosada para grabar una de las escenas de la película.

Américo apretó los dientes y se levantó de la mesa. Había aprendido a frenar su ímpetu cuando la charla amenazaba con oscurecer el domingo familiar.

Caminó hacia la cocina y hundió un trozo de pan en la salsa de los fideos. El aroma del tuco cambió su humor y lo alejó de la mesa donde el resto de la familia todavía debatía sobre política.

Antes de sumergirse de nuevo en la conversación, don Miralles se apoyó en el marco de la puerta y se detuvo a disfrutar de su familia. Sus bisnietos jugaban con un tren a pila, sus nietos mayores conversaban por lo bajo con sus recientes esposas. Los más jóvenes charlaban sobre la fiesta que los esperaba por la noche. Los hijos todavía cruzaban opiniones sobre el devenir de la

Argentina. A los oídos de Américo, desde un lugar sin espacio, regresaron los acordes de "El huracán" y las imágenes del baile de carnaval donde entendió que Mary iba a ser su Greta Garbo para el resto de la vida.

A los 98 años, María del Redentor Álvarez de Cobanera abandonó su casa de Villa Ballester. Su hija María Amelia la llevó a vivir a su hogar en un departamento de la calle Doblas, en el barrio de Caballito, donde compartía el tiempo con dos de sus nietos. Habían pasado quince años desde la muerte de su marido. El recuerdo de la despedida de Juan Augusto regresaba a cada instante para ayudarla a seguir. "Te voy a esperar con alegría", había prometido. María recordaba cada inflexión, cada silencio, cada pausa de la frase. Una y otra vez la traía a su memoria para recostarse en la nostalgia y recordar el pacto de vida que había sellado con su marido. Entonces regresaban las fuerzas.

Sus alumnos ahora eran adultos. La vida los había corrido de la montaña o todavía trabajaban al sol de una estancia, entre los caminos de polvo y viento. Habían formado familias y sus hijos habían vuelto a la escuela. El círculo se cerraba sobre sí mismo.

Su siglo de vida estaba a la vuelta de sus días y se sentía en paz. Su vocación por la enseñanza seguía intacta. Leía todo aquello que llegaba a sus manos y cada tanto se sentaba junto a la ventana para redactar una carta con su caligrafía redonda y serena de maestra. Se sentía feliz de saber que la lucidez la acompañaba aún en la vejez.

Una mañana descubrió en el diario la carta de un preso, José Enrique Ávila Sanz, quien desde el penal de Mercedes pedía a quien fuera unas líneas para acompañar su encierro. Como había hecho su madre cien años antes, cuando llevaba empanadas a los presidiarios y les leía pasajes de la Biblia, María sintió que era su obligación contestar la carta.

Desde su convicción religiosa recordó al condenado las promesas de Cristo para quienes se arrepienten sinceramente de los pecados y buscó acompañarlo con sus palabras. "Bienaventurados los que lloran, porque ellos serán consolados", escribía sobre hojas escolares.

Cuando el mundo la confundía, y se desgarraba al ver el ayuno de los maestros frente al Congreso, María volvía a sus creencias para buscar esperanza.

En agosto de 1997, la pantalla del televisor trajo las imágenes del juicio por el asesinato de María Soledad Morales. Comenzó sin expectativas, pero lentamente nuevas voces barrieron los engaños y la verdad salió tímidamente a la luz. Había sido violada, forzada a consumir cocaína y asesinada en una fiesta de jóvenes poderosos de Catamarca. Entonces la angustia de cada palabra llevó su memoria de regreso a la escuelita catamarqueña de San Pedro de Capayán, a sus campos de olivares y sus peñascos de colores. Volvieron las caritas de sus alumnas y su desamparo frente al poder de los terratenientes del pueblo. Las injusticias se repetían.

El viernes 27 de febrero de 1998 escuchó las condenas contra Guillermo Luque, hijo de un diputado del saadismo, y Luis Tula, un empleado de Obras Sanitarias de la provincia, de quien María Soledad se había enamorado.

Por un instante, el viento pareció soplar hacia el lado de la justicia. María estaba conmovida por la sentencia. La mayor parte de los argentinos había perdido las esperanzas de ver condenados a los responsables del crimen de la adolescente. Entonces tomó una lapicera y, una vez más, se dejó guiar por su fe. Pensó en los caminos de Cristo, en el sermón de la montaña y en su perdón para los pecadores de arrepentimiento sincero. Y escribió:

Para Guillermo y Luis: Cumpliendo con un sentimiento de sincera caridad, quiero dirigirme a ustedes. Ambos están privados de la libertad. No puedo ni debo juzgarlos. En vuestros momentos de crisis, les aconsejo se concentren y, frente a Dios, utilicen la inteligencia que Él les ha dado para escuchar la voz de vuestras conciencias. Ellas les dirán la verdad. ¡No se equivoca nunca! Se ha dicho, con toda razón, que es testigo, fiscal y juez.

Un gran filósofo dijo lo siguiente: "Los oídos no pueden escuchar, ni la lengua puede explicar las horas del infierno interior que es la propia conciencia".

Que Dios los proteja.

María del Redentor Cobanera de Álvarez (docente jubilada).

El odio había desaparecido de sus sentimientos. En el rincón más íntimo de su alma, María sólo buscaba ayudar a la salvación.

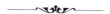

Al otro lado del balcón, el viento movía las últimas hojas del otoño. El atardecer se despedía de Almagro con finos hilos de sol entre los listones de la persiana. Desde la soledad de su sillón, Gregorio Levenson recordó las travesuras de su pandilla de San Fernando y la búsqueda incesante por una moneda. Había sido también un chico de la calle, a pesar de los padres rusos y los cinco hermanos que esperaban en casa. Pero entonces, a principios de siglo, los chicos de la calle todavía tenían esperanzas.

La mayoría de edad lo había llevado a la política. El radicalismo, el comunismo, el peronismo, la guerrilla, el trabajo social. Siempre en busca de una forma de transformar la sociedad, aunque sentía que había más batallas perdidas que ganadas.

Llegaron a su mente los pequeños mendigos de la avenida 9 de Julio, de Constitución, de Retiro, de las calles de Once. Un título del diario lastimaba con la noticia "Cuatro millones de desocupados en Argentina".

Los inmigrantes habían llegado con la esperanza de salvar a sus hijos de su sacrificio. Cien años después eran sus nietos quienes enfrentaban un futuro incierto.

Pero a los 85 años, Gregorio seguía sin rendirse. Su militancia había encontrado un nuevo cauce. Junto a su sobrino Alberto Real, su nieto Martín y otros colaboradores organizó la fundación Red Solidaria Azul y Blanca, para ayudar a los hogares y granjas que luchaban por salvar a los niños y adolescentes de la miseria. Su nueva ocupación trajo anécdotas de desdichas, pobreza y marginación. Y lo llevó a conocer la historia de María.

Era una adolescente de 14 años, hija de un matrimonio de médicos de clase media alta. Ojos verdes, cabellera rubia y un cuerpo inquieto que se regocijaba con los descubrimientos de la pubertad. María tuvo un novio. Era un galán del club. Hubo salidas nocturnas, besos y roces hasta que el deseo los arrastró al sexo. María se dejó enamorar sin previsiones. Y de pronto el encantamiento se oscureció. Su novio se marchó sin dejar rastros en el barrio ni en el club. No hubo huellas para los demás, sólo para María que en esa primera unión había contraído el HIV.

—¡Puta estúpida, cómo pudiste! —vociferó su madre cuando supo la verdad y su ira se convirtió en golpes.

Los padres de María impusieron un círculo de silencio en torno a la enfermedad. Todo tenía que lucir como antes. María siguió cursando 2º año del Mariano Acosta, del barrio de Once, como si nada hubiera pasado.

Pero en su interior nada era igual. Lentamente se alejó de compañeros y amigos. Recluida en su cuarto, que por prescripción paterna ahora era el de servicio, supo que la habían echado del colegio. La noticia trajo un nuevo ataque de cólera de sus padres, quienes le hicieron saber que era adoptada.

—Vamos a devolverte al juzgado, no cumpliste con nuestras expectativas —se limitó a informarle la madre.

La ley impidió el abandono, pero su casa se transformó en un gélido infierno. Comenzó a escaparse. Cada huida la envolvía de libertad y temor. Hasta que su soledad adolescente encontró refugio y comprensión entre los chicos de la calle que merodeaban plaza Miserere y Constitución. Una madrugada, en una redada de la Policía Federal, María cayó presa junto a marginales, mendigos y desamparados. En el calabozo fue violada. Por la vereda de la comisaría la vida de Buenos Aires transcurría impasible.

Más por obligación que por compasión, sus padres la rescataron de la celda. Al poco tiempo supo que estaba embarazada. Sin padre para su niño ni propios, María sintió odio, un rencor agudo hacia la vida.

Sus padres la llevaron un día a la antesala del Juzgado de Menores. Dócil por la apatía y el odio, María se dejó manejar. Con un pequeño atado de ropa y una panza incipiente, se encontró una mañana sola en el juzgado.

El magistrado buscó a sus padres, pero para entonces estaban lejos. Habían abandonado sus trabajos y su hogar. Comenzó entonces la tarea de encontrar un lugar para María. Había perdido interés por la vida. Un grupo de asistentes sociales se ocupó de llamar a decenas de hogares laicos y religiosos, pero nadie quería hacerse cargo de una adolescente desamparada, infectada de HIV y embarazada. Todos argumentaban falta de recursos, escasez de personal y justificativos varios. Finalmente, el Hogar de Mujeres Menores Infractoras o Encausadas Santa Rosa la recibió. Allí fue empujada a convivir con mujeres condenadas por delinquir, a sobrevivir en el hacinamiento, a soportar las feroces palizas de las requisas y a la reclusión de una celda. Ciertas veces recordaba su cuarto de adolescente, las cenas en familia, sus amigas del Mariano Acosta.

Su embarazo iba por el quinto mes. Sin atención médica, el SIDA avanzaba implacable. María sintió que en la ranchada del Once podría encontrar un refugio y compañía para su desdicha. Una noche con la complicidad de una celadora se fugó para volver a los vagones vacíos del Sarmiento. Compartió viejas drogas conocidas y descubrió nuevas. Tuvo que mendigar, porque su panza le impedía prostituirse.

Un día sintió dolores en el vientre. Los pibes juntaron unas monedas y fueron hasta Constitución. Se subieron al tren y viajaron rumbo a La Plata. María jadeaba. En el medio de la noche la dejaron en la sala de guardia del primer hospital que encontraron en el camino. María dio a luz una beba a la que odiaba pero sentía propia. Era su única ligazón con el mundo. La pequeña, aferrada a la vida, había nacido HIV negativa. Los pezones de la adolescente se cerraron y fue incapaz de alimentarla.

—Es una pendeja de mierda —se desquitaba María en medio de sus ataques de abstinencia.

—Por el bien de las dos tenés que darnos a la beba. Le vamos a encontrar una familia buena —le dijeron las autoridades del hospital.

María recordó sus abandonos; el antiguo y el reciente. Su corazón desgajado pero aún con sombras de amor se rebeló. A regañadientes, comenzó a amamantar a la pequeña sin arrullos ni caricias. Una noche, el efecto de las drogas se entrometió en su frágil maternidad y el cuerpo de María se convulsionó. En medio de la desesperación del ataque olvidó que la beba estaba prendida a su pecho sorbiendo su leche tibia y escasa.

El silencio del cuarto se quebró. El cuerpo menudo de su hija Rosita golpeó contra las baldosas blancas. Segundos después, María se desplomó a su lado.

La justicia la acusó de filicidio y la encerró en un hogar de menores de máxima seguridad. Allí cumplió la mayoría de edad.

En silencio, María escuchó la sentencia del tribunal en el juicio oral: reclusión por tiempo indeterminado en un hospital psiquiátrico. El cuerpo débil y el alma ausente de María soportaron sólo dos años de encierro. Después, al fin, murió.

En el departamento de Almagro, la noche espantaba los últimos reflejos de luz. Gregorio acarició su cabello escaso y canoso buscando espantar la tristeza. Definitivamente no era el fin de siglo que había soñado.

Dio unos pasos hasta su biblioteca y abrió una página de *Barrio Gris*. El libro había sido testigo de lecturas íntimas e imposibles de olvidar junto a su esposa Lola. Paseó su mirada por la ilustración de tapa y sonrió frente al dibujo del malevo tirado sobre un charco rojo de sangre y la figura del vencedor recortada en la silueta de una fábrica. Buscó una página al azar y sus ojos grises se inmiscuyeron entre las letras borrosas. "Los aromos comienzan a desprenderse de sus flores y sobre la vereda de ladrillos se acumula el polvo amarillento que dispersa el aire. Las ramas se inclinan, barriendo acompasadamente el tejado de la casa. Es el ocaso, esa hora extraña en que las personas y los objetos ablandan sus contornos y se distienden perceptiblemente antes de consustanciar su volumen con la sombra que los absorbe con lentitud inexorable."

Cerró el pequeño libro y llevó sus ojos al balcón. La noche colmaba la ciudad. Las hojas de los árboles estaban estáticas a la espera de próximos vientos. Siglo nuevo, problemas viejos.

—Es sólo cuestión de tiempo para que los excluidos golpeen a la puerta —se repitió Gregorio y se marchó a la cama.

Ni cien años logran envejecer las esperanzas.

Epílogo

GREGORIO LEVENSON vive solo en su departamento de Almagro y, a los 88 años, asesora a organizaciones no gubernamentales dedicadas al cuidado de los chicos de la calle. Prepara un libro sobre sus memorias que planea llamar *El país que yo he vivido*.

MARÍA DEL REDENTOR COBANERA DE ÁLVAREZ a los 98 años vive en Caballito, donde en viejos cuadernos escolares anota los datos encontrados sobre sus antepasados de la época colonial.

AMÉRICO MIRALLES, de 86 años, se levanta a las cinco de la mañana, da de comer a las palomas y a las siete despierta a su mujer, Mary, con un mate. Por la tarde, lee los diarios y revistas que le acerca su hijo Armando.

MARCELINO FERNÁNDEZ VILLANUEVA tiene 85 años, vive con su mujer Francisca Ron Otero en la calle Rosario de la Capital Federal. Desde España todavía recibe cartas de los hijos y nietos de sus compañeros de la guerrilla socialista.

PERLA JEROSOLINSKY comparte una habitación en el Hogar Israelita de Burzaco en el Gran Buenos Aires. Tiene 84 años y lee ávidamente cada libro y diario que llegan a sus manos. Luego los comenta con su amigo Gabriel en un banco del parque del asilo.

SALVADOR ARBITMAN, de 91 años, FLORA DI BENEDETTO, de 87 y CECILIA GUREVICH, de 85, comparten sus días en un geriátrico de Villa Devoto. Flora escribe cuentos en italiano y Cecilia los traduce. Salvador repasa sus recuerdos de un viaje por Israel en hojas sueltas que guarda en su habitación del asilo.

José Alberto Quiroga y su esposa Elsa dedican gran parte de sus horas a una asociación cultural de Villa del Parque. Él, con sus 81 años, trabaja en la biblioteca y ella, con 78, da clases de origami.

Pedro López, con 103 años, recomienda el yoga y "la buena nutrición libre de vicios" para alcanzar la longevidad. Vive en Ramos Mejía, en la misma casa donde hace 70 nació su hijo Horacio, con quien ahora comparte su vida. Desde 1988, su vecina Pierina le prepara el almuerzo.

Anselmo Marini vive en la calle 2 de La Plata, adonde lo visitan asiduamente sus correligionarios radicales. Tiene 93 años.

Jorge Dante Merli pudo volver a la cancha recién en 1989 a pedido de su hijo, también fanático de Boca. A los 51 años todavía se altera cuando alguien roza su espalda.

Lidia Molinari y Francisco Pelloni cumplieron cincuenta años de casados en 1998. Él tiene 78 y disfruta tanto de las caminatas como de las siestas. Ella, con 72, administra el edificio de Villa Urquiza en donde viven. Sueñan con volver a Italia el año próximo.

Daniel Pelícori guarda en su departamento de Once decenas de álbumes de fotos y trofeos de su vida deportiva. En el último mayo del siglo cumplió 102 años.

Ricardo Pueyrredón vive en un señorial departamento de Recoleta con su esposa Elenita. A los 88 años disfruta de las visitas de sus hijos, nietos y bisnietos, mientras escribe sus memorias.

Raquel Levenson murió en 1972. Reconstruimos su historia a través de su hijo Alberto Real, quien vive cerca de la cancha de Vélez Sársfield, y lejos del PC.

Bibliografía y fuentes

Alonso Piñeiro, Armando. *Breve historia de la publicidad argentina* (1801-1974). Buenos Aires, Alzamor Editores, 1974.

Amsler, Jean. *Hitler.* Buenos Aires, Centro Editor de América latina, 1971.

Borrini, Alberto. *El siglo de la Publicidad 1898-1998, Historias de la publicidad gráfica argentina.* Buenos Aires, Atlántida, 1998.

Cobanera de Álvarez, María. *Educar donde maduran las uvas y los trigales.* Buenos Aires, Ediciones Agon.

Delgado, Josefina. *Alfonsina Storni.* Buenos Aires, Planeta, 1990.

Diario íntimo de un país, Cien años de historia. La Nación, Buenos Aires.

El Partido Comunista en la política argentina. Su historia y su crítica. Jorge Abelardo Ramos. Coyoacán, Buenos Aires, 1962.

Floria, Carlos Alberto y García Belsunce, César. *Historia de los argentinos.* Buenos Aires, Larousse, 1993.

Gallo, Ezequiel y Cortés Conde, Roberto. *La república conservadora.* Buenos Aires, Hyspamérica, 1972.

Ghirardi, Luis. *Historia de Ramos Mejía.* Buenos Aires, Talleres Francisco A. Colombo, 1973.

Gobello, José. *Diccionario de Lunfardo.* Buenos Aires, A. Peña Lillo Editor, 1975.

Godio, Julio. *La semana trágica de enero de 1919.* Buenos Aires, Hyspamérica, 1985.

Goldar, Ernesto. *Los argentinos y la guerra civil española.* Buenos Aires, Contrapunto, 1986.

Gómez Bas, Joaquín. *Barrio Gris.* Buenos Aires, Libros del Mirasol, 1963.

Historia del siglo XX. Barcelona, Salvat Editores, 1996.

Hodgson, Godfrey. *People's Century. From the dawn of the century to the eve of the millennium.* New York, Random House, 1998.

La Argentina en el siglo XX. La Nación, Buenos Aires.

Lainño, Félix. *De Yrigoyen a Alfonsín. Relato de un testigo del drama argentino.* Buenos Aires, Plus Ultra, 1985.

Levenson, Gregorio y Jauretche, Ernesto. *Héroes, historias de la Argentina revolucionaria.* Buenos Aires, Ediciones del Pensamiento Nacional, 1998.

Levenson, Gregorio. *Chicos de la calle. Historias de vida.* Buenos Aires, Edición de autor, 1994.

Luna, Félix. *Breve historia de los argentinos.* Buenos Aires, Planeta, 1997.

Luna, Félix. *El 45.* Buenos Aires, Hyspamérica, 1984.

Luna, Félix. *Yrigoyen.* Buenos Aires, Hyspamérica, 1954.

Morales Solá, Joaquín. *Asalto a la ilusión. Historia secreta del poder en la Argentina desde 1983.* Buenos Aires, Planeta, 1990.

Nabot, Damián y Cox, David. *Perón, la otra muerte.* Buenos Aires, Agora, 1997.

Nuestro tiempo. Gran Enciclopedia Ilustrada del siglo XX. Turner Publishing y Century Books, Atlanta, Georgia, Estados Unidos.

Nunca Más. Informe de la Comisión Nacional Sobre la Desaparición de Personas. Buenos Aires, EUDEBA, 1986.

Osmañczyk, Edmund. *Enciclopedia Mundial de Relaciones Interna-*

cionales y Naciones Unidas. Madrid, Fondo de Cultura Económica, 1976.

Page, Joseph A. *Perón*. Buenos Aires, Javier Vergara Editor, 1984.

Ramos, Jorge Abelardo. *Breve historia de las izquierdas en la Argentina*. Buenos Aires, Claridad, 1990.

Saítta, Sylvia y Romero, Luis Alberto (compiladores). *Grandes entrevistas de la historia argentina (1879-1988)*. Buenos Aires, Aguilar, 1998.

Sanguinetti, Manuel. *San Telmo y su pasado histórico*. Buenos Aires, Ediciones República de San Telmo, 1965.

Sebreli, Juan José. *De Buenos Aires y su gente*. Buenos Aires, Centro Editor de América latina, 1992.

Serrano, Secundino. *La guerrilla antifranquista en León (1936-1951)*. Madrid, Siglo XXI de España Editores, 1988.

Sidicaro, Ricardo. *Los nombres del poder: Juan Domingo Perón*. Buenos Aires, Fondo de Cultura Económica, 1996.

Sorzhenitsyn, Alexandr. *Archipiélago Gulag*. Ensayo de investigación literaria. Barcelona, Tusquets Editores, 1998.

Sorzhenitsyn, Alexandr. *Un día en la vida de Iván Denísovich*. Barcelona, Plaza y Janés, 1969.

Toynbee, Arnold J. *La Europa de Hitler,* Madrid, Sarpe, 1985.

Ulanovsky, Carlos. *Paren las rotativas, Historia de los grandes diarios, revistas y periodistas argentinos*. Buenos Aires, Espasa Calpe, 1997.

Walsh, Rodolfo. *Operación Masacre*. Buenos Aires, Ediciones de la Flor, 1991.

Wright, Ione y Nekhom, Lisa. *Diccionario histórico argentino*. Buenos Aires, Emecé, 1993.

Zicolillo, Jorge y Montenegro, Néstor. *Los Saadi*. Buenos Aires, Legasa, 1991.

Diarios y revistas

Clarín: 1 a 7/7/63; 22 y 23/11/63; 24 y 25/6/68; 20 a 30/5/69; 19 a 22/7/69; 31/7/70; 20/12/70; 21 y 22/6/73; 20/5/77; 1 a 26/6/78; 4 y 5/82; 30 y 31/10/83; 11/90; 2/98.

La Nación: 26 a 31/12/1899; 22 a 26/5/10; 2/7/33; 30/6/34; 15 a 17/1/44; 16/6/55; 31/8/55; 20/9/55; 1 a 7/7/63; 22 a 25/11/63; 29 y 30/6/66; 20/12/70; 20/9/75; 1 al 20/11/75;1 a 19/11/75; 15 a 20/10/76.

Crónica: 25/6/68.

El País: 1 a 7/1/1900.

La Prensa: 10/30;

El Mundo: 9/2/48; 8 a 12/11/51;

Revista *Todo es Historia,* ediciones Nº 5, 18, 21, 42, 71, 78, 86, 93, 100, 108, 112, 146, 152, 169, 229, 258, 259, 296, 319, 320, 352.

Índice

Agradecimientos 9

Introducción 11

Los protagonistas 13

1900 19

1950 199

Epílogo 281

Bibliografía y fuentes 283

Esta edición
se terminó de imprimir en
Grafinor S.A.
Lamadrid 1576, Villa Ballester,
en el mes de agosto de 1999.